L'UNIVERS des Voitures classiques 1886/1940

L'UNIVERS des Voitures classiques 1886/1940

Adaptation française de Jean-Pierre Dauliac

GRÜND

Texte original : Rob de la Rive Box
Adaptation française : Jean-Pierre Dauliac
Suivi éditorial et PAO : Thierry Buanic, Tifinagh, Paris

Première édition française 2001 par Éditions Gründ, Paris

ISBN : 2-7000-1764-1
Dépôt légal : septembre 2001
Édition originale 1999 par Rebo International b.v., Lisse
sous le titre *Oldtimer Encyclopedie,*
sport-en personenauto's 1896-1940

Polices utilisées : Stone Serif & Stone Sans
Imprimé en Slovénie

Pour en savoir plus : www.grund.fr

Éditions Gründ - 60, rue Mazarine - 75006 Paris

Sommaire

Avant-propos

Il y a maintenant près de cent vingt ans, Gottlieb Daimler et Carl Benz construisaient leur première « automobile ». Daimler transformait une charrette, Benz concevait un tricycle à cadre tubulaire. Leurs imitateurs et continuateurs construisent des véhicules qui s'inspirent de la voiture hippomobile. Mais ces premières réalisations sont quand même à la base des voitures du XXIe siècle gérées par l'électronique. Ces premières automobiles sont construites par des ingénieurs confirmés comme par des inventeurs aux méthodes plus empiriques. Point commun : leur foi dans l'avenir de cette forme de locomotion. Autre point commun (parfois) : l'épuisement de leurs finances, leur ruine personnelle et parfois la fin prématurée de leur vie. Mais peut-on parler de « première automobile » ? Dans ce domaine, comme dans beaucoup d'autres, il y a peu de véritable antériorité. En 1984, la France a célébré « Cent ans d'automobile française », mais pas la première automobile du monde, avec la commémoration de la voiture d'Édouard Delamare-Deboutteville. Mais Étienne Lenoir avait expérimenté un break à moteur à essence dès 1863. En Autriche, Siegfried Marcus aurait créé une automobile fonctionnelle en 1870. Mais faut-il oublier Nicolas-Joseph Cugnot et ses expérimentations secrètes à des fins militaires d'un fardier à vapeur en 1769 ? Et Hacquet, créateur d'une voiture à voiles en 1834 ? Et Amédée Bollée dont les voitures à vapeur des années 1870 présentent un fonctionnement impeccable grâce à des solutions mécaniques parfaitement viables ?

On s'accorde à voir dans les réalisations parallèles de Daimler et Benz de 1886 les vraies bases de l'automobile moderne car leur voiture et leur moteur sont les points de départ d'une production offerte au public. Jusqu'en 1914, des milliers de

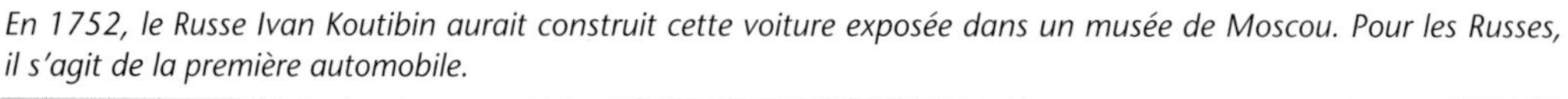

En 1752, le Russe Ivan Koutibin aurait construit cette voiture exposée dans un musée de Moscou. Pour les Russes, il s'agit de la première automobile.

Le XIXe siècle est une grande période d'expérimentation de la voiture à vapeur. Cette création américaine ressemble par sa technique aux réalisations de De Dion et Bouton de 1883-1885.

constructeurs apparaissent en Europe comme en Amérique : il aura fallu moins de trente ans pour voir naître et s'établir une puissante industrie.

Il est donc vain de prétendre couvrir ici toutes les marques et tous les modèles de la période 1886-1940. Il s'agit plutôt d'un panorama de l'automobile riche de 200 noms et de plus de 1 000 photos, des modèles les plus connus aux plus insolites.

Rob de la Rive Box

Le Français Hacquet a expérimenté cette curieuse voiture à voiles vers 1834.

En 1769, l'officier français Nicolas-Joseph Cugnot réalise sur fonds d'état ce fardier à vapeur qu'il expérimente à Paris. Après un accident dû à une direction défectueuse, le projet n'est plus financé et le véhicule ne sera plus développé.

Adler

L'Amérique et l'Europe n'ont cessé à la fin du XIXe siècle d'échanger des hommes et des idées dans les domaines scientifiques et techniques. Lorsqu'un jeune Allemand, Heinrich Kleyer, effectue un voyage d'étude

Publicité Adler datant des années 1920.

au pays des « grandes espérances » dans les années 1880, il remarque le grand nombre d'Américains utilisateurs d'une bicyclette alors que cette forme de transport est encore réservée à une élite sportive en Europe. À cette époque, on peut déjà parler de production de masse. Kleyer décide d'importer des bicyclettes et, devant

L'Adler Favorit (ici un modèle de 1928) a été souvent utilisée comme taxi. Ce modèle a été produit de 1928 à 1933.

La traction-avant Adler Trumpf est aussi proposée en cabriolet avec une carrosserie Ambi-Budd, de Berlin. Les cabriolets sont les modèles les plus chers de la gamme.

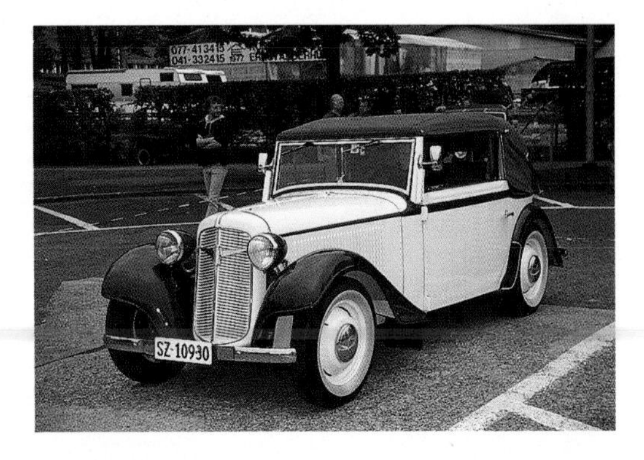

l'ampleur de la demande, de lancer sa propre production. Dès 1898, la 100 000e machine quitte son usine sous la marque Adler. Outre les bicyclettes, Adler produit aussi des machines à écrire puis, en 1900, une première automobile. Ce véhicule est propulsé par un monocylindre De Dion-Bouton monté à l'avant et possède une boîte à trois rapports avec sélecteur monté sur la colonne de direction. En 1904, Edmund Rumpler, célèbre plus tard pour ses voitures aérodynamiques en goutte d'eau, conçoit des moteurs Adler à deux et quatre cylindres. L'usine de Francfort produit de petites voitures bon marché, mais aussi des modèles

La planche de bord de la Trumpf 1935 offre une instrumentation très complète. Noter le levier de vitesses derrière le volant, dont la tige traverse la planche de bord surmontée par le compas d'ouverture du pare-brise.

En 1938, L'Adler de Hans Otto Lhoer et Paul von Guilleaume remporte la catégorie 1 500 cm³. Les formes aérodynamiques avancées de cette voiture résultent des études de Paul Jaray.

plus chers d'une cylindrée allant jusqu'à 7,5 litres et d'une puissance de 50 ch. L'empereur Guillaume II est client d'Adler, ce qui vaut à la marque la meilleure des publicités. En 1913, Adler offre une gamme de huit modèles. Mais les suites de la Grande Guerre désorganisent la production et, en raison de l'inflation

La carrosserie de l'Adler Trumpf Junior est une caisse tout acier d'Ambi-Budd. La Junior est produite à partir de 1936 et jusqu'en 1939.

En 1937, quatre Adler courent les 24 Heures du Mans. Une Adler remporte la catégorie 1 500 à 2 litres et une seule abandonne, celle d'Anne-Rose Itier et de Fritz Huschke von Hanstein.

L'Adler Trumpf Junior existe aussi en roadster sport surbaissé de 1935 à 1937. Son moteur de 995 cm³ à culasse aluminium donne 28 ch et l'emmène à 110 km/h.

En 1938, l'Adler Trumpf est proposée en deux litres. Ce cabriolet à caisse hors-série possède une capote typiquement allemande, non dissimulable.

La planche de bord de la Trumpf deux litres est bien équipée. La carrosserie de ces cabriolets provient de chez Karmann à Osnabrück.

phénoménale du début des années 1920, Adler frôle la faillite. Heureusement, la Deutsche Bank prend le contrôle de la firme et sauve la marque. Mais il faut attendre 1925 pour qu'Adler présente deux nouveaux modèles. Ces deux voitures sont équipées d'un moteur six-cylindres de 2,5 ou de 4,7 litres, mais le succès reste limité en raison de leur prix trop élevé.
Heureusement, l'usine a une meilleure carte avec la Favorit, une quatre-cylindres de 2-litres abordable. En 1932, Gustav Röhr devient ingénieur en chef des études. Entre 1928 et 1930, Röhr avait produit des voitures sous son propre nom, mais le manque de réussite commerciale l'avait contraint à arrêter cette production. Il aura davantage de succès chez Adler.
C'est Röhr, par exemple, qui conçoit l'Adler Trumpf, un modèle très en avance en son temps. Entre autres caractéristiques, elle a des roues avant motrices, quatre roues indépendantes et des amortisseurs réglables par une manette à la planche de bord. Le capot est très long en raison de la position du différentiel en avant de la boîte et du moteur.

Les premières Trumpf sont équipées de moteurs à quatre cylindres jusqu'à 1,5 litre, mais en 1933, le moteur est porté à 1,7 litre et 38 ch. La même année, une version sport voit le jour dont le moteur 1,7 litre a été poussé à 47 ch. Elle est suivie en 1934 par la Trumpf Junior de 1 000 cm³. Comme le grand modèle, la Junior est engagée dans de nombreux rallyes, courses et dans des tentatives de record.
Les caisses profilées sont souvent spécialement conçues par Paul Jaray. Les Adler se mettent en vedette aux 24 Heures du Mans. L'Adler Trumpf connaît une très belle réussite. Entre 1932 et 1941, pas moins de 102 840 unités sont produites à Francfort. En outre, ce modèle est fabriqué sous licence en Belgique, par Impéria, et en France, par Rosengart. En 1934, l'usine refait une tentative sur le marché des voitures moyennes avec des six-cylindres de 2,5 et 3 litres. Mais ce modèle Diplomat se vend beaucoup moins que les petites Trumpf.
Adler ne reprend pas la production automobile après 1945 et se cantonne désormais aux machines à écrire et aux motos.

Aero

Un cabriolet Aero de l'année modèle 1931. Ce modèle a été produit de 1931 à 1934 à 2575 exemplaires.

La firme Aero, située dans la banlieue de Prague, construit des avions de sport puis, à partir de 1928, de petites voitures de sport.
L'Aero 10 est équipée d'un deux-temps monocylindre de 499 cm³ donnant 10 ch à 2 700 tr/min. C'est une traction avant. En 1931, cette petite deux-places est remplacée par l'Aero 18. Le moteur est alors un deux-cylindres d'une capacité de 622 cm³ donnant 18 ch. Pas moins de 2 575 unités sont produites jusqu'en 1934.
Cette voiture fait place à l'Aero 20, à l'Aero 30 et finalement à l'Aero 50 à moteur quatre cylindres en deux blocs de deux. L'Aero 30, la plus réussie, est offerte avec divers types de carrosserie : cabriolet, roadster ou conduite intérieure.
Dans tous les cas, l'Aero est à quatre places. Avec ses portes échancrées, le roadster a l'air très sportif. Le châssis de l'Aero 30 est en tubes de section carrée. Le fond de la voiture est absolument plat. Les roues sont portées par des demi-essieux oscillants. Les blocs-cylindres sont coiffés par une culasse en aluminium qui refroidit mieux. Détail intéressant, les bielles ont des portées à rouleaux, solution réservée jusque-là à des moteurs à très haut rendement.
En 1936, Aero présente une voiture de sport, l'Aero 50. Ce modèle est propulsé par un quatre-cylindres 85 x 88 mm de 1 997 cm³. Ce deux-temps donne 45 ch et emmène la voiture à 130 km/h.
Les carrosseries des Aero décapotables sont réalisées en Tchécoslovaquie par la firme Sodomka.
Pendant la guerre, deux nouveaux prototypes sont construits par Aero,

L'Aero 50 est une quatre-cylindres deux temps de deux litres. La Type 50 a été produite de 1936 à 1941 pour un total de 1 205 exemplaires.

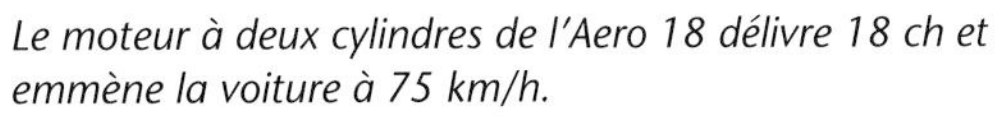
Le moteur à deux cylindres de l'Aero 18 délivre 18 ch et emmène la voiture à 75 km/h.

Le roadster Aero 30 est une quatre-places à traction avant aux lignes très élégantes. La capote est totalement amovible.

la Pony et la Record, mais elles n'atteindront pas le stade de la production. Après la fin de la guerre, par ordre du nouveau gouvernement communiste, Aero doit se cantonner à la production aéronautique.

Ce coupé aérodynamique est destiné à la compétition, d'où sa conduite à droite. Le châssis est un Aero 30 au moteur spécial qui l'emmène à 100 km/h.

L'Aero Minor, qui était pourtant bien exportée en Europe de l'Ouest juste après la guerre, cesse alors d'être produite.

La planche de bord de l'Aero 30 avec le combiné d'instruments si courant dans les années 1930. Noter le sélecteur de vitesses sous la planche.

L'Aero 30 est habillée d'une carrosserie sport très voisine de celles des MG et Morgan anglaises. Ce modèle a été produit de 1934 à 1940.

Le petit bicylindre de l'Aero 30 est un deux-temps de 998 cm³ délivrant 28 ch perdu sous le grand capot.

Alfa Romeo

En 1906, le constructeur français Alexandre Darracq fonde une filiale pour produire des Darracq sous licence en Italie. C'est un échec et, en 1909, Darracq doit céder son usine à un groupe d'investisseurs italiens. La nouvelle firme prend la raison sociale ALFA (Società Anonima Lombarda Fabbrica Automobili). Dès 1910, Alfa produit ses propres voitures du type 24 HP qui sortent de l'usine milanaise du Portello sous forme de conduites intérieures ou de modèles sport.
Le moteur à quatre cylindres et soupapes latérales de 4084 cm^3 donne entre 42 et 45 ch. Lorsque les voitures découvertes ne dépassent pas la tonne, une vitesse maximale de 110 km/h n'a rien d'exceptionnel. En 1914, Alfa présente sa première voiture de Grand Prix. Elle est équipée d'un quatre-cylindres à deux arbres à cames en tête et de quatre soupapes par cylindre avec un double allumage et un graissage par carter sec. En décembre 1915, Alfa est dans une situation financière difficile. La firme est reprise par Nicola Romeo et son nom devient Alfa Romeo.
La marque ne produit pas que des voitures de sport et de course, mais les modèles de compétition représentent ses productions les plus connues. Des pilotes comme Enzo Ferrari, Antonio Ascari et Giuseppe Campari ont grandement contribué à sa réputation.

En 1921, Alfa Romeo propose en tourisme le type 20/30 modernisé hérité de 1914 et fabriqué jusqu'en 1922 à 504 exemplaires au total.

L'Alfa Romeo RL de 1924 donne lieu à des versions très sportives comme cette RL Sport.

Deux carburateurs Zenith verticaux alimentent le moteur de la RL, un trois-litres délivrant de 56 à 83 ch selon les versions.

L'Alfa Romeo Tipo RM-Sport est une RL à quatre cylindres; cet exemplaire appartenant au Museo Storico Alfa Romeo d'Arese fait partie des 500 exemplaires produits de 1923 à 1927.

La première six-cylindres sport de l'ingénieur Jano est la 6C-1500 simple arbre. La Sport et les dérivés ont 2 ACT. La version compétition usine développe jusqu'à 84 ch et atteint 145 km/h. De 1927 à 1929, 1 074 unités sont construites en toutes versions.

Une des plus belles autos de tous les temps: l'Alfa Romeo 6C-1750 Gran Sport carrossée par Zagato. Celle-ci possède un six-cylindres à compresseur développant 85 ch. De 1929 à 1933, la 1750 est produite à 2 579 exemplaires toutes versions confondues.

En 1920, Giuseppe Merosi développe la sage Tipo RL pour en faire la RLSS, dont la vitesse est vite démontrée, par exemple en 1923 quand les Alfa prennent les deux premières places de la Targa Florio. Merosi est remplacé par l'ingénieur Vittorio Jano auteur, entre autres, de la voiture de Grand Prix P2, une 2-litres à huit cylindres en ligne et compresseur. En 1924, au GP de Monza, les P2 occupent les quatre premières places à la finale. La conception de la 6C-1500 sous toutes ses formes est due aussi à Jano. Ce modèle est l'ancêtre direct de la 6C-1750, la plus connue sans doute des Alfa Romeo d'avant guerre.

Ce cabriolet 6C-1750 de tourisme n'a qu'un arbre à cames en tête et développe 46 ch à 4 000 tr/min. Les moteurs à 2 ACT sont beaucoup plus rares.

Le chef-d'œuvre de Jano reste la huit-cylindres 2 300 cm3 construite à 188 exemplaires. Ce roadster 8C-2300 de 1933 est habillé par Zagato, auteur des plus belles 8C.

La 8C-2300 à compresseur est presque une voiture de Grand Prix habillée en routière sport. Les plus belles carrosseries sont signées Zagato et Touring.

La 1750 est disponible sous différentes carrosseries, plus ou moins sportives, mais le modèle le plus célèbre reste le roadster sport biplace signé Zagato. Les huit-cylindres 8C-2300, sont encore plus puissantes et, avec deux compresseurs, très voisines des monoplaces P3 de Grand Prix dont l'architecture du moteur est semblable.

La planche de bord d'une 8C-2300 est particulièrement complète. Noter l'accélérateur au milieu du pédalier.

En 1937, Jano rejoint Lancia. Il est remplacé par Gioacchino Colombo. Celui-ci va concevoir des voitures de course et des moteurs qui remporteront beaucoup de victoires et de championnats même après 1945. Alfa fonde sa réputation sur ses victoires de Grand Prix, mais aussi dans les grandes épreuves routières comme

L'Alfa-Romeo 8C-2900 est un haut de gamme absolu et coûteux. Le total construit s'élève à 30 unités. La voiture ci-dessous, qui date de 1938, est carrossée par Stabilimenti Farina dans un style très avancé.

Le carrossier suisse Hermann Graber est l'auteur de l'habillage de cette 6C-2500. Ce modèle né en 1939 sera produit jusqu'en 1952 à 1 759 exemplaires toutes versions confondues.

les Mille Miglia dans les années 1920 et 1930. À l'exception des éditions 1931 et 1940 (qui reviennent respectivement à Mercedes et BMW), Alfa remporte les Mille Miglia jusqu'à l'édition de 1947 comprise. Jusqu'en 1938, le département course est dirigé par Enzo Ferrari, indépendant ou non de la firme selon les périodes. Sous sa direction, diverses voitures sont étudiées dont une Grand Prix à moteur V16 de trois litres et la Bimotore équipée de deux moteur huit cylindres.
En 1939, Alfa met en production la 6C-2500 qui sera reprise en 1946 et jusqu'en 1952.

Alldays

Les voitures de la société Alldays and Onions Pneumatic Engineering Company sont vendues sous la marque Alldays.
Les premières sortent de l'usine de Birmingham en 1898. Contrairement à bien des voitures de l'époque, les Alldays sont équipées d'un volant de direction. Le moteur est un De Dion-

L'Alldays Victoria de 1914, fabriquée à Birmingham, roule à 65 km/h avec son moteur deux litres. Les projecteurs principaux sont encore à acétylène.

Bouton qui fait place en 1905 à un bicylindre. L'année suivante, Alldays offre un moteur à quatre cylindres à soupapes latérales.
Ces voitures, très pratiques en usage quotidien, sont aussi brillantes en courses de côte et en trials alors très à la mode en Grande-Bretagne.
Le modèle 30/35 HP avec un gros moteur à six cylindres est introduit en 1911. La photo montre une Victoria Coupé de 1914. Son moteur à quatre cylindres en ligne de 2025 cm³ donne 14 ch. Le frein à pied n'agit que sur les roues arrière, le levier à main sur l'arbre de transmission. Elle mesure 3,90 m de long sur 1,19 m de large pour une vitesse maximale d'environ 65 km/h.
Après la Première Guerre mondiale, la marque ne réapparaît pas.

Fausse biplace ou vraie monoplace ? L'éventuel passager n'a d'autre choix que de se faire tout petit...

Le moteur en alliage léger est ici traité comme un bijou. Deux arbres à cames en tête et un compresseur fournissent une puissance de 180 ch.

Alta

Geoffrey Taylor est déjà connu pour ses équipements de performance destinés aux Austin Seven quand il construit sa première voiture de sport en 1928. Contrairement à la plupart de ses concurrents, Taylor produit lui-même ses moteurs, qui méritent d'être bien regardés. Les quatre cylindres sont usinés dans un bloc en aluminium, la culasse est à deux arbres à cames et l'alimentation est confiée à deux carburateurs SU. La voiture est baptisée Alta et le volume des ventes reste modeste.
En 1937, la première Alta de course apparaît avec une suspension à quatre roues indépendantes. Lorsque le quatre-cylindres de 2-litres est équipé d'un compresseur Roots, le pilote dispose de 180 bons chevaux.
Alta n'a produit que 18 voitures de sport et 10 voitures de course. Douze de ces voitures de sport sont équipées d'un moteur de 1 100 cm³, deux d'un 1 500 cm³, les quatre autres d'un 2-litres à compresseur.

Cette Alta de 1937 (n° de châssis 21) peut courir en sport comme en course, selon son équipement.

Alvis

Après la fin de la Grande Guerre, Thomas George John rachète la firme Alvis de Coventry, fabricant de pistons, avec le projet d'une petite voiture. En 1921, il produit des automobiles vendues sous la même marque. À l'inverse de beaucoup d'autres petits constructeurs, il produit lui-même presque toutes ses pièces, dont certaines sont si ingénieuses qu'il prend de nombreux brevets pour les protéger.
En 1922, le capitaine George Thomas Smith-Clarke devient directeur technique de la firme. À l'époque, Alvis produit déjà des voitures de qualité, mais en trop petite quantité. En 1927, pour la première fois, Alvis sort plus de 1 000 voitures dans l'année qui se traduisent par un bénéfice de 25 000 livres. La marque ne battra ce record qu'en 1939. En 1925, Smith-Clarke conçoit une traction avant.

À côté des modèles de sport et de course, Alvis propose des conduites intérieures de tourisme très traditionnelles, comme cet exemplaire de 1927. Noter le sens déjà « moderne » d'ouverture des portes.

À partir de 1925, l'ingénieur d'Alvis Smith-Clarke construit des tractions avant de course, sur la base de la 12/50 déjà livrable avec des roues arrière motrices. Les tractions avant de série sont présentes au catalogue à partir de 1929.

Ce principe n'est pas une nouveauté absolue, mais il n'a pas été appliqué jusque-là à une voiture de production. La première voiture de compétition est dotée d'un châssis en duralumin. Son moteur quatre cylindres 12/50 a été retourné de 180 degrés. Ce groupe de 1 500 cm³ à arbre à cames en tête délivre 50 ch. En 1926, Alvis développe un huit-cylindres en ligne de Grand Prix

Cette TD 16/95 Silver Eagle est habillée d'une carrosserie 2+2, mais les passagers arrière sont logés dans le spider, qui est appelé « siège de la belle-mère » par les Allemands.

L'aigle argenté est la mascotte officielle de la Silver Eagle. Il est arboré sur le bouchon de radiateur.

Le modèle Speed 20 de 1932 est doté d'un moteur six-cylindres à culbuteurs de 2 511 cm^3 et 87 ch. En 1935, la cylindrée passe à 2,7 litres et 98 ch comme sur la Speed 25.

prévu pour la traction avant qui apparaît au départ des 200 Miles de Brooklands de septembre 1926. Malheureusement la voiture doit abandonner. En mai 1928, Alvis décide de mettre les tractions avant quatre cylindres au catalogue.

La course étant la meilleure des publicités, deux de ces voitures sont engagées au Mans. Les moteurs sont les bien connus quatre-cylindres de 1 500 cm^3 et les voitures sont confiées à Harvey-Purdy et Davis-Dykes. Et avec succès ! Si une Bentley 4,5-litres gagne, Alvis place ses deux tractions avant en sixième et neuvième positions au général.

La Speed 20, ici un modèle de 1932, est produite jusqu'en 1936. C'est une voiture encore très agréable à conduire aujourd'hui.

La première Alvis traction-avant de production apparaît en mai 1928. Ce sont alors des voitures de sport destinées à ceux qui pratiquent la compétition le dimanche.

Les symboles des marques sont souvent des animaux véloces : cigogne pour Hispano-Suiza, lévrier pour Lorraine et ici lièvre pour Alvis.

Cette Alvis 12/60 de la fin des années 1920, carrossée en deux places sport, participe ici à la commémoration de la course de côte du Klausen en 1993. Ces quatre-cylindres moyennes sont les dernières versions des 12 HP apparues en 1923.

Alvis 4,3 litres de 1935, carrossée en biplace sport, d'un niveau de confort plus faible que l'original. La boîte totalement synchronisée donne une grande facilité de conduite.

Effectivement, ces voitures sont peu utilisables au quotidien car les opérations d'entretien sont compliquées. Pour remplacer, par exemple, les garnitures de frein avant, il fait déposer tout le moteur car les tambours ont été montés près du différentiel. Cette solution est avantageuse en course, mais pas en utilisation normale. En 1930, les effets de la crise mondiale se font sentir en Angleterre. Alvis vend moins de voitures et doit fermer du samedi au lundi. L'argent manque pour améliorer les modèles. Les tractions-avant FD 12/75 ne sont produites que sur commande.

La planche de bord, reconstruite, de cette 4,3 litres place le grand compte-tours devant le pilote.

L'élégante carrosserie de l'Alvis Speed 25 de 1936 rappelle les berlines Bentley ou SS-Jaguar qu'elle concurrence.

Finalement, l'usine ne fabrique que les modèles les plus vendus : la TA 16/95 et la SA 16/95 appelée aussi Silver Eagle, équipées toutes deux d'un six-cylindres de 2 148 cm^3.
La 1500 huit-cylindres, cataloguée à 975 livres en châssis, soit le prix d'une Rolls-Royce, est pratiquement invendable malgré ses performances.
En 1931, Alvis introduit un nouveau modèle très réussi, la Speed 20 (Twenty). Cette voiture reçoit le six-cylindres de la Silver Eagle qui, avec deux carburateurs SU et deux bougies par cylindre, donne 87 ch.
En 1937, la Speed 25, qui succède à la Speed 20, est dotée d'un moteur

La Speed 25 de 1936 est équipée d'un moteur à six cylindres de 3 571 cm^3. Avec trois carburateurs SU, il développe 110 chevaux.

Cet élégant cabriolet construit sur un châssis 4,3 litres date de 1939.

porté à 3,57 litres. Avec 110 ch, la voiture dépasse 150 km/h.
Les derniers modèles d'avant 1939 sont la 4.3 Litre, une voiture de tourisme à moteur six-cylindres de 4 387 cm^3, et la Silver Crest dotée d'un six-cylindres réduit à 2 762 cm^3 sous un capot toujours aussi long .
À partir du châssis 4.3, de très beaux cabriolets sont construits , ainsi que des berlines sport dont les finitions sont tout-à-fait comparables à celles des Bentley et des Jaguar contemporaines.

Cette Alvis 4,3 litres est habillée d'une carrosserie typique du style « tourer » britannique qui tend à disparaître dans les années 1930.

American LaFrance

Descendant d'un huguenot français émigré en Amérique, Truckson LaFrance fonde l'entreprise de véhicules d'incendie American LaFrance (ALF) en 1903. Les premiers véhicules d'incendie sont encore à traction hippomobile, mais le premier camion automobile American LaFrance apparaît avec un moteur à essence Simplex. Au cours d'une démonstration, chargé d'apparaux et de personnels, le véhicule atteint la vitesse de 80 km/h.

En 1910, ALF commence à construire ses propres moteurs. L'année suivante, une première voiture de sport est présentée sur la base d'un châssis raccourci de camion d'incendie.

En septembre 1911, cette voiture est engagée dans sa première course à Syracuse dans l'état de New York.

Sa performance reste un mystère, en raison du fait que la course est arrêtée prématurément à cause d'une Knox qui percute la foule et tue 11 spectateurs. Cette catastrophe impressionne tant Truckson LaFrance qu'il cesse immédiatement de produire des voitures de sport. La seule ALF de course authentique est maintenant dans un musée proche de Cleveland. Par la suite, plusieurs véhicules d'incendie ALF sont transformés en voitures de course, moyen facile et économique de fabriquer un ancêtre de course fiable et rapide. Les camions d'incendie sont généralement très bien entretenus, peu coûteux à la revente et leur kilométrage est faible. L'ALF rouge présentée ici

Ce châssis American LaFrance a été reconstruit dans les années 1950 sous la forme d'une voiture de course du début du siècle.

Le gros quatre-cylindres American LaFrance à soupapes bilatérales, faciles à régler, a une cylindrée de 10,5 litres.

Le changement de la taille des pignons de chaîne permet de modifier facilement le rapport de transmission final.

Cette American LaFrance reconstruite peut atteindre 130 km/h avec son six-cylindres de 14,5 litres. Les accélérations sont impressionnantes, mais le freinage, moins.

est apparue sur les circuits anglais dans les années 1950.
Une ALF n'est pas facile à conduire, mais sa direction est assez douce malgré le poids élevé supporté par les roues avant. Par ailleurs, les freins réclament un gros effort et n'agissent que sur les roues arrière. La boîte de vitesses non synchronisée demande un peu d'expérience et le démarrage du moteur est laborieux. Il faut d'abord mettre le réservoir d'essence sous pression avec une pompe manuelle. Il faut ensuite fermer le volet d'air puis introduire un peu d'essence dans les cylindres au moyen d'une burette. La mise à la masse de la magnéto est coupée et le

En Suisse, cette American LaFrance participe souvent à des courses historiques.

Le tablier de la six-cylindres « de course » a été généreusement équipé d'instruments plus modernes que le châssis.

décompresseur tiré avant de lancer le moteur à la manivelle. Lorsqu'il tourne, il faut rouvrir le volet d'air, refermer le décompresseur et accélérer légèrement le ralenti pour chauffer la masse du groupe...
Le quatre-cylindres donne environ 100 ch à 2000 tr/min. Grâce à son énorme couple, on peut démarrer en deuxième, voire en troisième.
L'ALF blanche présentée ici est dotée d'un six-cylindres. Cette voiture a été construite pour participer aux épreuves sur longues distances avec un réservoir de 200 litres. Le carter d'huile contient 18 litres de lubrifiant et le radiateur 40 litres d'eau. En 1911, les transmissions à cardan existaient, mais les constructeurs préféraient les chaînes pour les camions et les voitures de forte puissance. En changeant les pignons de chaîne, il est facile de changer le rapport final pour la route, le circuit ou la course de côte.

Amilcar

En 1919, la marque Le Zèbre, créée par l'ingénieur Salomon, passé chez Citroën, est en difficultés financières et vend ses locaux de Saint-Denis à MM. Lamy et Akar, qui souhaitent se lancer dans l'automobile. Ils ont choisi de construire la voiturette conçue par l'ingénieur Moyet (futur créateur de la 5 HP Citroën) et le pilote André Morel. Les anciens concessionnaires Le Zèbre sont si favorablement impressionnés par le projet qu'ils investissent plus d'un million de francs dans la mise en production.
En 1921, la première Amilcar type CC voit le jour Bientôt, la production atteint 5 voitures par jour. Son moteur est un solide quatre-cylindres à soupapes latérales de 904 cm³ de 18 ch et sa consommation est très basse.

Cette torpédo Amilcar de 1923 est un type CGS (Cyclecar Grand Sport) à moteur 1 100 cm³ et boîte à 3 rapports. Elle est capable d'atteindre 110 km/h.

Amilcar a évolué vers la production de modèles de tourisme comme ce type G de 1926 qui était fortement concurrencé par les modèles de grande série de Citroën, Peugeot ou Mathis. Son moteur de 1 075 cm^3 lui donne une puissance de 25 ch.

L'Amilcar de sport le plus apprécié est le type GCS surbaissé. Son moteur à soupapes latérales de 1 095 cm^3 donne une trentaine de chevaux à 3 000 tr/min, puissance suffisante pour faire de ce Grand Sport un modèle très amusant à piloter.

Succès aidant, le type CS apparaît en 1922 sur un empattement plus long permettant trois places avec un 1 004 cm^3. Ce modèle léger se comporte bien en compétition au point que l'Amilcar d'André Morel gagne sa première course de 24 heures devant les Salmson. Amilcar monte encore en notoriété avec l'arrivée en 1924 du type CGS à moteur latéral à quatre cylindres de 1 074 cm^3 de 28 à 30 ch, avec des freins sur les quatre roues. Diverses carrosseries habillent ce châssis qui peut accueillir jusqu'à trois occupants, mais la plus sportive est une biplace décalée sans porte.

En 1924, l'Amilcar CGS signe 102 victoires, source inestimable de publicité. Un an après, Edmond Moyet construit une superbe six-cylindres, l'Amilcar CO/C6. Le moteur à deux arbres à cames en tête et compresseur Roots d'une cylindrée de 1 096 cm^3 donne une puissance qui va, selon la version, jusqu'à 75 ch . Mais une firme qui ne fabrique que des modèles de sport ne peut survivre et, dès fin 1923, Amilcar propose un modèle de tourisme, la type E, équipée d'un quatre-cylindres de 1 485 cm^3. C'est la première Amilcar pourvue d'un pont

En 1928, le comte italien Luigi Castelbarco achète cette Amilcar de course C6 à compresseur. Il la conservera jusqu'à son décès en 1992. On le voit ici au départ d'une épreuve historique en 1979 au Nürburgring.

Le moteur Amilcar six-cylindres des types C6/CO est un 1 100 cm^3 à 2 ACT. Avec un compresseur Rootes, qui lui donne une puissance d'au moins 75 ch, la voiture atteint 200 km/h.

En 1929, Amilcar cède à la mode avec une petite huit-cylindres en ligne à moteur 1,8 litre, qui sera un échec.

à différentiel. La type G à quatre places possède un moteur identique au type CGS, mais moins poussé. Elle gagnera le rallye de Monte Carlo en 1927.

À la fin des années 1920, beaucoup de petites marques sportives françaises sont en difficulté. Les clients veulent davantage de confort et d'espace et les grands constructeurs comme Citroën, qui atteignent des cadences de 400 voitures par jour, imposent des prix que les petites marques ne peuvent tenir. Amilcar tente de monter en gamme en abandonnant les petites voitures sportives issues du concept du cyclecar.

Le type L de 1 200 cm³ sort en 1928, puis les types M/M2/M3 jusqu'en 1932, ainsi que le type C8/CS8 à huit

En 1930, le moteur de la C8 est porté à 2 litres puis à 2,3 litres en 1932, sans succès. Le huit-cylindres Amilcar est un beau moteur à arbre à cames en tête, mais la voiture ne correspond pas à la clientèle traditionnelle de cette marque sportive.

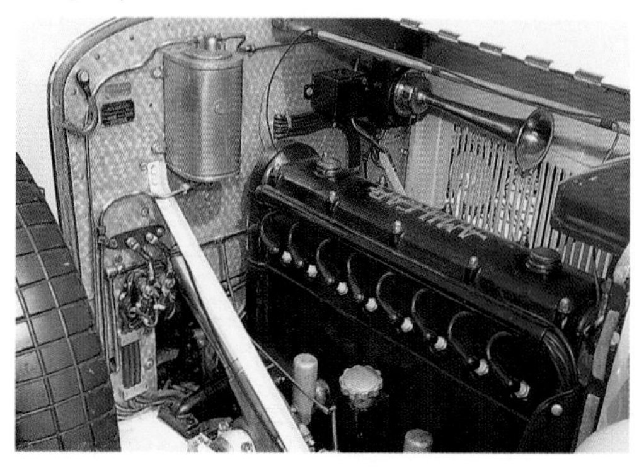

L'Amilcar Compound ou B38 est une étude de l'ingénieur Grégoire. La carcasse servant de chassis est en aluminium coulé, la transmission s'effectue par les roues avant. La construction est assurée par la firme Hotchkiss. Ce cabriolet B38 date de 1939. Le modèle ne sera pas relancé après 1945 malgré le modernisme de sa conception.

cylindres en ligne de 1 800 cm³ puis 2 litres et 2,3 litres. Ce dernier type ne séduit pas la clientèle des modèles de luxe malgré un beau moteur à 1 ACT. La production des M et des C8 reste très limitée. La marque choisit alors de fabriquer un modèle de crise sous forme d'une petite 5 CV, le type C à moteur 850 cm³ lancé au Salon 1932. C'est un nouvel échec.

En 1933, l'usine tourne au ralenti. Un modèle moderne, la N7 Pégase porte les espoirs de la firme avec un brillant moteur maison trop coûteux, bientôt remplacé par un Delahaye 12 CV. Mais le prix en est trop élevé et la production est arrêtée en 1937.

La marque est rachetée par Hotchkiss, ce qui permet de financer un projet de l'ingénieur Jean-Albert Grégoire, la B38 Compound, une traction avant à carcasse en aluminium coulé dérivée de l'Adler Trumpf. Mais le moteur latéral de 1,2 litre manque de puissance. Les ventes stagnent, moins de 1 000 voitures sont produites jusqu'en 1939. Hotchkiss adopte alors un moteur Hillman de 1 340 cm³. Il est trop tard. Il n'y aura plus d'Amilcar après 1939.

L'Ansaldo Tipo 22, d'inspiration très américaine, apparaît en 1929 peu avant la crise. Son huit-cylindres en ligne de 3,5 litres répond à la demande en faveur des multicylindres, mais son prix la réserve pratiquement à l'exportation.

Ansaldo

Le groupe industriel italien Ansaldo est le plus gros fabricant d'armements lourds de la péninsule italienne. La presque totalité des pièces d'artillerie italiennes de la Grande Guerre sort des usines Ansaldo de Gênes. Après 1918, la firme doit se reconvertir et elle choisit l'automobile dont la production est lancée à Turin dès 1919. Le premier modèle, le Tipo 4C, est une voiture moderne avec un quatre-cylindres de 1 847 cm³ à 1 ACT. Extérieurement, la 4C ressemble à une voiture américaine au style dépassé. En 1922, le deuxième modèle, la 4CS, apparaît avec un moteur plus puissant de 1981 cm³ et 48 ch. Un an après, l'usine construit sa première six-cylindres avec la Tipo 6A, puis 6AS. En 1929, un modèle de sport, la 15GS, est proposé avec un quatre-cylindres de 1981 cm³ et deux arbres à cames. Cette voiture de 60 ch peut atteindre en deux-places 130 km/h. En cette même année 1929, Ansaldo fait une percée sur le marché du luxe avec la superbe Tipo 22, rebaptisée Tipo 42 à partir de 1934. Son moteur est un huit-cylindres en ligne à culbuteurs délivrant 86 ch à 3 500 tr/min. La plupart de ces voitures sont vendues en châssis roulant et les clients peuvent s'adresser au carrossier de leur choix entre Carrozzeria Bertone, Stabilimenti Farina, Asaro et Viotto. L'empattement de 3,31 m permet de vastes caisses à six ou sept places. Mais l'époque de la production de ces modèles coûteux n'est pas favorable. L'industrie américaine en crise

Luxueuse et lourde limousine, la Tipo 22 n'est guère performante, mais sa qualité de construction est évidente. Les deux roues de secours ne sont pas un luxe à cette époque où l'on crève souvent.

inonde l'Europe de voitures aussi grandes que bon marché et lorsque la crise atteint aussi l'Italie, les ventes d'Ansaldo s'effondrent.
La direction de Gênes décide de fermer l'usine de Turin. La firme Ansaldo est cédée à OM en 1931 qui revend la marque à Fiat en 1932. Les voitures en stock et les magasins de

Reconvertie dans l'automobile en 1919, Ansaldo propose alors des quatre-cylindres sportives comme cette Tipo 4C, puis en 1924 une six-cylindres de deux litres, la Tipo 6AS.

La Tipo 22 doit affronter la concurrence des grosses Fiat.

pièces étant exclus de cette cession, la nouvelle firme Ansaldo-CEVA se charge de la liquidation de tout le stock si bien qu'en 1936 on peut encore acheter neuve une Ansaldo de 1930.

Aston Martin

Avant la Première Guerre mondiale, la firme Bamford et Martin avait acquis la réputation de bien préparer les moteurs des Singer sport.
En 1913, elle produit son propre modèle sport en montant un moteur Coventry Simplex dans un châssis Isotta Fraschini, le tout habillé d'une simple caisse.
Ce n'est qu'après la guerre qu'une deuxième voiture quitte l'atelier londonien. Cette fois, le châssis est maison. Comme Martin, en 1914, avait remporté la course de côte d'Aston Clinton, la deuxième voiture est présentée sous la marque Aston Martin. Cette machine de sport reçoit un moteur quatre cylindres de 1 486 cm³ et se montre très rapide sur les cir-

Un tourer 2+2 Aston Martin International première série de 1932. Le modèle existe en 2 empattements : 2,59 m pour les biplaces et 3m pour les 2+2 et les rares conduites intérieures. Le moteur 1 500 cm³ donne 70 ch à 4 750 tr/min.

cuits. Mais la jeune firme ne gagne pas assez d'argent quand elle présente un nouveau moteur avec 1 ACT et quatre soupapes par cylindre, moteur par ailleurs plein de défauts. À cette époque, Lionel Martin reçoit une aide financière du comte Louis Zborowski, grand amateur de voitures rapides, qui avait monté des moteurs d'avions sur ses machines de course. Zborowski charge l'ingénieur Marcel Grémillon d'étudier un nouveau moteur pour Martin. Ce groupe a encore 16 soupapes, mais 2 ACT. Il délivre 55 ch et emmène la petite voiture à 150 km/h.

Parallèlement, la production de voitures sport à moteur à soupapes latérales se poursuit. En 1924, 50 voitures sont en stock, mais quand le comte Zborowski se tue aux essais du GP d'Italie à Monza, la firme perd son mécène. Lionel Martin, qui se trouve de nouveau à court de trésorerie, se voit contraint de céder l'entreprise pour 3 600 livres.

La nouvelle firme Aston Martin Ltd. est située à Feltham. Le réputé technicien italien Cesare Bertelli fait partie de la nouvelle direction. Il est chargé de concevoir un nouveau modèle sport de 1 500 cm³ qui sera

En 1932, Aston Martin propose la New International dont on voit ici une version Le Mans.
La production s'arrête en décembre 1933 après seulement 130 exemplaires, toutes versions confondues.

La version Le Mans (ici une voiture de 1933) est surbaissée et ses roues de 18 pouces remplacent les roues de 21 pouces. Notez le généreux réservoir d'essence arrière.

Les versions tourisme de l'Aston Martin 15/98 ont moins de succès que les sport. Malgré ses deux litres, le moteur peine en raison du poids de la voiture. Cette quatre-places date de 1937. Elle est en concurrence avec les MG SA/WA et les SS-Jaguar, moins chères.

proposé sur deux empattements. La version longue reçoit des caisses tourer ou conduite intérieure et la version courte, des caisses biplaces sport. Mais ces modèles se vendent très mal. Même avec une version améliorée, les ventes restent très limitées. En 1932, Aston Martin ne produit que 15 voitures.
Les versions sport se montrent pourtant efficaces au Mans. Après Bentley, Aston Martin est devenu le constructeur de voitures de sport britannique le plus célèbre.

Les Aston Martin Ulster sont la quintessence des 1 500. Elles sont produites de fin 1934 à 1936, presque toutes en biplace course. Surbaissée, allégée, l'Ulster dépasse 160 km/h avec 80 ch. Construites sur commande, ces voitures sont vendues à des prix qui limitent leur diffusion.

Cette Aston Martin deux-litres de 1937 participe ici à la rétrospective des Mille Miglia en 1997, pilotée par le fils de Bertelli, créateur de ces voitures avant la guerre. Destiné aux types de tourisme, le deux-litres n'est pas à carter sec et la voiture est plus haute que les 1 500.

En 1934, le modèle Ulster est la première Aston à dépasser 160 km/h. En 1936, Bertelli quitte la société. Le repreneur, R. Gordon Sutherland, ne croit qu'aux conduites intérieures. Il fait réaléser le 1 500 cm^3 à deux litres et créer des carosseries à quatre portes. Le modèle n'a pas grand succès. Malgré ses 98 ch, la 2-litres est trop lourde pour être réellement performante et, surtout, elle est trop chère par rapport aux MG et aux Jaguar.

En 1928, Auburn complète son modèle de base, la 76 à six cylindres, par la 6-80, à six cylindres également, et par les huit-cylindres 88 et 115 qui évolueront en 90, 98 et 120 jusqu'en 1932.
On voit ici un cabriolet deux places et spider 6-80 de 1929.

Auburn

Ce cabriolet de 1930 est construit sur un châssis 6-85 équipé d'un six-cylindres Lycoming de 70 ch. Les couleurs vives sont un argument de vente chez Auburn.

En 1900, les frères Frank et Morris Eckhart reprennent la direction de l'entreprise paternelle qui produit des charrettes. À l'époque, l'automobile commence à être très connue et les deux frères y voient l'avenir de leur affaire. Initialement, la production porte sur des prototypes monocylindres à bandages en caoutchouc plein.
Dès 1903, la quinzième voiture peut être commercialisée sous la marque Auburn, nom de la ville de l'Indiana où l'usine est située.
En 1905, apparaît un modèle à deux cylindres. En 1910, des quatre-cylindres sont construites et, en 1912, l'Auburn est proposée avec un six-cylindres. Mais Auburn n'offre rien de particulier, par rapport aux autres marques, ni en aspect extérieur ni dans le domaine technique. Alors que les concurrents se portent bien, Auburn connaît de plus en plus de problèmes. En 1924, le site de l'usine est rempli de voitures invendues et les banques refusent de continuer à financer la firme.
Les frères Eckhart sont déclarés en faillite et la firme passe sous le contrôle d'une banque dont le directeur, Ralph Bard, ne connaît pas assez l'automobile lui-même pour diriger efficacement la société.
Il demande à un certain Errett Lobban Cord de le conseiller. Cord est un des meilleurs vendeurs de voitures d'Amérique et il a fait fortune

Cabriolet Auburn deux places de la série 8-105 de 1932. Cette série propose un Speedster (sport), un Brougham (2 portes), une berline (4 portes) et un phaéton (torpédo). Tous les modèles de cette série sont équipés d'un moteur à huit cylindres en ligne délivrant 98 ch.

Cette berline 8-100A de 1933 possède un huit-cylindres en ligne Lycoming de 4,5 litres et un pont arrière à double démultiplication (en option). L'empattement est de 323 cm.

très jeune. Ralph Bard offre à Cord un généreux salaire pour l'aider à redresser Auburn. Mais Cord exige à la place 20 % des bénéfices et le droit d'acquérir des actions au prix de 20 dollars. Bard, qui n'a rien à perdre, accepte ces conditions.

En 1924, Auburn emploie 450 personnes. Cord s'occupe d'abord des 700 voitures en stock. Les montants de glace sont coupés pour abaisser le toit et les voitures sont repeintes dans des teintes vives. Bien démarquées des tristes modèles antérieurs, les Auburn se vendent en un clin d'œil.

En 1925, Cord remplace les anciens quatre et six-cylindres par un tout nouveau huit-cylindres en ligne produit par la firme Lycoming.

L'Auburn 8-63 est une voiture rapide de style sportif. Les chiffres de production bondissent de 2226 en 1924 à plus de 22000 en 1928, année où Cord affiche un bénéfice de 3,6 millions de dollars. Cord en perçoit 20 %. Sa fortune personnelle augmente tellement qu'il peut acquérir beaucoup d'actions au prix convenu de 20 dollars pièce.

Grâce à ces excellents résultats, les actions Auburn montent à la Bourse de Wall Street. Au plus haut, Cord vend ses titres qui s'effondrent peu après et, au plus bas, Cord rachète ses propres actions. Ce genre d'acrobatie sera interdit quelques années après, mais entre-temps, Cord aura accumulé une énorme fortune.

En 1928, Auburn produit la plus belle voiture de l'année, la 8-115. Propulsé par un huit-cylindres en ligne Lycoming de quatre litres et 115 ch, le modèle connaît un grand succès carrossé en Speedster avec une pointe arrière appelée « boattail » (pointe bateau) en Amérique, et un

En 1935 et 1936, Auburn propose ce Boattail Speedster avec compresseur. Le huit-cylindres en ligne délivre alors 150 ch ; à la vente, ce modèle est garanti pour 160 km/h minimum.

En 1936, les grandes Auburn deviennent relativement chères. Cette 852 Boattail à huit cylindres coûte 1 225 dollars sans compresseur et 1 675 avec. En comparaison, un roadster Ford V8 DeLuxe ne vaut que 560 dollars.

pare-brise très bas. La deuxième série équipée d'un nouveau carburateur dispose de 125 ch.

Entre août 1928 et janvier 1929, Auburn en vend près de 2 500 unités. En 1929, cette série 120 est forte de sept carrosseries différentes. Mais la crise de fin 1929 met en difficultés les producteurs de voitures de luxe. En 1930, la gamme Auburn est réduite à quatre modèles et, en 1932, à deux modèles, la 8-100 et la 8-100A, tous deux équipés de moteurs huit cylindres. Les modèles six-cylindres ont été supprimés.

En 1932, Cord introduit une Auburn à moteur V12. Le coupé Auburn 12-160 ne coûte que 975 dollars, moins que le prix de catalogue d'une Dodge huit-cylindres. Pourtant, c'est un échec. Au premier trimestre 1932, les profits n'atteignent que 7 959 dollars avec une production de 11 000 voitures.

La présence des échappements extérieurs n'est pas une preuve absolue du montage d'un compresseur.
De même, toutes les Auburn Speedster n'ont pas un arrière en pointe bateau, mais il n'est pas étonnant que cette belle voiture ait suscité la construction de répliques modernes.

À la fin de l'année 1932, les pertes s'élèvent à 974 751 dollars pour la simple raison que les voitures ne sont pas vendues assez cher. Les acheteurs

potentiels estiment qu'une douze-cylindres à ce prix ne peut être une voiture de qualité. Un nouveau modèle à moteur huit cylindres et compresseur est alors proposé.
Cette célèbre 851 Boattail Speedster est offerte avec cinq carrosseries différentes utilisant le même châssis. La production progresse de 20 % mais la firme ne fait plus de bénéfice. En 1936, 4830 Auburn sont vendues et Cord ferme l'usine.

Audi

En désaccord avec les codirecteurs de sa propre entreprise de Zwickau, le Dr August Horch quitte le conseil en 1909 et fonde une autre entreprise à quelques centaines de mètres de la première. Il est contraint d'adopter une autre raison sociale et son fils lui propose Audi, traduction en latin de Horch qui signifie « écoute » en allemand. Il n'est donc pas étonnant que la première Audi ressemble étrangement à la Horch précédente.
Elle est équipée d'un moteur à quatre cylindres de 2,6 litres doté de quelques innovations intéressantes. L'allumage est double avec deux bougies par cylindre, alimentées par magnéto et par bobine. En outre, le réservoir d'essence est mis sous pression par les gaz d'échappement.
L'Audi la plus célèbre de cette époque est l'Alpensieger (vainqueur des Alpes) construite de 1912 à 1921. Son moteur à quatre cylindres de 3 564 cm^3 permet à cette voiture d'atteindre 100 km/h.
Au cours de la Première Guerre mondiale, Audi produit des camions pour l'armée impériale et présente un nouveau modèle de tourisme (conçu

Une affiche Audi datant du début des années 1920.

La victoire d'une Audi type C dans la Coupe des Alpes autrichiennes en 1911 a poussé Audi à désigner un modèle 1912 sport-tourisme Alpensieger (vainqueur des Alpes). Il est doté d'un moteur de 3,5 litres.

En 1932, Audi entre dans le groupe Auto Union. La même année, la marque présente l'Audi Front, une traction-avant assez lourde. Cette Audi Front type UW date de 1934. La production s'élève à 2 000 unités pour 1933 et 1934.

en 1914) juste après l'armistice, le Type K, suivi en 1924 par le Type M. Ce dernier modèle possède un six-cylindres de 4 655 cm³ à 2 ACT donnant 70 ch. Parmi les caractéristiques techniques les plus importantes, citons le bloc en aluminium chemisé, les freins et les amortisseurs hydrauliques et le servo-frein. La voiture possède aussi un compresseur sur la boîte de vitesse pour le gonflage des pneus. Lorsque August Horch se rend compte qu'en dépit de ces nouveautés, la voiture ne peut concurrencer les Mercedes et Maybach, il introduit un modèle encore plus luxueux, la Type R Imperator. Cette voiture est munie d'un huit-cylindres en ligne de 4 872 cm³ donnant 100 ch. Malheureusement, la demande est encore plus limitée et la situation de la firme empire, si bien que Horch ne peut refuser une offre de rachat faite par Jorgen Rasmussen, fondateur de DKW. En 1928, Rasmussen achète Audi et les premières Audi construites sous son règne sont la Zwickau à huit cylindres et la Dresden à six cylindres. Mais ces moteurs ne sont pas fabriqués par Audi; ce sont des Rickenbacker américains produits sous licence. Ils reviennent moins cher et Audi peut proposer ses voitures à des prix inférieurs à ceux des productions précédentes. Une deuxième tentative sur la base d'une stratégie identique échoue cependant. Très peu de voitures 5/30 sont vendues en 1931: il s'agit d'une Audi à

L'Audi UW 225 est produite de 1935 à 1938 à 2 600 unités. Son six-cylindres Wanderer de 2, 2 litres ne délivre que 55 ch pénalisés par le poids généreux de ce luxueux modèle.

De 1938 à 1940, Audi produit le type 920, ici en cabriolet tous-temps. Ce modèle est équipé d'un six-cylindres Horch de 3,3 litres et de 75 ch mais pèse la bagatelle de 1 665 kg. Il est luxueusement carrossé par Gläser.

Planche de bord de l'Audi 920 de 1939. L'instrumentation est complète mais pas très facile à lire, sauf… la montre.

châssis DKW équipé d'un moteur Peugeot 1 100 cm³. Confrontés à une forte concurrence, les quatre firmes Audi, Horch, Wanderer et DKW se regroupent en 1932 sous le nom d'Auto Union. Horch est chargée des grosses voitures, DKW des petites, Wanderer des moyennes et Audi des modèles de technique avancée.

Le premier modèle spécial est l'Audi Front, avec un six-cylindres Wanderer étudié par Ferdinand Porsche et une transmission à traction avant comme les DKW. En 1939, Audi introduit une autre voiture de luxe avec un six-cylindres de 3,3 litres à 1 ACT.

Pendant la guerre, Audi ne produit aucune voiture de tourisme. Ce n'est qu'en 1965 qu'une nouvelle Audi voit le jour dans le cadre d'Auto Union.

Ce cabriolet quatre places Audi UW 225 (2,25 litres) de 1937 pose ici devant un trimoteur contemporain, le Junkers Ju-52 3m, bête de somme du transport civil et militaire allemand de la Seconde Guerre mondiale.

Austin

Herbert Austin part en Australie à l'âge de 16 ans. Il y passe huit ans en travaillant pour diverses entreprises dont la dernière est la filiale australienne de Wolseley qui importe des tondeuses à mouton produites par la maison mère anglaise. Austin se montre si efficace en Australie que la firme anglaise lui propose le poste de directeur technique de l'usine de Birmingham. C'est là qu'il construit sa première automobile en 1895. Mais l'ambitieux Austin finit par entrer en conflit avec sa direction en 1905. Il quitte Wolseley et fonde sa propre entreprise le 9 juillet 1905.
La première Austin de 1906 a un moteur à quatre cylindres séparés et une transmission à chaînes. Les voitures produites sont de qualité. En 1907, Austin réussit à vendre 147 voitures. À l'époque, la firme emploie déjà plus de 400 personnes. En 1908 apparaît une six-cylindres qui prouve qu'Austin ne veut pas se cantonner aux petites voitures. La Thirty de 1914 n'a que quatre cylindres, mais la cylindrée atteint près de six litres. Aucune voiture n'est produite pendant la Grande Guerre, mais Austin fabrique quelque huit millions de grenades et plus de 2000 avions.
Austin signe une grande page de l'histoire de l'automobile avec la Seven, introduite en 1922. La voiture, minuscule, est violemment critiquée comme la 2CV de Citroën 26 ans plus tard. Mais elle fait connaître Austin dans le monde entier.
La première Seven est propulsée par un moteur de 700 cm³, mais dès l'automne 1922, une version 747 cm³ de 13 ch apparaît. Ce modèle sera le

En 1910, Austin produit la première Twenty (ou 20 HP) dotée d'un quatre cylindres de 3,6 litres donnant 23 ch à 1 000 tr/min. Ce landaulet-limousine de voyage lourdement carrossé atteint 60 km/h.

L'Austin Seven, présentée en 1922, est un coup de génie prolongé jusqu'en 1939. Cette voiture miniature coûtait à peine plus cher qu'un side-car, mais avec quatre places.

Au total, la production de l'Austin Seven atteint 290 924 exemplaires. Ce coach date des années 1930. Très tôt, la cylindrée passe de 700 à 750 cm³. La puissance initiale est d'environ 10 ch. La Seven donnera la Rosengart en France et la Dixi-BMW en Allemagne.

L'Austin Seven donne lieu à la production de dérivés sportifs soutenus par une équipe d'usine. Les modèles Ulster et Nippy sont les plus connus. La firme Standard Swallow (future Jaguar) aborda l'automobile en carrossant des Seven de façon originale. Des versions à compresseur réalisaient des performances incroyables.

Une Austin Sixteen (16 HP) de 1930, exemple de berline moyenne à moteur six-cylindres de 2,2 litres. Fiable et économique, c'est l'exemple d'un modèle familial moyen relativement abordable, mais pas populaire.

premier à recevoir des freins sur les quatre roues. Le frein à pied agit sur les roues avant, le frein à main sur les roues arrière. L'Austin Seven est construite sous licence en Allemagne par Dixi (puis BMW), au Japon par Datsun, en Australie par Holden, aux États-Unis par Bantam et en France par Rosengart.

La petite Seven n'est pas seulement une petite voiture populaire: elle brille aussi en compétition. Des dizaines de firmes se spécialisent dans les pièces spéciales de préparation moteur et dans les carrosseries sur mesure (comme Swallow, qui deviendra Jaguar). Outre la Seven, la gamme Austin comprendra en 1928 les grandes Twelve, Sixteen et Twenty équipées respectivement d'un quatre-cylindres de 1861 cm^3, d'un six de 2249 cm^3 et d'un six de 3400 cm^3. En 1929, Austin construit même une Seven de course équipée d'un moteur à compresseur. En 1933, la firme lance la Ten, autre succès. En 1934, l'acheteur a le choix entre 50 modèles différents. Le 3 mars 1939, la dernière Seven quitte l'usine de Longbridge. Elle reste la petite voiture la plus populaire du monde.

L'Austin Ten de 1937, qui connaît un bon succès interrompu par la guerre, sera remise en production en 1946. Son quatre-cylindres de 1 128 cm^3 délivre 28 ch à 3 400 tr/min et sa boîte est synchronisée, sauf la première. Sur un empattement de 238 cm, elle pèse 850 kg en châssis et atteint 95 km/h.

La quatre-cylindres Austin Ten de 1933 avec moteur de 1 125 cm^3 correspond à la 201 de Peugeot. Le prix d'un châssis roulant atteint alors 120 livres soit environ un an de salaire d'un ouvrier non qualifié. Une conduite intérieure de base (garnie en cuir) coûte 168 livres.

Baker

Les publicités des Baker Electric insistent sur la caractère pratique et la facilité de conduite de ces voitures silencieuses et propres réservées aux services de ville et particulièrement destinées aux femmes « exigeantes ».

Pendant une assez longue période, les partisans et les adversaires des moteurs à essence, à vapeur ou électriques sont au coude à coude. Chacun d'entre eux présente des arguments non dénués de logique en faveur de son choix. Et de nos jours, d'importants travaux expérimentaux sont conduits sur des sources d'énergie qui ne dépendent pas des carburants fossiles.
La Baker Motor Vehicle Company de Cleveland, Ohio, lutte pour imposer ses voitures équipées de moteurs électriques. *« Ces moteurs n'ont aucune odeur désagréable, ne font aucun bruit et sont très économiques à l'entretien »* revendique la marque. Les inconvé-

La Baker Electric, pourtant très au point, présente l'inconvénient inhérent aux véhicules électriques : une faible autonomie due à la capacité limitée des batteries. Il existe pourtant des stations de recharge installées dans les principales villes américaines.

nients tels que la nécessité d'utiliser de coûteuses batteries et l'autonomie limitée sont commodément ignorés. En 1899, Walter C. Baker et Fred R. White construisent leur première automobile. La même année, le Belge Camille Jenatzy établit le record du monde de vitesse à 105 km/h avec la Jamais Contente. La voiture de Jentazy est propulsée par des moteurs électriques comme la première (et la dernière) Baker. La Baker Electric est à l'origine une petite deux-places légère. En 1910 et 1911, quelques quatre-places plus importantes sont fabriquées. Comme elles doivent ressembler aux « véritables » autos, leur long capot abrite les batteries. Baker tente à plusieurs reprises de battre le record du monde de vitesse sur terre pour automobiles. À chaque fois, il doit renoncer alors que la voiture est près d'atteindre sa vitesse maximale. Lors d'une tentative, la voiture entre dans la foule et tue deux spectateurs. Baker réussit à vendre des « électriques » jusqu'en 1916 avant de fermer définitivement ses portes.

Bantam

L'Amérique n'a pas produit que de grosses voitures. Régulièrement, des apprentis constructeurs tentent de faire fortune en proposant des petites voitures. La minuscule Bantam, construite à Butler en Pennsylvanie, en est un bon exemple. La société American Austin Car Corporation est fondée en 1930 pour produire l'Austin Seven sous licence. Il s'agit d'une entreprise purement américaine dans laquelle Herbert Austin n'est que président honoraire, touchant 7 dollars seulement par Austin produite. L'Austin Seven est à l'origine une voiture simple et bon marché, très populaire en Europe. Les Américains tentent d'en faire une « petite américaine ». Une nouvelle carrosserie est dessinée par le comte Alexis de Shaknoffsky, célèbre styliste à l'époque. Le dessin ne ressemble plus à un modèle européen, mais plutôt à une Chevrolet miniature. Le châssis est une copie carbone de celui de l'Austin ; le moteur est un quatre-cylindres de 747 cm^3, conforme lui aussi à l'original, donnant 13 ch. La firme fait beaucoup de publicité et réussit à vendre une Austin à des célébrités comme Buster Keaton, Ernest Hemingway et Al Johnson. Mais le public préfère les vraies voitures comme la Ford Model A qui coûte d'ailleurs 5 dollars de moins !

Moins de 10000 voitures sont vendues en deux ans. De ce fait, la firme fait faillite à la fin de la deuxième année. Les propriétaires suivants font encore moins bien. En 1937, Roy Evans fait une troisième tentative sous la marque Bantam. Le modèle

Une Bantam 60 de 1940 carrossée en woodie. Les quatre sièges laissent peu de place aux bagages.

Une American Austin de 1930 construite sur la base de l'Austin Seven. Elle coûtait 445 dollars en 1930, prix trop élevé pour une voiture de cette taille.

ressemble à l'Austin par bien des aspects, mais elle a tellement changé techniquement que Bantam ne paye plus de redevances à Austin.
La Bantam est propulsée par un moteur de 716 cm^3 en alliage léger de 20 ch. La deuxième et la troisième vitesse sont synchronisées. Les deux essieux sont toujours rigides. La Bantam est une petite voiture de 305 cm de long sur 143 cm de large, mais elle a conservé les grandes roues de 16 pouces. La cylindrée est portée à 800 cm^3 et la puissance à 23 ch en 1940.
Cette année-là, la Bantam est disponible en diverses versions : coupé deux places, cabriolet, break et berline découvrable du pare-brise au sommet du coffre, les côtés de la caisse restant fixes.
Malheureusement, la petite Bantam court toujours après le succès. La firme restera connue dans l'histoire comme ayant inventé la Jeep, ce que ni Willys, ni Ford ne veulent reconnaître de bon gré.

Bentley

Lorsque la marque Bentley fête son cinquantième anniversaire en 1969, Walter Owen Bentley, âgé de 80 ans et fondateur de la firme, vit alors très modestement. Sa voiture, une Morris de 12 ans d'âge, lui a été offerte par le Bentley Owners Club.
Walter Owen Bentley, W.O. pour ses amis, est né en 1888. Après des études

Walter Owen Bentley, ingénieur motoriste reconnu, crée sa marque en 1919 et lance en 1922 son premier modèle, la trois-litres, ici présentée sous un habillage course très allégé. Elle existait aussi en conduite intérieure.

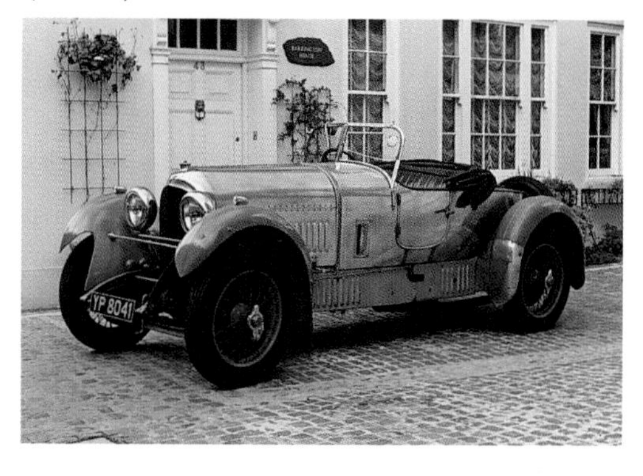

Une Bentley trois litres de 1926 avec une carrosserie spéciale sport.

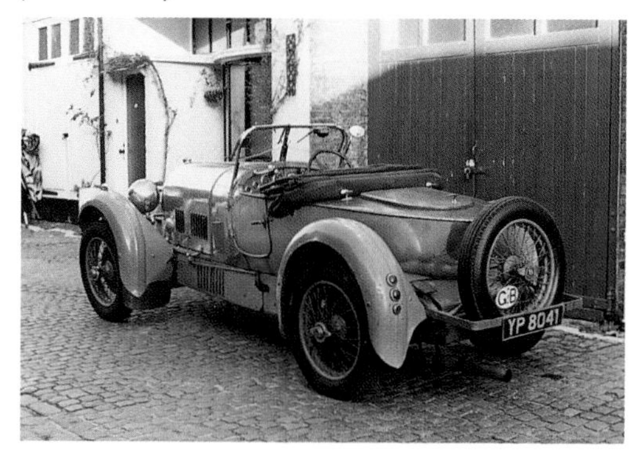

Cette trois-litres est traitée façon « boattail » avec arrière ponté en acajou.

d'ingénieur ferroviaire, il s'intéresse à l'automobile et fonde un garage avec son frère. Les deux frères prennent la distribution de la marque française DFP (Doriot-Flandrin-Parant). Pour se faire de la publicité, W. O. Bentley engage une DFP en compétition et l'équipe de pistons en aluminium. Pendant la Grande Guerre, Bentley travaille sur des moteurs d'avions et crée un moteur en étoile rotatif, le Bentley Rotary, produit à 30000 exemplaires par la firme Humber. W. O. gagne très peu d'argent pour ce travail, mais est promu au grade de lieutenant. Après la guerre, Bentley construit une première voiture prototype portant son

La planche de bord de la trois-litres est toujours très bien équipée pour la surveillance du moteur.

Le premier moteur Bentley de trois litres est un quatre-cylindres à 1 ACT commandé par un arbre vertical. Il développe une puissance est de 80 ch. La version Green Label est poussée à 85 ch. Légèrement carrossée, la voiture atteint 130 km/h.

nom avec l'aide de Fred Burgess, un ancien de chez Humber. Les premiers essais sont effectués en 1919. Le moteur à quatre cylindres, d'une capacité de trois litres, possède un arbre à cames en tête, quatre soupapes par cylindre et un double allumage. Cette voiture n'est guère plus qu'un châssis muni d'un moteur, de deux sièges baquets et d'un énorme réservoir d'essence coiffé de deux pneus de secours. Légère, elle atteint aisément 120 km/h.

Bentley reprend la formule de promotion qu'il avait pratiqué avant 1914 avec la DFP et s'engage en com-

En 1929, Bentley présente la 4,5-litres, une quatre cylindres de même architecture que la trois-litres, mais plus puissante. Elle gagnera les 24 Heures du Mans 1928.

Cette Bentley 4,5 litres à compresseur est une réplique des voitures engagées sans succès au Mans en 1930 à l'initiative de Birkin. Leur énorme puissance de 182 ch est obtenue grâce au gros compresseur Roots monté à l'avant. Bentley était opposé à la suralimentation de ses moteurs.

pétition. Cette fois, ses efforts sont couronnés de succès. Dans le Tourist Trophy, les Bentley prennent les deuxième, quatrième et cinquième places derrière une Sunbeam huit cylindres. Les Vauxhall Grand Prix, avec leurs 139 ch, n'ont aucune chance contre ces voitures d'une marque encore inconnue. En 1923, une 3-litres Bentley termine quatrième des premières 24 heures du Mans. L'année suivante, la même voiture gagne l'épreuve mancelle.

À partir de 1923, les Bentley reçoivent des freins avant indispensables sur une voiture de 1 800 kg. Mais les ventes n'atteignent pas le niveau espéré et le bilan de 1923 montre que 323 voitures seulement ont été vendues. Bentley connaît pour la première fois des problèmes de trésorerie. En 1924, une réplique de la gagnante du TT est proposée. Appelée Speed Model, elle se distingue pas son emblème de radiateur rouge alors que les modèles antérieurs ont un emblème à fond bleu. Pour attirer davantage de clients potentiels, Bentley propose deux nouveaux modèles en 1925. La 100 MPH est garantie pour 160 km/h. Le second modèle de luxe, la Speed Six doit concurrencer Rolls-Royce. La 100 MPH qui dispose de 92 ch reçoit un emblème vert. En 1927, une de ces voitures gagne les 24 heures du Mans. Le modèle supérieur reçoit un six-cylindres d'une capacité de 6,6 litres. Elle reçoit aussi un emblème bleu. L'acheteur a le choix entre deux empattements : 335 ou 366 cm. Le moteur est si souple que le conducteur peut rouler en quatrième à 8 km/h et accélérer jusqu'à la vitesse maximale, 145 km/h. Jusqu'en 1930, Bentley réussit à vendre 373 voitures

W.O. Bentley a vendu cette six-cylindres élégamment carrossée au pilote amateur Whitney Willard Straight en 1931. Le moteur de huit litres délivre 225 ch. La même année, Rolls-Royce rachète Bentley.

Cette élégante et luxueuse 4,5-litres suralimentée de 1930 est une GT avant la lettre. Noter la discrétion de l'installation du compresseur sous un carénage en tôle.

de ce type. En 1929, un tourer Speed Six remporte les 24 heures du Mans à la moyenne de 118, 5 km/h. Une Bentley à moteur 4,5-litres termine deuxième. En 1930, deux Speed Six prennent les deux premières places achevant une série de quatre victoires consécutives dans la Sarthe. La 4,5-litres avait d'ailleurs remporté les 500 Miles de Brooklands à la moyenne de 170 km/h en 1927. À l'initiative de Tim Birkin, la 4,5-litres peut être équipée, sur demande du client, d'un compresseur, mais Bentley lui-même désapprouve cette formule qui fragilise le moteur. En 1930, W. O. présente son chef-d'œuvre grâce au soutien financier du richissime Woolf Barnato qui contrôle la marque.

Après le rachat de Bentley par Rolls-Royce, les voitures sont appelées Bentley de Derby, siège de l'usine Rolls-Royce. Ici un cabriolet 3,5 litres de 1934 carrossé par James Young.

Fin 1935, la Bentley construite par Rolls-Royce reçoit le moteur 4,25 litres de la Rolls 25/30 tandis que les différences s'estompent. Les Bentley sont un peu plus rapides et souvent carrossées de façon moins formelle et plus sportive que les Rolls-Royce.

La six-cylindres 8 litres avec ses 200/220 ch attaque directement la Rolls-Royce Phantom II Continental. Mais la crise naissante ne favorise pas ce modèle de prestige et Bentley propose une 4-litres plus abordable. Mais, par économie, le moteur est à culasse détachable et à distribution semi-culbutée. Peu puissante, cette Bentley de crise ne dépasse pas 50 exemplaires. La crise née à Wall Street coûte cher à Barnato qui doit céder Bentley en 1931.

Face à Napier, Rolls-Royce propose discrètement un prix supérieur et se retrouve propriétaire de la célèbre marque sportive. W. O. Bentley se retrouve ingénieur d'essai, mais plus grave, sans projet. Il quitte Rolls-Royce et entre chez Lagonda en 1935 où il modernise la M45 et dessine un moteur V12. Les premières Bentley construites par Rolls-Royce sont surnommées Derby Bentley, du nom de la ville où est située l'usine Rolls-Royce qui les construit. Ce ne sont plus de vraies Bentley au caractère sportif affirmé. 1 191 voitures équi-

La firme Thrupp and Maberly est une des carrosseries les plus réputées d'Angleterre.
Elle a construit en 1938 cette caisse à décapotage partiel, dite Sedanca de Ville, sur châssis Bentley 4,25 litres.

pées d'un moteur 3,5 litres sont produites jusqu'en 1936. Le modèle suivant, qui reçoit un nouveau moteur de 4,25 litres, est produit à 1 241 exemplaires jusqu'en 1940.
Pour le millésime 1940, deux nouveaux modèles sont prévus, la Mark V et la Corniche. Dix-sept Mark V construites fin 1939 sont réquisitionnées par le gouvernement britannique. Un prototype Corniche, en essais en France au début de la guerre, y sera détruit lors d'un bombardement allemand.

Benz

Il est difficile de déterminer avec certitude le véritable inventeur de l'automobile qui reste au fond une création continue. Les Français citent Édouard Delamare-Deboutteville et Léon Malandin pour leur expérience de 1884, sinon Lenoir en 1863.
Le reste du monde s'accorde sur les noms des Allemands Gottlieb Daimler et Carl Benz. Ce dernier construit un tricycle propulsé par un monocylindre horizontal à quatre temps qu'il essaie dans les environs de Mannheim en 1885. Cette automobile est brevetée le 29 janvier 1886. Le monocylindre délivre 0,75 ch à 400 tr/min et le prototype roule à 16 km/h. Peu à peu, le moteur gagne en puissance et en capacité. Lorsque Benz en lance la production en 1893 sous l'appellation Victoria, le moteur de 2 litres donne 3 ch. En 1899, Benz propose une quatre-roues selon la formule vis-à-vis, le conducteur étant sur le siège arrière et actionnant les commandes regroupées au centre de la voiture. Les premières voitures ressemblent beaucoup à de petites charrettes et, dans tous les cas, le moteur est placé au-dessus de l'essieu arrière. Benz évolue lentement et ses voitures vieillissent vite face à la concurrence

Le moteur de la Benz est un monocylindre horizontal de 954 cm³ de cylindrée donnant… 0,75 ch.

Réplique du prototype Benz de 1885. Carl Benz a eu le mérite de créer un châssis, au lieu d'adapter son moteur à une charrette comme les autres pionniers. La roue avant unique résout le problème de la direction.

La Benz 8/20 est construite de 1913 à 1918. Pendant la Grande Guerre, elle est produite pour être utilisée comme voiture d'état-major. Son quatre-cylindres de 1 950 cm^3 donne 20 ch à 1 800 tr/min et emmène à 60 km/h cette voiture de 4 m et de 1 660 kg.

dans la période 1898-1902. La Parsifal de 1903 est la première Benz dotée d'un moteur avant sous un élégant capot. Les passagers sont assis en arrière du moteur sur deux rangées face à la route. Carl Benz produit plusieurs modèles de puissances différentes. À cette époque, les automobiles sont réservées à quelques sportifs fortunés et les productions demeurent partout limitées. Jusqu'en 1902, Benz n'a vendu environ que

En 1899, Benz présente la Confortable, dérivée de la Velo. Cette 3 HP carrossée ici en vis-à-vis commence à accuser du retard technique.

En 1908, Benz participe aux grandes courses de vitesse avec d'énormes quatre-cylindres de 10 ou 12 litres de cylindrée qui rivalisent avec les Mercedes Grand Prix.

2702 voitures, trop attaché à ses solutions personnelles. En 1926, plus de 5000 employés produisent 1305 voitures et 929 camions. Cette année-là, les firmes Benz et Daimler fusionnent et la société Daimler-Benz ne produira plus que des voitures Mercedes.

Berliet

La marque lyonnaise réputée après 1945 pour ses camions a été longtemps productrice de voitures de tourisme. En 1894-1895, le jeune Marius Berliet construit sa première automobile, à moteur monocylindre placé sur l'essieu arrière. Faute de capital, la production est très faible et en 1899, Berliet ne produit que six voitures à moteur deux cylindres.

La production ne démarre vraiment qu'en 1901 quand Berliet propose, en collaboration avec Pierre Desgouttes, futur constructeur lui-même, une quatre-cylindres de 12 ch. Le succès couronne ses efforts à partir de 1902 avec 100 voitures par an. Le moteur à quatre cylindres est si bon qu'il en vend la licence en 1903 à Sunbeam en Angleterre. En 1906, la puissante firme américaine ALCO (American Locomotive Company), qui construit 14 locomotives par jour, veut produire des automobiles et achète la licence de fabrication de la plus grosse Berliet, considérée après essais secrets comme une excellente voiture, pour la somme extraordinaire de 100000 dollars soit

En 1919, Berliet présente la VB, une quatre-cylindres de 3,3 litres très semblable à la Dodge américaine.

500000 F or payés cash. Cette manne financière permet à Berliet de se développer au point de devenir en 1907 le septième constructeur français avec trois modèles de base: deux quatre-cylindres de 2,4 litres et 4,4 litres et un six-cylindres de 9,5 litres. Ce dernier n'est construit que sur commande, la tendance générale étant à la réduction des cylindrées à partir de 1910. Déjà, Berliet a abordé le domaine du camion et la Grande Guerre, pendant laquelle Berliet produit aussi des armements, des munitions et des chars, va accentuer cette production. En 1919, la firme revient à l'automobile de tourisme et propose des quatre-cylindres moyennes. En 1924, apparaît le premier moteur à culbuteurs d'une cylin-

Sous l'imposant volant de la VB, une manette crantée sert d'accélérateur à main, une autre règle l'avance à l'allumage.

drée de 1,2 litres qui rétablit la situation de la firme alors que le public boude les grosses 4-litres malgré leurs freins avant, leur boîte à quatre vitesses et leurs roues fils. La production des poids lourds commence à prendre le pas sur les voitures. En 1933, la marque n'offre que deux modèles, sous la désignation 944 à moteurs 1,6 litre ou 2 litres. Malgré l'introduction de châssis à roues avant indépendantes et direction à crémaillère, l'écart se creuse avec la concurrence. En 1936, la Dauphine est proposée avec un moteur 2 litres moderne à culbuteurs; mais pour diminuer les coûts, Berliet adapte élégamment la caisse de la 402 Peugeot. La demande reste limitée et la production des voitures est abandonnée en 1939. Berliet est racheté par Citroën en 1964 avant d'entrer dans le groupe Renault Véhicules Industriels.

Berna

Comme partout ailleurs en Europe avant la Première Guerre mondiale, les entreprises de construction automobile fleurissent en Suisse. Beaucoup d'entre elles connaissent une existence éphémère, d'autres, qui se spécialisent dans les autobus et les camions, réussissent à survivre beaucoup plus longtemps.

La Schweizerische Automobil Fabrik Berna, fondée en 1902 à Berne par Joseph Wyss, en fait justement partie. En 1906, l'entreprise change de raison sociale pour devenir la firme Motorwerke Berna AG.

Les premiers modèles sont conçus par Wyss. Il s'agit de voiturettes à moteurs monocylindriques de 5 ch montés à l'arrière. Les caisses offrent

Un vis-à-vis Berna type Idéal de 1902 semblable au vis-à-vis de Dion. Son monocylindre développe 5,25 ch.

deux ou quatre places. En 1903, le moteur est déplacé à l'avant du châssis et les roues arrière sont entraînées par de grosses chaînes. Mais Wyss ne réussit à vendre que neuf de ces types dits Unicum.
De 1905 à 1907, l'usine ne produit que des camions, mais cette activité n'est pas plus rentable. En 1907, Wyss doit céder son affaire. Le nouveau patron, Locher, âgé de 22 ans, reprend la fabrication d'automobiles, mais fait faillite peu après.

Dernier modèle de la marque Bianchi, la Tipo S9 est produite de 1934 à 1939 avec un 1 450 cm³ raffiné, mais trop peu puissant.

Bianchi

Nombreux sont les constructeurs d'automobiles qui ont débuté comme fabricants de bicyclettes. Parmi eux, Edoardo Bianchi. En 1885, âgé de 20 ans, il crée une petite fabrique de cycles à Milan. Ses bicyclettes de qualité se vendent bien. En 1897, il construit sa première moto et l'année suivante, sa première automobile. C'est un quadricycle fait de deux cadres de bicyclette assemblés côte à côte et muni d'un moteur De Dion placé entre les roues arrière. À partir de 1905, Bianchi propose une voiture à moteur 4 cylindres. Grâce à ce modèle, la production augmente notablement pour atteindre 300 voitures par an. La plupart sont équipées de petits moteurs, mais la Tipo 4 se présente comme une grande limousine à quatre cylindres de 8,5 litres donnant 40 ch à 1 300 tr/min. La version sport, la Tipo 5, reçoit un quatre-cylindres de 8 litres poussé à 70 ch. Malgré une production importante de petits modèles, la situation financière reste précaire et l'usine n'est sauvée que par l'entrée en guerre de l'Italie. Après 1918, les grosses voitures sont abandonnées pour des modèles économiques à quatre cylindres comme la S12 à moteur latéral 1,2 litre ou la S15 de 1 500 cm³ dont Mussolini possède un exemplaire. En 1925, les moteurs reçoivent des soupapes en tête qui réduisent les consommations tout en donnant des puissances supérieures. La Tipo 20 de 1925 est munie d'un moteur à quatre cylindres de 2,3 litres donnant 58 ch à 3 200 tr/min. Ce modèle atteint une vitesse maximale de 100 km/h. Après s'être spécialisée dans les petites voitures économiques, Bianchi effectue un virage à 180° en 1928 et commence à construire de grosses voitures coûteuses équipées de moteurs à huit cylindres en ligne comme la M3 de 2,7 litres et 72 ch. Mais la crise économique menace déjà. En 1931, le moteur est réalésé à 2,9 litres pour équiper la Tipo S8. La dernière voiture de cette lignée est équipée d'un moteur culbuté de 2 950 cm³ donnant 95 ch. Dernier modèle avant 1940, la S9 revient à une cylindrée modeste de 1 452 cm³ sur un empattement de 279 cm. Bianchi n'a jamais vraiment rentabilisé sa production automobile. Sans les cycles et les motos, le groupe aurait vite été en faillite. Pendant la Seconde Guerre mondiale, Bianchi est le principal fournisseur de motos de l'Armée italienne.

Une BMW 315 en cabriolet sport. Son petit six-cylindres développe 34 ch, suffisants pour emmener cette voiture de 830 kg à 100 km/h.

BMW

La firme BMW, fondée pendant la Grande Guerre, a déjà acquis dans les années 1920 une grande réputation par ses moteurs d'avions et de motocyclettes. En 1929, la société rachète la petite marque Dixi dont le catalogue comprend plusieurs petites quatre-cylindres, mais aussi des six-cylindres. Après la reprise par BMW, la seule voiture maintenue en production est la petite Austin Seven construite sous licence. BMW réussit à en produire environ 20 000 exemplaires. En 1932, la firme introduit le premier modèle de sa conception. Ces voitures ressemblent encore beaucoup aux Dixi précédentes, mais la 303 de 1933 marque le début d'une nouvelle ère. Équipée d'un moteur six-cylindres de 1 200 cm³, elle est proposée sous divers types de carrosserie dont, notamment, un joli cabriolet sport vendu à 3 200 exemplaires. En 1934, la 303 fait place aux 309, 315 et 319. Ces modèles concourent à l'augmentation du volume de production. En trois ans, BMW en vend respectivement 6 000, 9 765 et

BMW, constructeur de motos et de moteurs d'avion, doit se diversifier à la fin des années 1920 en rachetant la marque Dixi qui produit une Austin Seven sous licence.

Cette BMW 319 date de 1936. Son six-cylindres de nouvelle génération développe 45 ch.

La BMW 327/328 a l'élégance de la 327 et le beau moteur sport de 80 ch de la 328, une combinaison très appréciée, mais coûteuse en son temps.

6646 unités. La 309 est munie d'un quatre-cylindres de 845 cm³. La 315 et la 319 sont motorisées par des six-cylindres à culbuteurs de 1490 et 1911 cm³. Ces voitures sont encore relativement petites, entre 3,75 et 3,90 m de longueur.

La 326 va amener BMW sur le marché des voitures moyennes supérieures. Le modèle est introduit en février 1936. Contrairement à ses devancières, la 326 présente une allure très sportive qui la met en concurrence avec les Mercedes. C'est un vrai succès. De 1936 à 1941, BMW produit près de seize mille 326. Le moteur à six-cylindres a une capacité de 1971 cm³. La variante sport,

La 321 de 1939 est produite jusqu'en 1941, pour les besoins des militaires.

La planche de bord de la 321 est équipée de cadrans à fond blanc, typiques du style allemand de l'époque.

Avec la 326, BMW affronte les Mercedes 200 et 230. Sa boîte ZF a une roue libre sur les deux premiers rapports.

BMW triomphe au GP de Brescia (Mille Miglia) 1940 grâce aux coupés profilés et roadsters 328 carrossés par Touring.

la 327, est équipée du même moteur, mais porté à 55 ch contre 50. La gamme est couronnée par une vraie sport-compétition, la 328 à moteur 2 litres donnant 80 ch grâce à une distribution spéciale. La très sportive 328 peut être utilisée au quotidien, mais elle peut aussi s'imposer en rallyes et en courses. Elle se présente comme une très élégante voiture d'un modernisme très avancé en son temps. Les phares sont déjà intégrés dans le masque avant. Les roues à serrage central ne sont plus à rayons fils, mais en tôle perforée.
Le moteur est un six-cylindres à culasse hémisphérique alimenté par trois carburateurs Solex et la vitesse maximale est d'environ 160 km/h. Le 14 juin 1936, la BMW 328 est engagée pour la première fois aux courses de l'Eifel sur le Nürburgring. Elle est pilotée par Ernst Henne, célèbre pilote de motos BMW. Il gagne l'épreuve à la moyenne de 101 km/h. Cette victoire est la première d'une longue série. Pour la seule année 1937, les 328 gagnent plus de 200 épreuves. L'année 1938 est tout aussi riche. Entre autres succès, la 328 s'illustre au Mans en 1939 en classe 2-litres à 132,8 km/h, pilotée par Von Schaumburg-Lippe et Wencher, et aux Mille Miglia 1940. Pour cette course, rebaptisée Grand Prix de Brescia, l'usine d'Eisenach construit deux coupés et trois roadsters à l'esthétique très moderne sur les

La planche de bord d'un roadster Mille Miglia. Le compte-tours est l'instrument principal d'une voiture de course avec le thermomètre d'huile.

La carrosserie Touring est du type Superleggera : un treillis tubulaire fin recouvert de panneaux d'aluminium. Poids de la caisse équipée : 80 kg.

La rare BMW 335 modèle 1939 est une 4,4 litres de 90 ch.

dessins de Touring. Les moteurs, qui consomment un mélange d'essence et d'alcool, délivrent 135 ch à 5 500 tr/min. Ces voitures finissent première, troisième, cinquième et sixième. Les grands vainqueurs sont Huschke von Hanstein et Walter Baümer à la moyenne de 166,7 km/h au volant d'un coupé. Après la fin de la Seconde Guerre mondiale, la BMW 328 continue sa moisson de succès. La production est arrêtée en Allemagne en 1940, mais les moteurs 328 sont produits en Angleterre jusque dans les années 1960 sous la marque Bristol. Ces moteurs sont utilisés par AC et Frazer Nash, entre autres marques sportives.
Les plus grosses BMW d'avant guerre sont les 321 et 335. Ces luxueux modèles mesurent respectivement 450 et 484 m de long. L'acheteur peut choisir entre un moteur de 1 971 cm³ et un 4 485 cm³. Ce dernier six-cylindres délivre 90 ch, puissance qui permet d'emmener à 145 km/h cette voiture de 1 750 kg.

BNC

Bollack, Netter et Compagnie est une société créée en 1922 pour produire un cyclecar conçu en 1919 par Jacques Muller. Initialement, les premières BNC sont du type cyclecar, à deux places, sans freins avant et dotées de moteurs Ruby à soupapes latérales. La fiscalité applicable aux cyclecars ayant évolué défavorablement, BNC, comme les autres petites marques sportives, se tourne vers la production de modèles plus performants, mais plus chers. Elle adopte des moteurs Ruby, SCAP ou Chapuis-Dornier à culbuteurs, tous inférieurs à 1 100 cm³. En 1929, BNC présente un modèle surbaissé, très

Les premiers BNC sont issus des cyclecars, avec des moteurs de 950 ou 1 000 cm³.

En 1927, BNC propose son plus beau modèle, avec un radiateur élégamment incliné, le type 527 à moteur SCAP ou Ruby capable de rouler à 120 km/h.

joliment dessiné avec un radiateur incliné, le type 527 à moteur Ruby ou SCAP. Certains modèles sont équipés d'un compresseur et dépassent 140 km/h. Des BNC remportent leur catégorie aux 24 Heures du Mans ou de Spa. La demande de voitures de sport faiblissant, les fondateurs cèdent l'affaire en 1928 à un nouvel investisseur qui reprend aussi Lombard et Rolland-Pilain et tente de lancer des modèles plus étoffés, dont certains équipés d'un moteur anglais Meadows de 1,5 litre. En 1931, la nouvelle direction tente le marché des grosses voitures de luxe avec des modèles à moteur Continental huit cylindres en ligne, certains dotés d'une suspension pneumatique très moderne. La faiblesse de la demande et la crise en empêche la commercialisation. BNC disparaît en 1932 avec les marques associées Lombard et Rolland-Pilain.

Brush

Les petites voitures construites par Frank Briscoe et Alan Brush entre 1907 et 1911 sont d'une exceptionnelle qualité. La plupart sont des « runabouts », deux-places sport sans autre carrosserie que deux sièges-baquets, qui se vendent bien dans les zones chaudes des États-Unis. Les moteurs monocylindres donnent entre 7 et 10 ch. En 1908, la marque fait la une des journaux quand Fred Trinkle relie les côtes Est et Ouest des États-Unis à bord d'une Brush, se payant le luxe, au passage, de gravir le Pikes Peak au Colorado, malgré la petite taille de sa voiture. Deux voitures seulement y étaient parvenues. Cette piste de 37 km demande une journée de pilotage attentif.

Cette Brush de 1910 carrossée en runabout possède un monocylindre de 1 340 cm^3. Ces petites voitures sportives avaient une très bonne réputation.

La BSA Scout (ici un modèle tourer quatre places de 1938) est un dérivé du tricyclecar Beezay à traction avant produit de 1930 à 1933.

BSA

BSA est réputée pour ses armes légères, ses cycles et motos, mais aussi pour les automobiles qu'elle produit depuis 1907. Les premières voitures qui sortent des usines de la Birmingham Small Arms Company sont très classiques. La firme propose une gamme de différentes puissances. Dès 1910, cinq modèles sont au catalogue.

L'un des plus vendus est la BSA 25/33, copie très fidèle de l'Itala vainqueur de la course Pékin-Paris de 1907. Lorsque la vieille firme Daimler de Coventry connaît des difficultés financières, BSA rachète la marque et, dès lors, les BSA ressemblent davantage aux Daimler qu'aux modèles antérieurs. Après la Grande Guerre, Daimler cesse de produire des quatre-cylindres. La BSA Ten (10 HP) est présentée en 1922. C'est une petite voiture de sport propulsée par un deux-cylindres en V de 1 080 cm³. Voiture bon marché, sa caisse n'a qu'une seule porte et il faut démarrer le moteur à la manivelle.

Si de nombreux constructeurs produisent des trois-roues avant de proposer de « vraies » voitures, BSA fait le contraire. Le Three-wheeler est présenté en 1929 seulement. Traction avant à deux places pesant 406 kg et propulsé par un bicylindre en V de 1 021 cm³ de 21 ch, ce Three-wheeler atteint 100 km/h. Performant en trials et en courses de côte, il reste au catalogue jusqu'en 1936. En 1935, BSA propose une nouvelle voiture de sport à quatre roues, la Scout. Les premières sont équipées d'un quatre-cylindres de 1 075 cm³. À partir de 1937, la Scout

est proposée avec un moteur latéral de 1 203 cm³. Dans les deux cas, la voiture est à traction avant, une exception dans la production britannique de l'époque.
La Scout est produite jusqu'en 1939. Pendant la guerre, BSA se consacre aux armements et aux motos et ne reprendra pas la production autombile après 1945.

Bucciali

Les Bucciali sont incontestablement les plus étranges automobiles de l'avant-guerre. L'affaire débute quand deux frères, Paul-Albert et Angelo Bucciali, n'arrivent pas à trouver, après la Grande Guerre, une voiture de sport qui leur convienne. Ils décident alors de devenir constructeurs et établissent leur première usine en 1922 sous la raison sociale Bucciali Frères.
Les premiers modèles sont conventionnels. La première Bucciali est équipée d'un moteur quatre cylindres 3 litres Ballot. En 1923, ils produisent des voitures légères munies de moteurs deux cylindres à deux temps sous la marque Buc. Par la suite, les Buc reçoivent un moteur deux temps

La Bucciali TAV8 traction-avant de 1930 est conservée aux États-Unis. Sa carrosserie est aussi de Saoutchik.

La Bucciali TAV 30, prototype de démonstration de 1932, avait été carrossé par Saoutchik.

V4 puis un six-cylindres en ligne dessiné par Causan (semblable au moteur La Perle et au Licorne).
À partir de 1926, les frères Bucciali présentent au Salon de Paris d'étranges voitures à traction avant et roues indépendantes comme la TAV 8 dotée d'un huit-cylindres Continental de 4,4 litres sur un empattement de 3,50 m. En 1930, 1931 et 1932, la Double Huit capte l'attention des visiteurs du salon. Ce prototype de rêve à traction avant est dotée d'un moteur à 16 cylindres en deux blocs de huit côte à côte, montés sur un carter commun. La cylindrée atteint 7,8 litres. Le constructeur annonce une puissance de 170 ch, mais le moteur reste inachevé.
En 1931, les frères Bucciali proposent la TAV 30 de production, sur un empattement de 4,09 m. Un très long capot abrite un moteur Lycoming. Quelques voitures seront vendues avant que Bucciali ne présente un nouveau prototype à moteur Voisin 12 cylindres puis une Bucciali- Mathis, elle aussi demeurée unique.
Inventeurs et chercheurs, les frères Bucciali ont vendu moins de vingt voitures, mais créé plusieurs voitures de rêve qui ont marqué l'histoire de l'automobile.

Bugatti

On fait souvent le parallèle entre Ettore Bugatti et Enzo Ferrari, deux patrons autocrates, passionnés de mécanique à haute performance et de course avant toute idée de rentabilité. Bugatti tenait à ce qu'on l'appelle « le Patron ». Ferrari détestait la contradiction. Mais ils ont produit les plus passionnantes automobiles de tous les temps, belles et performantes, avec les meilleurs ingénieurs et les meilleurs pilotes. Ettore Arco Isidoro Bugatti (1881-1947) naît à Milan d'un père peintre, architecte et ébéniste. Son frère Rembrandt est un grand sculpteur animalier. Ettore, lui, se passionne très jeune pour la technique et l'automobile naissante. À 19 ans, en 1901, il réalise une voiture qui lui vaut une médaille à l'Exposition de Milan. Avant de créer sa propre affaire en 1909, il travaille pour divers constructeurs : Prinetti et Stucchi, De Dietrich, Mathis (son premier associé) et Deutz.

Une Bugatti type 13 de 1912 retrouvée en Russie dans les années 1960.

Bugatti a connu environ 2 000 victoires de 1909 à 1927. Cette 35 B aux roues en aluminium typiques des modèles de course a appartenu à la Tchèque Elizabeth Junek.

La type 37 à quatre cylindres de 1,5 litre devient très performante avec un compresseur. Elle est produite à partir de fin 1925 sur la base du type 35.

La Bugatti 35 de Grand Prix offre une direction douce et précise, rare à son époque. Son comportement dynamique est remarquable.

En 1909, il crée une voiturette, le Type 10, dotée d'un minuscule moteur à arbre à cames en tête qui se révèle très performante et pour laquelle il crée son usine alsacienne de Molsheim, alors en Allemagne. Sa notoriété s'affirme en 1924 avec le Type 35 de course, une des plus belles voitures de Grand Prix de tous les temps. Bugatti la déclinera en quatre, huit et même seize cylindres, avec plus ou moins de réussite. Mais le plus intéressant se situe sous le capot de toutes ces voitures.
Les moteurs à quatre, huit ou seize cylindres fabriqués à Molsheim sont des chefs-d'œuvre de mécanique dont l'aspect esthétique n'est pas négligé, bien au contraire. Toutes les Bugatti sont à roues arrière motrices sauf une, le Type 53 à quatre roues motrices. Avec leur moteur à haut rendement, les Bugatti sont en avance sur leur temps et les types de course sont longtemps imbattables, même aux mains d'amateurs.

Sur la base du type 35B (2,3 litres à compresseur), Bugatti propose le type 43 routier, presque aussi performant, produit de 1927 à 1931.

La Bugatti type 41 dite Royale est l'une des plus grandes automobiles jamais produites. Cet exemplaire, appelé Coupé du Patron, est conservé à Mulhouse dans la Collection Schlumpf du Musée national de l'Automobile.

La Bugatti type 40 de tourisme-sport (ici une torpédo de 1927) est une voiture fiable et brillante sur la route. Son moteur de 1,5 litre donne 50 ch.

Le moteur Bugatti type 41 des Royale a été produit pour équiper des autorails à grande vitesse de 1933 à 1954.

La Bugatti Grand Prix type 51 est une huit-cylindres en ligne à 2 arbres à cames en tête et compresseur apparue en 1931. Elle succède au type 35/35B.

Le constructeur obtient 1 000 victoires en 1925 et 1926 et plus de 800 en 1927. Toutes ne sont pas importantes, mais elles concourent à la réputation de la marque. Bugatti vend ses voitures en châssis, mais aussi avec des caisses standard d'usine. La grande usine de Molsheim est équipée d'une fonderie, d'ateliers d'usinage, de montage et de carrosserie.

Bugatti se cantonne d'abord aux modèles sport et course, mais en 1927, le Type 41 révèle d'autres ambitions. Cette Royale veut surpasser en luxe et en performance les modèles les plus prestigieux, avec un empattement de 4,25 m et un énorme moteur huit cylin-

La Bugatti type 53 est un modèle expérimental à quatre roues motrices essayé en 1932 et resté sans descendance. On la voit ici conduite cinquante ans plus tard par René Dreyfus, un de ses pilotes de l'époque.

Le moteur du type 53 est un type 50 de 4,9 litres à compresseur donnant 300 ch. Les roues avant motrices sont indépendantes.

La Bugatti type 57, produite de 1933 à 1939 à près de 750 exemplaires, est une excellente et puissante routière. Ce cabriolet datant de 1938 est carrossé par Saoutchik.

Le type 55 découle du type 51 Grand Prix doté d'un huit-cylindres en ligne de 2,3 litres à compresseur, ramené à 130 ch.

La Bugatti Type 57, ici le sportif coach Ventoux, avec un huit-cylindres en ligne à 2 ACT de 3,3 litres.

dres de 12,7 litres. Le capot s'étend sur 2,10 m. Elle roule déjà à 100 km/h en troisième, à 1 000 tr/min. Bugatti garantit sa voiture à vie et promet un entretien gratuit. Il la réserve aux chefs d'État, rois et empereurs mais seul le roi d'Espagne montre un certain intérêt avant de renoncer. Sept châssis sont construits, trois voitures vendues. Les moteurs propulseront d'excellents autorails de 1933 à 1954.

En 1939, Jean, fils aîné d'Ettore, se tue en essayant une voiture de course. En 1940, l'usine est confisquée par les Allemands. Réfugié à Paris, Ettore poursuit quelques études techniques.

Le Type 13 est la première Bugatti produite en série en Alsace, dès 1910. Son moteur à 1 ACT d'1,3 litre existe en deux versions, 8 et 16 soupapes, ce dernier nommé Brescia après la victoire au GP d'Italie 1921.

À la Libération, il doit faire un procès pour récupérer son usine mise sous séquestre, obtient la nationalité française, mais meurt peu après. Son second fils, Roland, tente de gérer l'usine qui travaille pour la défense nationale et l'aéronautique et projette quelques voitures nouvelles avant d'être absorbée dans le groupe Hispano-Messier.

Buick

David Dunbar Buick, à l'origine entrepreneur de plomberie, invente un procédé d'émaillage de la fonte par vitrification qui permet de produire des appareils sanitaires et de cuisine modernes et faciles à nettoyer. Il réussit à céder son procédé pour 100000 dollars et, en 1899, il investit dans la Buick Auto-Vim and Power Company, réorganisée en 1902 sous le nom de Buick Manufacturing Company.

Eugène C. Richard conçoit un bicylindre à soupapes en tête pour la société de David Buick, qui installe ce moteur dans la Buick Model B. Les ventes piétinent et Buick connaît de graves difficultés financières qui amènent les frères Briscoe à prendre le contrôle de la nouvelle Buick Motor Company.

Les difficultés n'étant pas surmontées, les frères Briscoe vendent leurs actions en 1904 à James H. Whiting qui doit faire appel au soutien de William Crapo Durant, futur fondateur de General Motors. Ce dernier lève assez d'argent pour lancer la production et promouvoir efficacement la marque qui commence à faire des profits. En 1904, Buick vend 21 voitures, 750 en 1905 et 1 500 en 1906, mais David Buick, en désaccord avec Durant, doit quitter sa firme.

Le moteur bicylindre de cette Buick de 1906 donne 22 ch à 1 200 tr/min.

En 1915, Buick produit des voitures à quatre et six cylindres, toutes à soupapes en tête. Tous les modèles sont aussi équipés d'un démarreur électrique.

La Buick Limited de 1941 haut de gamme de la marque est une grande voiture proche des Cadillac, mais plus sobre. Avec un empattement de 353 cm, elle atteint 574 cm de long.

La production croît sans cesse et en 1910, 6 500 employés produisent 30 525 voitures. La gamme Buick comprend des quatre-cylindres et, à partir de 1914, des six-cylindres. En 1924, Buick abandonne les quatre-cylindres et produit 160 000 voitures. En 1929, les Buick sont totalement redessinées par l'Art and Colour Department de General Motors. Leurs moteurs ont des cylindrées de 3,8 à 5,2 litres. Les Buick standard coûtent de 1 195 à 2 145 dollars.
En 1931, toutes les Buick sont des huit-cylindres. Les moteurs à soupapes en tête vont rester pratique-

Une Buick de 1917 au moteur six-cylindres 3,6 litres d'une grande souplesse. Cette année, le président de Buick depuis 1912 est un certain Walter P. Chrysler.

La Buick série Special est le bas de gamme de la marque, mais c'est un modèle de luxe, qui concurrence les voitures de luxe européennes plus sportives.

Cette Buick Special est une berline avec malle saillante. Depuis 1936, les Buick possèdent un toit tout acier.

New York 1973 : une Buick 1938 restée tout à fait utilisable au quotidien.

ment les mêmes jusqu'en 1953. Naturellement, la crise entraîne une chute des ventes : 88 147 exemplaires en 1931, 41 522 en 1932.
Certains constructeurs moins importants comme Hudson, Studebaker ou Pontiac, réussissent à en vendre davantage car ils proposent des voitures moins chères dotées de moteurs à quatre ou à six cylindres.
Buick trouve une solution en 1934 en introduisant la série 40, moins chère. En 1936, les Buick reçoivent de nouvelles carrosseries très élégantes qui relancent la marque vers les sommets avec un volume de ventes de 179 533 unités. Une partie de ce succès est due au nouveau moteur huit cylindres de 5,2 litres donnant 120 ch.
Les modèles de 1937 et 1938 sont encore plus raffinés et Buick se retrouve en quatrième position des constructeurs américains. Les acheteurs sont confrontés à un vaste choix de modèles Buick. En 1941, la marque ne propose pas moins de 26 carrosseries différentes sur cinq châssis. La même année, Buick bat son propre record avec 316 251 voitures produites.
Le 2 février 1942, l'usine produit la dernière Buick d'avant guerre avant d'être affectée à la production de chars et d'avions.

Le huit-cylindres en ligne à soupapes en tête de la Special 1937 développe 100 ch à 3 200 tr/min. Ce groupe ne disparaitra que dans les années 1950, remplacé par des V8.

Les modèles Buick 1932 perdent leurs roues en bois en fin d'année modèle. Le style n'est pas des plus heureux et les changements esthétiques arriveront en 1933.

Cadillac

Les noms de Louis Chevrolet, Henry Ford et Antoine de la Mothe Cadillac sont bien connus des fanatiques d'automobiles. Pourtant seuls les deux premiers ont construit des automobiles, le troisième étant un aventurier français fondateur en 1701 de l'établissement de la « Ville d'Étroit » sur un des grands lacs américains. Village de pionniers, il deviendra la ville de Detroit où Henry Martin Leland fonde une petite usine de construction automobile en 1902. Il nomme son affaire Cadillac Automobile Company en l'honneur de l'explorateur français. En 1909, Cadillac entre dans le groupe General Motors. Elle est alors chargée de produire les voitures les plus chères de la gamme. Déjà, la réputation de qualité des Cadillac est très bien établie et la marque intéresse une élite fortunée. Par la suite, les Cadillac sont

Cette Cadillac de 1906 possède un moteur monocylindre horizontal installé sous le plancher.

Un roadster Cadillac 370 A de 1931 à moteur V12 de 135 ch. Ce modèle est destiné à épauler les types V16 en cette année de crise économique.

Cet impressionnant phaéton double pare-brise Cadillac 341 de 1928, qui correspond à la torpédo européenne, est équipé d'un moteur V8 de 5,4 litres donnant 90 ch en version basse compression.

L'année 1934 est celle d'une refonte complète du style Cadillac, selon la tendance aérodynamique qui marque les ailes et les phares. Le pare-chocs est monté sur ressorts télescopiques.

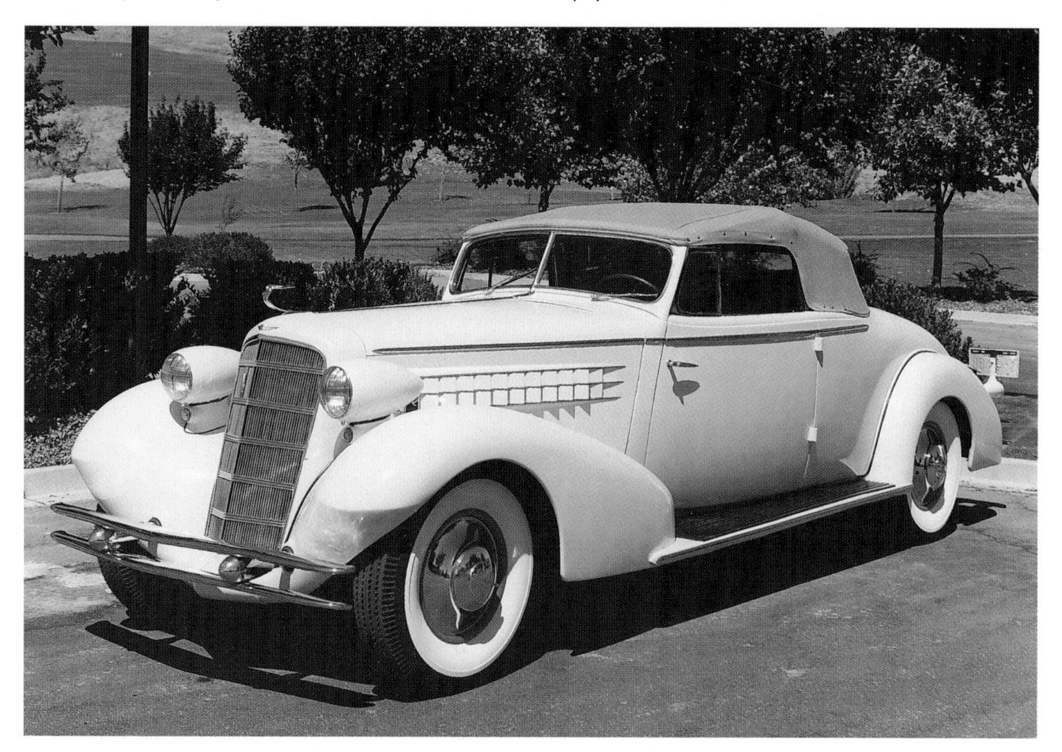

Cadillac livre dès l'origine des voitures d'une très haute précision mécanique pour laquelle la marque est récompensée. Les roues ne sont pas encore facilement amovibles.

En 1935, la Cadillac Town cabriolet est un somptueux coupé chauffeur avec séparation de 371 cm d'empattement. Le V12 délivre 150 ch dans un silence quasi total.

En septembre 1914, Cadillac surprend le marché en supprimant ses quatre-cylindres et en présentant un moteur V8 produit en grande série. Ce type 53 date de 1916. Son moteur développe 77 ch.

Ce Coupé appartient à la gamme Cadillac 1936. C'est une carrosserie 2+2 avec deux très petites places d'appoint à l'arrière. À 1 645 dollars, c'est la moins chère des Cadillac.

souvent vendues sous forme de châssis roulant aptes à recevoir des carrosseries sur mesure. Quant aux moteurs, il s'agira souvent de V8 puis de V16 et de V12.

La Cadillac a été la plus belle voiture produite par Detroit depuis bientôt cent ans et la marque a souvent été en avance sur son temps, même dans le domaine technique. Quand les marques concurrentes offrent encore des mono ou bicylindres, Cadillac propose un quatre-cylindres.

Après 1914, la marque ne produit rien au-dessous de huit cylindres. En 1912, les Cadillac sont équipées de phares électriques et, la même année, elles sont les premières équipées d'un

Cette Cadillac V12 profilée, présentée à la Foire Internationale de Chicago en 1933, annonce le style des carrosseries des années 1940.

Les dernières Cadillac V16 première génération à soupapes en tête sortent en 1937. La plus chère coûte 7 950 dollars. En 1990, cette hors-série carrossée par Figoni et Falaschi à Paris a été vendue 2 500 000 dollars en 1990.

En 1938, le moteur V8 Cadillac a une cylindrée de 5,8 litres et une puissance de 115 ch. Le V12 de 6 litres sort 150 ch et le V16 de 7,4 litres (qui équipe ce cabriolet) donne 185 ch.

La Cadillac Série 62 Convertible Coupe (cabriolet 4 places) 1941 est équipée d'un V8 à soupapes latérales de 5,7 litres et 150 ch qui sera repris en 1946.

démarrage électrique, supprimant la corvée des départs à la manivelle.
Si Cadillac vend encore 20000 voitures en 1918, l'usine est pourtant chargée de construire des avions de chasse après avoir obtenu le plus gros contrat gouvernemental de tous les temps : 40 avions par jour ! Cadillac livre aussi des voitures à l'armée américaine. La première voiture alliée qui franchit le Rhin le 18 novembre 1918 est une Cadillac.
En 1922, l'usine introduit un carburateur à réglage thermostatique du mélange et fin 1928, les Cadillac bénéficient des premières boîtes syn-

chronisées. Les glaces de sécurité sont adoptées. En 1930, la première Cadillac à moteur V16 roule à Detroit, bientôt suivie par une V12.
Ces beaux moteurs à soupapes en tête sont produits jusqu'en 1937.

Celeritas

Wilhelm Stift dirige un magasin de vêtements pour hommes à Vienne à la fin des années 1890 sans que l'on sache si ce commerce le fait bien vivre. On sait en revanche qu'il s'intéresse à l'automobile au point de s'associer à une affaire de construction automobile en 1900.
En 1901, il installe son propre atelier où il construit une voiture qu'il vend sous la marque Celeritas.
Cette voiturette est propulsée par un moteur français Buchet à deux cylindres. On ignore le volume de production, mais il doit être très faible, car Stift ne montera jamais ses propres moteurs.
Examinant un jour la petite voiture produite par les frères Gräf, il comprend qu'il fait fausse route, s'associe aux Gräf et fonde la société Gräf und Stift en 1901.

La Celeritas de Vienne est équipée d'un moteur bicylindre français Buchet de 635 cm³ et 12 ch.

La transmission de la Celeritas est assurée par une courroie-chaîne.

Dès 1901, la Celeritas est équipée d'un volant comme les grosses voitures.

Charron

Fernand Charron, ancien champion cycliste et du volant, ouvre un des premiers grands garages parisiens. En 1897, il vend des Panhard et Levassor. En 1901, il fonde une fabrique d'automobiles avec deux associés, sous la marque CGV. Leur voiture, qui ressemble aux grosses Panhard, plaît beaucoup aux sportifs qui ont les moyens de l'acquérir.
Charron a de nombreuses relations dans les milieux du sport automobile, ayant été un grand champion, vainqueur de Paris-Amsterdam et retour en

Après avoir fondé CGV en 1901, Fernand Charron dirige la Charron Limited qui construit à Paris de luxueuses quatre et six-cylindres. 1912 est la meilleure année avec 750 voitures produites. En 1912, Charron crée la marque Alda.

1898 et de la Coupe Gordon-Bennett en 1900. Il vend 76 coûteuses CGV en 1902 et 265 en 1905. Cette année-là, la firme emploie 400 personnes.
En 1906, CGV est cédée à un groupe d'investisseurs anglais. Au total, CGV a vendu 753 voitures.
En 1907, Charron construit des automobiles sous son nom, mais un an après, des problèmes de trésorerie l'obligent à vendre son entreprise. Ayant épousé la fille du constructeur Adolphe Clément, il dirige les usines de son beau-père. En 1910, en désaccord avec ce dernier, il reprend la direction de son garage de l'avenue de la Grande-Armée à Paris. En 1912, il lance la marque Alda qui ne connaît pas un grand succès.
Entre-temps, la production des Charron s'est poursuivie aux usines Charron Limited. En 1909, la marque propose les types Q, QR et L équipés de moteurs deux et quatre cylindres, produits jusqu'en 1914.
En 1919, les types RGM et PGM sont des quatre-cylindres d'avant 1915 modernisés. Le premier est une 12 HP, le second une 16 HP. Les petites Charron de 6 HP sont les plus vendues sous l'appellation Charronnette.
En 1926, le client a le choix entre quatre modèles principaux : trois quatre-cylindres de 1 060 cm³, 1 368 cm³ et 3 405 cm³ et une six-cylindres à culbuteurs de 2 771 cm³. Cette production reste très confidentielle à l'exception de celle de la petite Charronnette. La marque poursuit son activité jusqu'en 1930.

Chenard et Walcker

Ernest Chenard fonde une petite entreprise de taillage d'engrenages à Paris en 1888 avec Henri Walcker, son associé et commanditaire. En 1899, la firme construit des tricycles, puis des quadricyles à moteur De Dion,

En 1905, Chenard et Walcker étend sa gamme à des quatre-cylindres moyennes. Ce double-phaéton 15 HP de 1906 de trois litres réalise de bonnes performances.

Une torpédo Chenard et Walcker TT de 1921, à moteur deux litres donnant 30 ch. Le rarissime deux-litres sport à 1 ACT qui délivre 60 ch a équipé quelques modèles de compétition.

La 10 CV type TT de 1913. Fabriquée à nouveau de 1919 à 1923, elle est alors dotée de freins avant à servo mécanique.

sans succès, car déjà démodés. La première vraie voiture Chenard et Walcker à quatre roues est exposée au Salon de l'Automobile de Paris de 1901. C'est une petite voiture à bicylindre vertical latéral de 1 160 cm³. La situation de la marque s'améliore. Ces voitures ont une originalité technique : la transmission aux roues arrière à réducteur dans les moyeux, les demi-arbres ne subissant aucune contrainte résultant du poids. Ce système va durer jusqu'en 1914. La firme, aux fabrications mécaniques réputées, travaille pour d'autres constructeurs. En 1909, cinq modèles sont présentés, d'un monocylindre de 945 cm³ jusqu'à un quatre-cylindres de 5 881 cm³. Ces voitures sérieusement construites n'ont rien de sportif avant 1914.

Calandre et écusson des Chenard et Walcker de la fin des années 1920, à l'époque des modèles communs avec Delahaye, Unic et Donnet.

En 1922, apparaissent deux modèles mécaniquement très élaborés : une quatre-cylindres de 3 litres et une 2-litres, toutes deux à arbre à cames en tête, qui servent à promouvoir les productions normales à soupapes latérales. La 3-litres accomplit la plus grande distance aux premières 24 Heures du Mans. La 2-litres s'illustre à la Coupe Georges Boillot. En 1924, Chenard et Walcker prépare des huit-cylindres en ligne à 1 ACT, les types X, de 4 litres de cylindrée, à 130 ch. Malheureuse au Mans en 1924 et 1925, la 4-litres gagne à Spa le GP de Belgique 1925, mais le modèle, pour des raisons internes, n'est finalement pas commercialisé.

En 1925, la marque engage des petits tanks 1 100 cm³ à moteur culbuté très rapides de 55 ou 70 ch, avec compresseur. Atteignant 170 km/h, elles battent toute opposition au point de faire fuir les autres concurrents.

Fin 1927, Chenard et Walcker liquide son service compétition.
La marque s'allie à Delahaye, Unic et Donnet pour le partage du marché et la production de modèles communs, mais ce partenariat cesse en 1932.
Les modèles sans génie des années 1928-1933 font place à une nouvelle génération de voitures à roues avant indépendantes munies de moteurs à culbuteurs de 10, 12 et 14 CV à quatre cylindres et d'un V8 pour 1936. Cette Aigle Huit recevra un moteur Ford en 1939 et les quatre-cylindres, un 11 CV Citroën. Intégrée au groupe Chausson, la firme Chenard et Walcker ne produira plus que des utilitaires.

Chevrolet

Les fondateurs de marque automobile ont tous une histoire personnelle distincte de celle de leur firme. Après le lancement, le fondateur peut rester étranger à la phase de croissance de la marque. C'est le cas de Buick et de Louis Chevrolet. Louis Chevrolet naît à La Chaux-de-Fonds,

Fiable et bon marché, la Chevrolet Superior possède un moteur de 2,8 litres donnant 26 ch en toute sécurité.

La Superior (ici un modèle 1926) est une séduisante alternative à la Ford T dont elle accélère l'abandon en 1927.

La Chevrolet International de 1929 propose un six cylindres bon marché qui poussera Ford à étudier un V8 tout aussi abordable.

dans le Jura suisse, le 25 décembre 1878. À 21 ans, il émigre à Beaune en France où il travaille comme réparateur de bicyclettes avant de gagner Paris, puis le Canada et New York. Dans cette ville, il est d'abord mécanicien, spécialiste des Fiat.
En France, il a participé à des courses cyclistes ; en Amérique, il court au volant des Fiat de son employeur. Entre autres succès, il remporte une course sur le circuit de Morris Park à New York. William Crapo Durant, fondateur de General Motors, emploie Louis Chevrolet et son frère Gaston qui l'a rejoint en Amérique.
Soutenu financièrement par Durant, Louis Chevrolet fonde sa marque dans une ancienne usine Buick. En 1909, il

La Chevrolet Master Eagle 1933 introduit le style Airstream qui se veut aérodynamique. Depuis l'année précédente, les Chevrolet bénéficient d'une boîte synchronisée comme toutes les marques de General Motors.

fait étudier un moteur à six cylindres et, en 1911, une grosse voiture au lieu d'une petite comme prévu.
Le conflit avec Durant est inévitable et Chevrolet doit quitter son usine et sa marque. Il décédera pauvre et oublié le 6 juin 1941, sans doute plein d'amertume après avoir vu sa marque devenir l'une des plus importantes du monde. Dès 1919, en effet, Durant vend 190000 voitures et en 1941, dernière année pleine avant la guerre, plus d'un million de Chevrolet.
Après son départ, Louis Chevrolet ne peut donc plus utiliser son nom pour désigner une voiture. La seule fois où il retrouve sa marque, c'est en travaillant comme... ouvrier dans une des usines de Durant.
Le parallèle est évident avec le destin de David Buick, mort également dans la pauvreté. Louis Chevrolet avait espéré être en mesure de créer une belle et luxueuse voiture portant son nom alors que son commanditaire avait d'autres projets. Durant voulait un modèle bon marché pour concurrencer la Ford Model T. Il crée la 490, une petite voiture dotée d'un moteur à quatre cylindres et soupapes

Le Roadster Chevrolet Independance 1931 concurrence la Ford Model A avec un souple six-cylindres culbuté de 3,2 litres et 50 ch et une finition plus luxueuse.

En 1937, Chevrolet propose le Suburban, un break à deux portes arrière battantes, utilisable comme une voiture de tourisme.

Les Chevrolet Master 1938 reçoivent une nouvelle calandre à barrettes horizontales. Ce coupé Master Deluxe à 714 dollars seulement a été produit à plus de 36 000 exemplaires.

La Chevrolet Master série DA de 1934 comprenait ce coupé 2+2 à 80 ch, voiture brillante et plaisante.

En 1933, la Chevrolet Coach deux portes ne coûte que 515 dollars et se vend à plus de 162 000 exemplaires.

En 1931, Chevrolet vend 623 901 voitures de l'année modèle et s'impose loin devant Ford qui prépare le premier moteur V8 destiné à des modèles populaires.

en tête qui coûte 490 dollars en 1916 (le prix de la Ford Model T, beaucoup moins équipée). Durant a visé juste. Dès la première année, il vend 63 000 Chevrolet. La marque fait, dès l'année suivante, partie des quatre plus grandes marques américaines en terme de vente.

En 1918, la marque est intégrée à General Motors. En 1924, William S. Knudsen devient président de Chevrolet avant de prendre la tête de General Motors.

En 1929, Chevrolet adopte un moteur à six cylindres culbuté qui évoluera jusqu'en 1953 sur les premières Corvette. En 1934, la marque bénéficie de roues avant indépen-

Le cabriolet Chevrolet Special Deluxe de 1941 coûte moins de 1 000 dollars malgré la qualité de ses finitions.

dantes à système dit Knee-Action (genouillère). La même année, la dix millionième Chevrolet est produite et en 1936, la firme fête ses vingt-cinq ans en étant le plus gros constructeur du monde huit fois depuis dix ans. En 1940, Chevrolet vend plus d'un million de voitures sur dix mois. Cette année-là, une Chevrolet Master Town Sedan coûte 728 dollars soit beaucoup plus que le prix de la 490 de 1915 voulue par Durant, mais beaucoup moins que les 2 250 dollars demandés par Louis Chevrolet pour sa première voiture de 1912.

Le style Chevrolet 1934 introduit les ouïes de capot horizontales qui allongent visuellement le capot.

Le style de 1939 intègre encore davantage la calandre et les ailes.

Chrysler

Walter Percy Chrysler (1875-1940) est l'exemple même du « *self-made man* ». Né dans une ferme comme Ford, il s'intéresse davantage à la mécanique qu'à l'agriculture et est engagé comme nettoyeur de locomotives par la compagnie Union Pacific Railroad. Il devient mécanicien puis directeur d'usine à l'American Locomotive Company (ALCO). En 1905, sa première automobile est une Locomobile. En 1910, il entre chez Buick comme directeur des usines avant d'en devenir président. Il quitte Buick après un conflit avec William Durant. Il est alors chargé par une grande banque de remettre sur pied la firme Willys-Overland alors au bord de la faillite. Appointé un million de dollars par an, son intervention est très bénéfique : au bout de deux ans, Willys renoue avec les bénéfices. Chrysler est chargé d'en faire autant chez Maxwell. Le constructeur est aussi dans le rouge jusqu'à ce que Chrysler réorganise la firme. En 1924, Maxwell enregistre un bénéfice de 4 millions de dollars sous la présidence de Chrysler. Avec l'aide d'anciens ingénieurs de Willys, Fred Zeder, Owen Skelton et Carl Breer, il élabore parallèlement une voiture moyenne à partir d'une ancienne étude Willys et la produit sous la nouvelle marque Chrysler qu'il crée en janvier 1924. Le prototype semble si réussi qu'il obtient un prêt de 5 millions de dollars des banques. L'accueil de la presse et du public est très bon. La nouvelle voiture est dotée d'un six-cylindres latéral au rapport volumétrique supérieur à la normale

La planche de bord de la Chrysler 70 1926 est plus que dépouillée, avec un compteur combiné à défilement bien peu lisible.

En 1926, la Chrysler 70 est une six-cylindres moyenne de 3,5 litres et 68 ch. Elle est produite à 72 000 exemplaires toutes versions confondues.

Chrysler signe une année record en 1928 avec 160 670 voitures. Les roues en bois sont toujours standard. Toutes les six-cylindres ont des freins hydrauliques.

Les Chrysler Imperial 1931 introduisent un nouveau style qui fera école à la suite de la Cord L-29. Ce prestigieux haut de gamme de la marque offre huit cylindres, quatre vitesses et des freins hydrauliques.

(4,7 : 1 contre 4 : 1 pour les autres voitures). Ce moteur est bien équipé, avec un filtre à air sur le carburateur, un filtre à huile avec cartouche interchangeable, des pistons en aluminium et un vilebrequin à sept paliers. De plus, la voiture a quatre freins hydrauliques, luxe inouï à l'époque. Dès la première année, Chrysler réussit à vendre 32 000 voitures, soit davantage qu'Oldsmobile, Hupmobile et Nash réunis.

En 1926, Chrysler peut proposer trois modèles, une quatre-cylindres de trois litres (ancien modèle Maxwell rebaptisé) et deux six-cylindres, la Chrysler 70 et la Chrysler Imperial 80 4,7-litres,

La série 80 1928 de Chrysler correspond à l'Imperial à moteur six cylindres 5 litres de 100 ch.

Présentée au Salon de New York 1931, la série CM introduit le nouveau style Chrysler qui réinvente le radiateur en coupe-vent vu sur la Cord de 1929. Les roues fils sont standard sur les modèles sport.

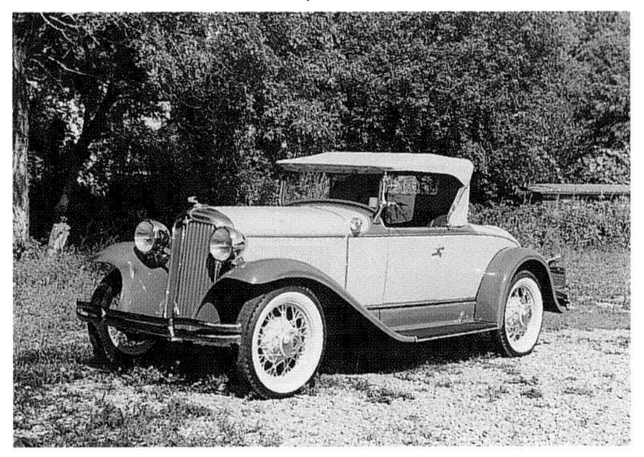

Les Chrysler 1932 deuxième série introduisent un pare-brise en V qui alourdit l'aspect général. Le moteur six cylindres de 3,8 litres donne 83 ch.

La Chrysler Royal Six de 1937 est le modèle le plus vendu. La seule berline de tourisme illustrée ici est vendue à 62 408 exemplaires.

Le roadster Chrysler Imperial Le Baron 1932 produit en semi-série est d'une rare élégance et d'un silence impressionnant.

En 1934, le nouveau style Airflow appliqué sur le haut de gamme Chrysler choque le public par sa modernité.

La Chrysler Thunderbolt est une étude de style de 1940 signée Alex Tremulis et Ralph Roberts. Elle était destinée à tester ces formes nouvelles auprès du public. Six exemplaires seront construits et exposés jusqu'en 1942.

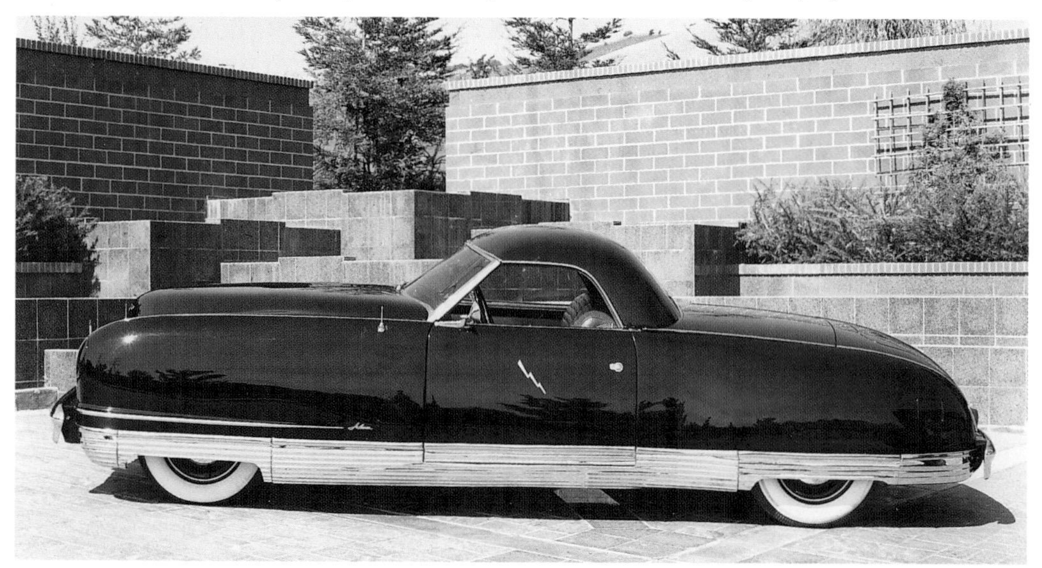

Le coffre de l'Airflow est en fait accessible par l'intérieur.

au prix de 3 000 dollars. Cette année-là, Chrysler produit 162 242 voitures. En 1928, Chrysler rachète la marque Dodge Brothers, après avoir fondé Plymouth et DeSoto. Le groupe Chrysler s'impose comme le troisième grand de l'industrie américaine face à Ford et General Motors. Sa réussite est telle qu'il est relativement peu affecté par la crise de 1930 grâce à Plymouth. L'année 1929 est une année record et Chrysler ne retrouvera ce niveau qu'en 1936, malgré l'échec de l'Airflow.
Walter Chrysler et son épouse Della ont deux fils et deux filles qui, pas plus que leur conjoint, ne semblent intéressés par l'industrie automobile. En conséquence, Walter Chrysler vend une partie de ses actions et quitte la présidence du groupe en 1935. Il a déjà investi une partie de sa fortune dans l'achat d'un terrain à Manhattan sur lequel il a fait édifier en 1929 le gratte-ciel le plus haut du monde, le Chrysler Building (319 m, 77 niveaux). Mais les Chrysler profitent peu de leur retraite dorée dans leur somptueuse maison de Long Island. En 1938, Walter Chrysler échappe à une crise cardiaque, mais reste très handicapé. Son épouse décède peu après. Il s'éteint le 18 août 1940. Sur sa tombe est gravé : *« Il a démontré que ce pays est celui des opportunités sans limites »*.

Citroën

Le 5 juillet 1935, André Citroën meurt quasiment ruiné et chassé de ses usines. Deux ans plus tôt, il avait donné un banquet de 6 500 couverts pour inaugurer ses usines de Javel totalement reconstruites. La Traction Avant doit y être produite à des cadences encore jamais vues. Mais les banques refusent leur concours à un moment difficile.

Le « coupé docteur » sur châssis court 10 HP Citroën de 1919 est une rareté. La première Citroën est une 8 CV fiscaux livrée complètement équipée et produite en grande série.

Au Salon 1921, Citroën abandonne le modèle unique et propose la petite 5 HP à deux places célèbre par sa couleur jaune citron qui étonne à l'époque. En octobre 1924, il ajoute à sa gamme la trois-places dite Trèfle sur châssis allongé, la version la plus célèbre de la 5 HP.

La Citroën AC4 devient la C4 III en 1930 puis la C4 F pour 1931 avec des voies élargies, et dotée de nouvelles carrosseries plus vastes.

La Citroën AC6 apparaît au Salon 1928 avec l'AC4. Son six-cylindres de 2,4 litres et 45 ch à 3 000 tr/min l'emmène à 105 km/h. En 1930, les voies portées à 142 cm donnent à la voiture une allure plus imposante.

Un cabriolet C6 F CGL quatre places de 1931.

La première Citroën AC4 du Salon 1928 est dotée d'un moteur à quatre cylindres de 1 628 cm^3 développant 30 ch. Ici, une C4 F de 1931.

Citroën est mis en faillite en décembre 1934. Les frères Michelin, fournisseurs de pneus, prennent son contrôle.
André Citroën naît à Paris dans une famille aisée. Son grand-père hollandais Roelof Limoenman avait changé son nom en Citroen. Son fils Levi Bernard crée un négoce de diamants à Paris et ajoute un tréma au « e ». André sort de Polytechnique en 1899. Ayant acheté à un oncle polonais la licence d'un brevet d'engrenages en chevrons et de la machine permettant de les tailler, il fonde une entreprise à Paris pour exploiter cette technique. Ces chevrons vont devenir l'emblème de sa marque. En 1908, il sauve de la faillite la firme Mors qu'il réorganise sans toutefois développer beaucoup sa production. Lors d'une

Les 7C, 7S puis 11BL sont dérivées de la 7A 1934. Ce cabriolet associe calandre chromée de 1934 et roues Pilote de 1938.

Le cabriolet ou roadster offre deux places dans le spider. Le modèle n'est produit que jusqu'en 1939.

Le tableau d'instruments à fond noir placé derrière le volant est introduit en juin 1936. Le volant est un modèle accessoire non standard.

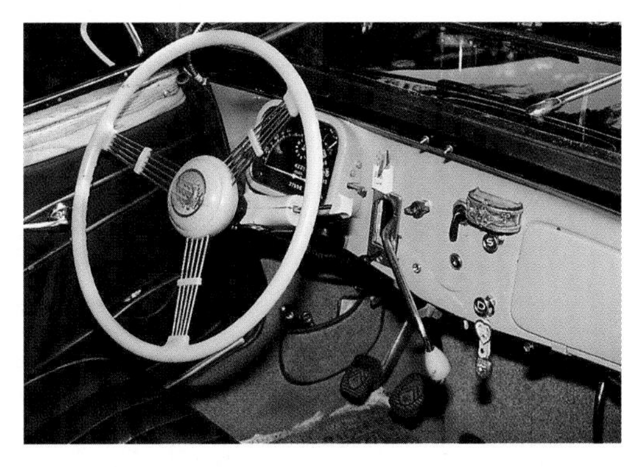

visite chez Ford avant 1914, il s'imprègne du concept de la production de masse. Il sera le premier à l'appliquer en Europe, pendant la Grande Guerre, produisant 50000 obus de 75 par jour en 1915. Il obtient des prêts importants pour édifier une nouvelle usine à Paris, Quai de Javel. Dès 1917, il prépare la reconversion de cette usine et choisit une automobile économique livrée complète, la type A, conçue par Jules Salomon, auteur de la « Le Zèbre ». En 1919, il lance la production, non sans problèmes. Les ventes commencent à croître en 1921 après une première crise. Fin 1924, il est le premier en Europe à adopter une carrosserie entièrement en métal.

Les Citroën 8, 10 et 15 du Salon 1932 introduisent une nouvelle carrosserie monopièce. Ici une berline 8.

Il fonde un réseau très serré d'agents, exploite tous les moyens publicitaires, illuminant la tour Eiffel à son nom, forme ses vendeurs aux méthodes modernes, codifie les réparations et propose des assurances spécifiques. Il finance des expéditions automobiles en Afrique et en Asie. Ses voitures, préparées par César Marchand, battent des centaines de records, comme Petite Rosalie qui parcourt 300000 km en 1933. Il lance la même année les

La Citroën 10 en conduite intérieure 5 places 1933 reprend le moteur de la C4G.

En 1933, une Citroën 8 spéciale parcourt 300 000 km à Montlhéry à 93 km/h de moyenne, battant 299 records.

La Citroën Traction Avant (ici un modèle de 1936) a été exportée dans toute l'Europe et produite jusqu'en 1957.

études d'une voiture révolutionnaire à structure monocoque, traction par les roues avant, freins hydrauliques et boîte automatique qui s'avère impossible à mettre au point. Au dernier moment, printemps 1934, une boîte classique est installée. Mais les dettes sont énormes et les banques refusent de s'engager plus. Les premières Traction Avant sont vendues sans être totalement au point. La mise en faillite est demandée. Citroën lutte, mais malade et sans soutien, il doit renoncer. Les frères Michelin, qui ont perçu tout le potentiel de la Traction, épongent une partie des dettes, prennent le contrôle de la firme et font de la Traction Avant un succès mondial, produite jusqu'en 1957 à 759111 exemplaires.

Clément-Bayard

Self-made man à la française, Adolphe Clément (1855-1928) débute comme ouvrier monteur de cycles avant de devenir constructeur et importateur des premiers pneus Dunlop qui fondent sa fortune.
En 1899, il se lance dans une production de tricycles et de quadricyles à moteur De Dion ou maison avant de produire de véritables automobiles sous la marque Clément-Gladiator qu'il revendra à un groupe anglais. Propriétaire d'une usine à Mézières, sa ville natale dont la grand-place est ornée d'une statue de Bayard, il adopte en 1903 la marque Bayard-Clément et la silhouette du héros comme emblème.

Les Clément-Bayard (ici une AC-4 de 1910) adoptent le radiateur type Renault placé derrière le moteur.

Il obtient l'autorisation de changer son nom en Clément-Bayard. Il produit de bonnes voitures classiques à deux, quatre et même six cylindres en 1911. La gamme 1914 comprend une douzaine de modèles.
En compétition, Adolphe Clément engage de puissantes voitures dans la Coupe Gordon-Bennett dès 1904 et dans les GP de l'ACF de 1906, 1907

Clément-Bayard produit aussi des six-cylindres légères comme cette AC6 de 1911 à moteur 3,3 litres.

Cette affiche rappelle les origines de la marque Clément-Bayard, les deux-roues.

Les petites quatre-cylindres Clément-Bayard 10/12HP de 1913 sont des voiturettes fiables et robustes.

(où son fils Albert se tue aux essais) et 1908, année où ses voitures, dotées d'un quatre-cylindres de 14 litres en deux blocs de deux avec 1 ACT atteignent 155 km/h avec 135 ch (puissance revendiquée). Albert Clément est troisième du GP de l'ACF 1906, cinquième du Circuit des Ardennes et quatrième de la Coupe Vanderbilt 1906. Malgré sa mort, Adolphe Clément fait courir deux voitures en 1907 qui terminent huitième et neuvième.
La guerre de 1914 prive Clément de son usine de Mézières. En 1919, il reprend une production de voitures de tourisme (une 12 CV) dans sa belle usine de Levallois qu'il cède à Citroën dès 1922. Il meurt en 1929 dans sa voiture.

Clyno

En 1900, deux cousins, Frank et Alwyn Smith, commencent à produire des motos à Wolverhampton. Pendant la Première Guerre mondiale, les affaires sont florissantes en raison des commandes de motos et de side-cars de l'armée. En 1922, la Clyno Engineering Company Ltd construit ses premières automobiles. Ces petites voitures sont dotées d'un moteur à 4 cylindres de 1 368 cm³ fabriqué par Coventry Climax. La première année, 623 Clyno sont produites. Elles se révèlent rapides et fiables.
La firme investit beaucoup dans la compétition et, en 1924, une Clyno remporte une course à Brooklands à la moyenne de 113 km/h.
Les voitures produites après 1924 peuvent être équipées en option de freins sur les roues avant. En outre, le client a le choix entre plusieurs types de carrosserie. En 1925, 4 849 voitures sont produites, chiffre qui va encore augmenter. En 1926, l'usine sort 350 voitures par semaine, volume atteint seulement par Morris et Austin.

Vendues complètes et bon marché, les Clyno (ici une 10,8 HP de 1926) étaient très populaires, mais la marque fut victime d'une guerre des prix.

Une nouvelle usine est construite et plusieurs modèles nouveaux proposés, mais tous les investissements sont financés par l'emprunt. En 1929, la gamme comprend quatre types : la 12/35 en version standard et luxe, la Nine et la Century. Tous sont munis de quatre-cylindres de 951 ou 1 593 cm³. L'économique Century coûte 100 livres, la 12/35 DeLuxe, 150. Ces voitures se vendent bien, mais les prix sont si serrés que la firme ne fait pratiquement aucun bénéfice. En 1928, Morris, principal concurrent, baisse ses prix. Clyno doit suivre, mais au détriment de la qualité. Les moteurs Coventry Climax, par exemple, sont remplacés par un quatre-cylindres maison moins cher.
Il n'est donc pas étonnant que Clyno dépose son bilan en 1929. Depuis les débuts de la firme, plus de 40 000 Clyno avaient vu le jour.

Cord

Errett Lobban Cord (1894-1974) a eu une vie bien remplie. Plusieurs fois en faillite, la première fois à l'âge de 25 ans, il réussit à progresser de l'état de vendeur de voitures d'occasion à celui de président d'un immense groupe industriel américain. La carrière de Cord est typiquement américaine bien qu'il n'ait jamais travaillé de ses mains.
En 1924, vendeur déjà réputé, il prend en charge la firme Auburn alors défaillante. Il réussit très vite à remettre la marque sur pied. Deux ans plus tard, il achète Duesenberg. En 1929, Cord

La Cord 812 conduite intérieure Beverly disposait de 170 ch avec le moteur à compresseur.

La Cord L-29 est la première traction-avant américaine de production.

La Cord L-29 vendue en châssis a été la proie des carrossiers qui appréciaient son châssis long et surbaissé. Son style a fait école à partir de 1930.

lance la première voiture portant son nom, la Cord L-29. Bien qu'utilisant beaucoup de pièces Auburn, il s'agit d'un concept très original. Cord a racheté plusieurs brevets appartenant à Harry Miller, champion mondial de la traction avant. La Cord L-29 est la première traction-avant américaine de production. Sous le long capot, s'étire un huit-cylindres en ligne Lycoming produit par une firme qui appartient aussi à Cord. La voiture est lancée au Salon de New York où elle fait sensation. Malheureusement, le moment est mal choisi. Deux mois plus tard, la Bourse de Wall Street s'effondre avec, entre autres conséquences, une chute de la demande

Le long huit-cylindres en ligne Lycoming de la L-29 donne 125 puis 132 ch d'une cylindrée de 6 litres.

des modèles de grand luxe. Cord avait pensé vendre 10000 voitures par an, mais lorsque la production de la L-29 est arrêtée en 1932, 5010 voitures ont vu le jour. La très coûteuse Duesenberg est aussi difficile à vendre. En 1933, la seule firme Auburn enregistre une perte de plus de 2,3 millions de dollars. Mais Cord ne jette pas l'éponge. Partant du principe qu'il n'a rien à perdre, il fait étudier un nouveau modèle pour 1936. C'est la Cord 810 et cette voiture est tellement exceptionnelle et moderne que tous les Américains en rêvent.

En juillet 1935, Cord charge une équipe technique de concevoir la voiture. Gordon Buehrig dessine la carrosserie et crée une forme si belle et nouvelle qu'il est honoré par le Musée d'Art Moderne de New York… en 1952!

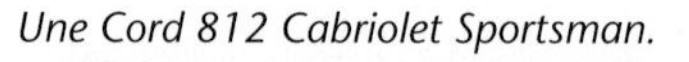

Une Cord 812 Cabriolet Sportsman.

Planche de bord de la Cord 812. Sous le volant, la commande des vitesses, dite main électrique.

Le cabriolet Cord 812 Sportsman 1936 à traction-avant connaît un très grand succès trop tôt ruiné par le démantèlement du groupe Cord.

Le capot de la Cord 812 lui avait valu le surnom de « nez de cercueil ». Les trappes des phares s'ouvrent au moyen d'une manivelle.

Cette voiture est bien entendu une traction-avant, mais dotée cette fois d'un V8. En 1937, ce modèle est disponible en version 812, équipé d'un compresseur centrifuge Schwitzer-Cummins qui porte la puissance à 170, puis 195 ch. En principe, les voitures à compresseur sont reconnaissables à leurs tuyaux d'échappement chromés sortant du côté gauche du capot. Ces deux modèles sont malheureusement affligés de défauts de mise au point. Au total, moins de 3000 Cord 810/812 sont construites, mais leur réputation reste immense, au point qu'on en construise récemment des répliques. L'empire de Cord (qui comprend notamment les firmes Lycoming, Checker, et une compagnie aérienne) est démantelé en 1937.
Cord part en Angleterre puis regagne la Californie pour s'occuper d'immo-

bilier, où il réussit aussi bien. Le magazine Fortune le classe parmi les 50 Américains les plus riches : à sa mort, le 2 janvier 1974, sa fortune est estimée à 17 millions de dollars.

Cottin-Desgouttes

« La route de Paris à Beauvais, Abbeville, Saint-Riquier, Eu, Le Tréport, Dieppe, Cany, Fécamp, Étretat, Le Havre, Rouen et retour sur Paris fait 580 km. Avec quatre personnes plus leurs bagages, nous avons atteint la vitesse maximum de 90 km/h. La vitesse moyenne sur la totalité du parcours est de 65 km/h. Nous avons couvert les 18 km entre Rouen et Pont-de-l'Arche en 15 minutes, soit à la moyenne de 72 km/h. Nous avons consommé 17 litres d'essence et 1,5 litre d'huile aux 100 km. » Ainsi s'exprime le célèbre journaliste automobile Charles Faroux après une randonnée d'essai d'une Cottin-Desgouttes en 1913. À l'époque, ces essais sur route sont encore rares. Ses chiffres et données techniques sont très importants pour les acheteurs potentiels. Il précise par exemple que la voiture (illustrée ici) est munie d'un quatre-cylindres de 100 mm d'alésage et de 160 mm de course. Cette Cottin-Desgouttes a un empattement de 380 cm et le châssis, d'après l'usine, pèse 950 kg. L'allumage, assuré par une magnéto Bosch, est réglable par une manette au volant. Une pompe à eau concourt au refroidissement, en plus d'un ventilateur placé derrière le radiateur. L'embrayage est multidisque et la transmission à arbre à cardans. Les freins agissent sur les roues arrière. Le réservoir d'essence (70 litres) est à l'arrière.

Cottin-Desgouttes produit avant 1914 d'excellentes routières très adaptées aux routes de montagne.

La firme de motos berlinoise Cyklon produit la Cyklonette jusqu'en 1922.

Les voitures Cottin-Desgouttes sont construites à Lyon. Le premier modèle est présenté à Paris en 1905. L'usine produit des quatre et six-cylindres classiques et fiables bien adaptés aux routes de montagnes. Après 1921, la production reprend avec des types anciens modernisés. La 3-litres de 1924 est une réussite technique avec son quatre-cylindres à douze soupapes qui brille en compétition. À partir de 1927, la marque propose des modèles à quatre roues indépendantes en six et huit cylindres avant de disparaître en 1932, victime de la crise et de coûts de production trop élevés.

Cyklon

Les trois-roues jouent un rôle important dans l'histoire de l'automobile. Les Morgan comme les camionnettes produites par Tempo dans les années 1950 sont connues et appréciées. Carl Benz lui-même a commencé par un tricycle. Mais la trois-roues construit par Cyklon, la Cyclonette, est vraiment particulière. Le moteur est placé au-dessus de la roue avant, comme sur les motos de la même marque. Construites par Cyclonwerke AG à Charlottenburg près de Berlin, elles commencent à être appréciées dès 1902. Les premiers tricycles sont propulsés par un moteur deux temps monocylindre de 450 cm^3 donnant 3,5 ch. Par la suite, sont construits des bicylindres de 1 290 cm^3 et 6 ch. En 1922, apparaissent des quatre-cylindres disponibles jusqu'en 1923. En 1920, Cyclon produit sa première quatre-roues, la Cyklon Schebera, dont le moteur quatre-cylindres de 1 225 cm^3 est placé à l'avant. La Cyklon 9/40 de 1926 est munie d'un six-cylindres de 2 340 cm^3 à soupapes latérales. Malheureusement, l'usine ne survit pas à la crise et ferme ses portes dès 1931.

Daimler
Allemagne

Cette première Daimler de 1886, d'un style encore très hippomobile, a servi de banc d'essai pour le premier moteur quatre temps à un cylindre de Daimler, un 462 cm³ qui développait 1,1 ch à 700 tr/min.

En 1883, Gottlieb Daimler achève son premier moteur à essence monocylindre. Deux ans plus tard, ce moteur, qui tourne relativement vite (900 tr/min), est installé dans un engin à deux roues et Wilhelm Maybach, ami et collaborateur de Daimler, essaie ce véhicule entre Cannstatt et Untertürkheim.
Initialement, ce moteur délivre environ un demi-cheval, mais dès qu'il en obtient un cheval, en 1886, Maybach l'installe dans une charrette modifiée. À peu près en même temps, Karl Benz effectue les premiers essais de son tricycle à moteur. En 1889, Daimler présente son bicylindre en V et son « Stahlradwagen » (voiture à roues en acier) à l'Exposition Universelle de Paris. Ce véhicule est considéré comme la première « automobile » de Daimler. Les premiers types ont toujours le moteur sur l'essieu arrière, mais, à l'époque du Phoenix à deux cylindres parallèles, en 1897, le moteur passe à l'avant comme sur les Panhard. La première Daimler à quatre cylindres

Vue de face, la voiture révèle ses origines hippomobiles.

Le moteur de Daimler et Maybach et son encombrant système de carburation.

Gottlieb Daimler et son fils Adolf en 1886.

est présentée en 1899. Emil Jellinek, riche homme d'affaires et diplomate austro-hongrois résidant à Nice, achète une de ces voitures, mais la trouve dangereuse et trop peu rapide. Il contacte Daimler et Maybach, impose ses vues et commande 36 voitures qu'il revend en France (et colonies), en Autriche-Hongrie et aux États-Unis. Ces voitures sont appelées Mercédès (avec accents) d'après le prénom de sa plus jeune fille. À partir de 1902, toutes les voitures Daimler allemandes sont nommées Mercedes (sans accents après 1909). Les camions et les bus gardent la marque Daimler.

Daimler Angleterre

En 1896, les automobiles sont déjà familières aux habitants de l'Europe continentale et surtout, aux Français, mais la situation en Angleterre est très différente. Les automobiles ne sont admises sur les voies publiques que sous certaines conditions très contraignantes. Il faut deux personnes à bord et elles doivent être précédées d'un porteur de drapeau rouge comme les locomobiles à vapeur pour avertir les personnes et les animaux du danger. La vitesse maximale autorisée en dehors des zones habitées est de 6 km/h (vitesse maximale du piéton qui doit précéder la voiture) et de 3 km/h en agglomération. Malgré ces restrictions, Daimler signe en 1896 un contrat de fourniture de moteurs avec Frederick R. Simms. Lorsque ces moteurs arrivent en Angleterre, Simms les revend avec son entreprise

Cette Daimler à carrosserie en aluminium naturel a été surnommée l'Étoile des Indes. Construite en 1924 pour le Maharadjah de Rewa, elle est équipée de sièges supplémentaires pour les gardes du corps.

En 1908, Daimler produit des quatre-cylindres à soupapes jusqu'à 10 litres de cylindrée, avant d'adopter les moteurs sans soupapes, de 1909 à 1932. Cette voiture, datant de 1910 environ, aurait appartenu au directeur de Daimler. La transmission est encore à chaînes.

au financier Harry J. Lawson pour 35 000 livres. Cette transaction se traduit dès 1896 par la fondation de la Daimler Motor Company à Coventry. Les premières automobiles apparaissent un an après. Les moteurs viennent d'Allemagne, mais les châssis sont des copies des Panhard et Levassor français. Cette Daimler est la première automobile produite en Angleterre. Peu après, le prince de Galles achète sa première Daimler, inaugurant une longue période de relations entre la famille royale et la marque. L'usine anglaise construit alors ses propres moteurs. En 1903, le client peut choisir entre douze motorisations différentes. Les moteurs à deux ou quatre cylindres vont de 1,1 litre à 4,5 litres. Comme toutes les marques pionnières, Daimler investit aussi dans la compétition. En 1900, treize Daimler participent à l'épreuve routière des Mille Miles (1 600 km) et terminent toutes leur parcours sans problèmes majeurs.

Outre les automobiles, Daimler produit des autobus et des camions. À partir de 1910, Daimler ne construit que des automobiles coûteuses à moteur sans soupapes à quatre ou six cylindres dont la cylindrée va de 2 614 cm^3 à 9 421 cm^3. La même année, Daimler fusionne avec BSA. Dès lors, la firme prend comme raison sociale Daimler Company Ltd. Au cours de la Première Guerre mondiale, Daimler construit des automobiles, des tracteurs, des canons lourds et des véhicules blindés spéciaux. En 1916, ces tanks ont joué un rôle important dans les batailles de la Somme.

Au cours des « années folles », Daimler construit des voitures de grand luxe dont une V12 sans soupapes, d'après une étude de Laurence H. Pomeroy. La

Le moteur de la Double Six de 1927 avait 7,1 litres de cylindrée et 150 ch à 2 500 tr/min dans un silence total.

Cette Double Six de 1929 carrossée par Hooper appartenait au parc automobile de Buckingham et a servi le roi George V et la reine Mary.

Cette Daimler 8 de 1938 possède un six-cylindres de 3,3 litres. Elle est produite de 1936 à 1940. Chez Daimler, c'est une voiture légère.

première commande émane encore de la famille royale. Ces moteurs ont au départ une cylindrée de 7 136 cm³. En 1927, Daimler adopte un coupleur hydraulique à la place de l'embrayage. En 1931, Lanchester est absorbé par le groupe BSA-Daimler. La Lanchester se situe entre les coûteuses Daimler et les BSA bon marché. En 1935, Daimler présente son premier huit-cylindres en ligne à soupapes et abandonne les systèmes à fourreaux. Dès le début de la Seconde Guerre mondiale, Daimler se consacre à la production de véhicules militaires. Ses usines sont bombardées dès août 1940 et jusqu'en avril 1941 par l'aviation allemande. 70 % des installations sont touchées, mais la production ne s'arrête pas.

Une Dalgleish-Gullane de 1908.

Dalgleish-Gullane

Haddington Motor Engineering n'a produit que quelques exemplaires sous cette marque, en 1907 et 1908. Le moteur De Dion entraîne les roues arrière via un arbre à cardan, solution peu répandue à cette époque.

Le tricyclecar Darmont peut recevoir des moteurs différents dont ce latéral refroidi par air sur le modèle Étoile de France.

Darmont

Robert Darmont, importateur et pilote de Morgan français, fonde une petite usine à Courbevoie pour y construire les Morgan sous licence. Les premiers trois-roues Darmont sont commercialisés fin 1923. Le moteur bicylindre en V refroidi par air est placé devant le train avant. D'autres moteurs en V de 1 100 cm³ sont proposés, de puissances diverses, voire avec un compresseur pour la compétition.

En 1934, Darmont propose un quatre-roues, le V Junior, toujours équipé du bicylindre en V, mais à boîte de vitesses.

Le train avant du V Junior est identique à celui du trois-roues.

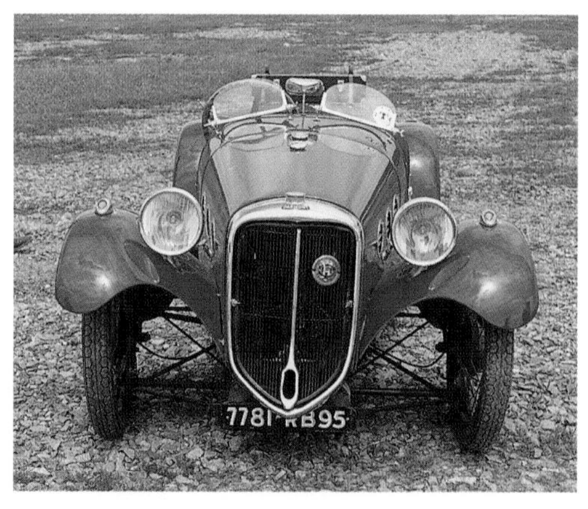

Le moteur à soupapes latérales refroidi par air du Darmont Étoile de France est le moins puissant des bicylindres. Le réglage des soupapes est des plus faciles.

En 1934, Darmont propose un quatre-roues, le V-Junior. Ces véhicules sont exceptionnellement équipés d'une capote. La production des Darmont s'arrête en septembre 1939.

Datsun

On a du mal à imaginer qu'avant 1945, le nombre d'automobiles en circulation au Japon était très faible. En 1908, on ne compte qu'une vingtaine de voitures dans la région de Tokyo et trois à Yokohama. En 1911, Masujiro Hashimoto complète ses études d'ingénieur aux États-Unis. De retour au Japon, il fonde Kwaishinsha Motor Car Works. En six mois, il construit une première voiture pour ses amis Kenjiro Den, Rokuro Aoyama et Meitaru Takeuchi. Ce premier modèle est baptisé DAT d'après les initiales des noms de ses premiers propriétaires transcrits en caractères latins. En 1914, une deuxième version est produite et, en 1915, une petite série de DAT 31 est commercialisée.

La DAT 41 de 1916 est équipée d'un 20 ch qui permet d'atteindre 40 km/h. Le marché automobile est très limité : seuls les plus riches peuvent acquérir des autos et les routes carrossables sont rares. En 1925, la firme change de raison sociale et devient la DAT Motor Car Co puis, quelques mois plus tard, la DAT Automobile Manufacturing Co. La société déménage aussi de Tokyo à Osaka. En 1931, DAT entre dans le groupe Tabato Imono.

Le premier modèle produit, encore plus petit que les précédents car proche de l'Austin Seven, est appelé Datson (fils de DAT). Mais en japonais, « son » correspond à « ruine ». On change donc la marque en Datsun.

En 1937, Tabato Imono fusionne avec la Nihon Sangyo Company sous la raison sociale commune Jdosha Seizo Corporation. Les voitures sont produites sous la marque Nissan Motor Company Ltd. Initialement, ces petites voitures sont toujours appelées Datsun. Ressemblant beaucoup à l'Austin Seven, elles sont disponibles en conduite intérieure, coupé ou cabriolet. En 1936, un modèle plus gros est présenté sous la marque Nissan au Japon.

La Nissan 70 est une luxueuse voiture à moteur six cylindres de 85 ch. Elle

La première Datsun (ici une voiture de 1932) est une Austin Seven produite sous licence à moteur 747 cm³.

ressemble à la Graham-Paige américaine. Elle est tellement chère que seuls le gouvernement et l'armée peuvent en acheter quelques unités. En 1938, Nissan arrête sa production de voitures de tourisme pour se consacrer à celle des camions de l'armée japonaise.

De Bazelaire

La firme De Bazelaire, implantée à Paris, produit des automobiles de 1906 à 1928. Les premières, pour la compétition, notamment la Coupe des Voiturettes de 1907, doivent être très proches des modèles de production et offrir deux places (c'est la règle pour toutes les voitures de compétition). Ces premières voitures sont à moteur deux cylindres de 1 100 cm³. Les voitures de production sont proposées en 1908. Leur moteur de 1 460 cm³ donne 22 ch à 1 800 tr/min, régime rapide à l'époque, pour une vitesse de 95 km/h. Les modèles de production utilisent des moteurs Ballot ou Janvier. À partir de 1910, De Bazelaire propose des six-cylindres assemblés à la demande puis, après 1920, des 6, 10 et 11 CV à moteurs SCAP à arbre à cames en tête. La boîte à 4 rapports précède un différentiel suspendu qui attaque les roues par demi-arbres à cardans transversaux (pont De Dion). La marque propose aussi une 12/14 CV et une 15 CV sport à moteurs Janvier. François de Bazelaire arrête sa production en 1928 et entre chez Delahaye.

De Bazelaire transformée en voiture de course, dans une manifestation récente.

De Bazelaire de 1910 habillée en voiture de course malgré son châssis très long, son moteur de 10 HP et son petit réservoir.

Decauville 1900 conservée dans le musée du château d'Aalholm de Nysted au Danemark.

Decauville

La société Decauville est déjà réputée pour son matériel ferroviaire à voie étroite quand elle aborde la construction automobile en 1898. Elle achète alors pour 250 000 F une étude des ingénieurs Joseph Guédon et Gustave Cornilleau. Ce dernier devient ingénieur en chef. Outre une suspension avant à roues indépendantes, la Decauville appelée Voiturelle possède un moteur de 5 ch à deux cylindres séparés refroidis par air d'origine De Dion-Bouton. Des Voiturelle participent à la course Paris-Amsterdam et retour de 1898.

En 1898, De Dion-Bouton présente le Vis-à-Vis monocylindre à transmission épicycloïdale dont le succès prolongera la production jusqu'en 1902.

En 1903, Decauville en a vendu 450 exemplaires avant de proposer un modèle à moteur bicylindrique 1,4 litre de 8 ch refroidi par eau, puis des quatre-cylindres. La gamme comprendra des modèles jusqu'à 9 litres, mais la crise de 1908-1909 incite Decauville à mettre un terme à sa production automobile dès 1910.

De Dion-Bouton

En 1883, le comte Albert de Dion, Georges Bouton et le beau-frère de ce dernier, Trépardoux, construisent un véhicule propulsé par la vapeur. Ce tricycle atteint presque 60 km/h. Si De Dion-Bouton produit des engins à vapeur jusqu'en 1904, la société expérimente le moteur à essence dès 1893. En 1894, Trépardoux conçoit le fameux essieu arrière De Dion, mais quand il s'agit de choisir entre la vapeur et l'essence, il quitte ses associés. De Dion et Bouton continueront seuls et pro-

Dans la lignée du Vis-à-Vis, De Dion propose en 1902 le type K dit Populaire. Le monocylindre de 700 cm^3 donne 6 chevaux. La vitesse maximale est de 45 km/h.

Après 1903, De Dion-Bouton monte en gamme. Ce modèle de 1905 possède un moteur à quatre cylindres de 5,3 litres donnant 40 ch à 1 400 tr/min.

De Dion-Bouton, qui ne prend part à aucune course de vitesse dans les années 1900-1910, préfère participer au Pékin-Paris.

Ce grand double-phaéton De Dion-Bouton de 1905 pesant 1 820 kg peut rouler à 60 km/h. Il possède déjà un pont arrière De Dion à arbres à cardans latéraux. Le frein à main n'agit que sur les roues arrière.

Sur cette affiche, la De Dion-Bouton est présentée comme une voiture de grand luxe.

duiront des moteurs à essence de tous types et cylindrées, du monocylindre tournant à 2 000 tr/min au douze-cylindres d'aviation.

Le premier monocylindre rapide refroidi par air ou par eau vaut à la firme une réputation mondiale. À partir de 1896, pas moins de 140 constructeurs l'utilisent.

Après le succès du vis-à-vis créé en 1898, De Dion-Bouton propose en 1902 des voitures à moteur avant et direction par volant. La marque construit des voitures de course pour Paris-Madrid ainsi que des modèles de tourisme à moteur à un, deux ou quatre cylindres. En 1900, plus de 1 200 voitures sont fabriquées, chiffre porté à 1 800 en 1901. Selon les normes de l'époque, il s'agit d'une production très importante.

À cette époque, De Dion-Bouton emploie deux mille personnes. Les deux pionniers produisent les premiers moteurs V8 monobloc en 1910. En 1914, l'acheteur a le choix entre deux gammes, l'une à quatre-cylindres, l'autre à moteur V8. Le plus gros moteur a une cylindrée de 14,8 litres. Pendant la guerre, De Dion-Bouton produit, entre autres, des autos-canons de DCA à moteur V8. La dernière V8 sort en 1923, laissant la place à une gamme de quatre-cylindres à moteurs culbutés de 10 et 12 CV. Après 1925, la firme de Puteaux perd du terrain face à la grande série et survit en produisant des véhicules industriels et spécialisés jusqu'en 1933. Elle n'a plus ensuite qu'une activité de réparation et d'entretien. En 1950, les usines De Dion-Bouton de Puteaux sont reprises par les camions Unic.

Delage

Les voitures de Louis Delâge (1874-1947) sont sans aucun doute parmi les plus belles jamais fabriquées en France avant la guerre de 1939. Ingénieur des Arts et Métiers, Louis Delâge commence sa carrière chez Peugeot, aux études et essais, avant de fonder sa propre marque en 1905. Avec la collaboration de l'ingénieur Augustin Legros, il ouvre une petite usine à Levallois-Perret près de Paris. Au début, Delage sous-traite des fabrications pour d'autres constructeurs, mais le premier modèle Delage ne tarde pas à être présenté, fin 1905. La voiturette Delage à moteur De Dion est engagée en course dès 1906 et gagne la Coupe des Voiturettes de 1908 (avec un moteur Causan à 4 soupapes).

L'expansion de la firme oblige à un premier déménagement et la production atteint 300 voitures par an.

À partir de 1909, la gamme s'élargit à des quatre-cylindres (à moteur De Dion ou Ballot-Delage) puis à des six-cylindres maison en 1913. Parallèlement, Delage construit une formidable voiture de course, la type Y, qui

Les premières Delage sont des voiturettes à moteur De Dion 8 HP monocylindre. Delage proposera ensuite des quatre-cylindres Ballot.

La Delage DI produite de 1923 à 1928 en plusieurs séries est la petite voiture de la gamme, à moteur quatre cylindres à culbuteurs 2,1 litres de 40 ch.

La DMS (ici une torpédo de 1928) est un dérivé sportif de la DM à moteur six cylindres de 3,2 litres poussé à 80 ch. C'est une voiture rapide et performante.

remporte le GP de France 1913 et les 500 Miles d'Indianapolis 1914. Pour le GP de l'ACF 1914, Delage prépare des 4,5-litres à 2 ACT, distribution desmodromique, boîte à 5 vitesses et freins sur les quatre roues, mais les Mercedes sont alors imbattables.

À l'époque, la production atteint 150 châssis par mois. La guerre porte les effectifs de l'usine à 3 000 personnes. Après 1918, Delage lance un nouveau modèle, la CO, une puissante six-cylindres à soupapes latérales déjà produite pour l'armée, suivie de la CO2 à soupapes en tête. Pour le prestige, Delage en dérive des modèles de compétition qui s'illustrent en côte tout en préparant des voitures de Grand Prix pour la formule 2-litres. Ces voitures à moteur V12 dû à l'ingénieur Planchon courent avec un certain succès en 1924 et 1925 et font place pour 1926-1927 à la formidable 1500 huit-cylindres (de l'ingénieur Lory) qui fait de Delage le virtuel champion du monde 1927.

En production, Delage a présenté la GL (Grand Luxe) à moteur six-cylindres à 1 ACT de six litres destinée à rivaliser avec l'Hispano H6. Avec un empattement de 385 cm, elle dispose de 100 ch et dépasse 130 km/h. Il n'en

Cette Delage D8SS (1931-1933) a été carrossée en 1934 par Fernandez et Darrin à Paris en cabriolet Mylord.

est produit que 180 exemplaires, sans doute vendus à perte.

Pour épauler ses luxueuses six-cylindres, Delage doit créer une famille de 2-litres quatre-cylindres économiques. La DE à soupapes latérales est produite à 3 600 exemplaires en deux ans. Les DI, DIS et DISS, à moteur culbuté sont produites de 1923 à 1928 à plus de 10 000 exemplaires. La nouvelle génération de six-cylindres rapides apparaît fin 1926 avec la DM qui, avec les modèles dérivés DMS et DMN atteint envion 2 500 exemplaires.

Une autre gamme de six-cylindres économiques type DR apparaît en 1927 : ces DR 14 CV sont produites

Une voiturette Delage de la période 1906-1910.

à 5 300 exemplaires jusqu'en 1929. Cette année-là, au Salon de Paris, Delage présente une nouvelle famille de voitures, les D8 à huit-cylindres en

Les principales victoires de Delage :

1913	Grand Prix de France	1er, 2e et 5e
1914	500 Miles d'Indianapolis	1er et 3e
1924	Grand Prix d'Europe (ACF, Lyon)	2e, 3e et 6e
1925	Grand Prix de l'ACF	1er et 2e
	Grand Prix d'Espagne	1er, 2e et 3e
1926	Grand Prix d'Europe (Espagne)	3e
	Grand Prix d'Espagne	3e
	Grand Prix de Grande-Bretagne	1er et 3e
1927	Grand Prix de l'ACF	1er, 2e et 3e
	Grand Prix d'Espagne	1er et 3e
	Grand Prix d'Europe (Monza)	1er
	Grand Prix de Grande-Bretagne	1er, 2e et 3e

La Delage D8 de 1929 est une huit-cylindres en ligne de quatre litres et 102 ch capable de rouler à 120 km/h. Cette voiture a été carrossée dans un style très britannique.

Le carrossier Henri Chapron a signé cette limousine sur châssis DR70 de 1930 équipé d'un six-cylindres à soupapes latérales de 2,5 litres peu performant, mais robuste.

Cet élégant cabriolet D8S de 1932 marque le début d'une évolution de ce prestigieux châssis, au tournant des années 1930 marquées par la crise.

La famille des Delage DM et DMS à moteur six cylindres de 3,2 litres est l'une des plus réussies sur le plan technique, dans les années 1926-1929.

ligne à culbuteurs de 4060 cm³. Leur châssis très équilibré va faire le bonheur des carrossiers jusqu'en 1933 et la D8 va accumuler les récompenses dans les concours d'élégance qui fleurissent à partir de 1930.
Mais elle s'illustre aussi à Montlhéry en 1931 où une D8S au moteur poussé à 125 ch bat plusieurs records à plus de 175 km/h de moyenne. Pour compléter son offre avec des modèles moins chers, Delage présente en 1930 la série D6 (six-cylindres 3-litres 17 CV) et DS (six-cylindres 2,5-litres 14 CV). C'est la crise et il faut revenir à des modèles plus abordables

Le carrossier Letourneur et Marchand de Paris crée en 1938 le Coupé Aérosport, ici sur un châssis huit cylindres D8-120.

Depuis 1935, les Delage sont fabriquées par Delahaye, mais conservent des moteurs spécifiques sur la plupart des modèles. Cette D6-75 de 1939 possède un beau moteur de 3 litres qui sera repris de 1946 à 1953.

avec la D6-11, six-cylindres 2-litres à roues avant indépendantes. Cette gamme est complétée par la D4 et les D8-15/D8-15S, mais leur insuccès aggrave la situation financière de l'usine. Fin 1934, une nouvelle gamme est présentée (D6-65 et D8-85/105) avec de nouveaux moteurs, des roues avant indépendantes et des freins hydrauliques.

En 1935, Delage se voit contraint financièrement de passer sous le contrôle de son plus gros concessionnaire, qui cède les droits d'exploitation de la marque à Delahaye. Des Delage seront produites jusqu'en 1953 sur des châssis Delahaye équipés de moteurs de cette marque ou de moteurs Delage spécifiques hérités de la D6-65.

Louis Delage qui vit très modestement depuis 1939, meurt en 1947.

Delahaye

Émile Delahaye (1843-1905), industriel implanté à Tours, construit des machines de briqueterie, des fours à céramique puis des moteurs à gaz et à essence en rêvant de produire une automobile. En 1896, son rêve devient réalité avec un type original et bien conçu à moteur bicylindre arrière de 7,5 ch. Il engage deux voitures dans la course Paris-Marseille et retour, courue sur dix jours pour éviter la nuit. Les Delahaye ne remportent pas d'étape, mais elles se classent septième et dixième au général et deuxième de leur catégorie. En 1898, Delahaye cède son affaire à deux jeunes industriels parisiens, fabricants de presses hydrauliques. La firme affiche en 1901 une nouvelle raison sociale: Société des Automobiles Delahaye, Léon Desmarais et Georges Morane, successeurs et s'implante définitivement à Paris dans le XIIIe arrondissement. Delahaye construit enore des voitures de course, mais les modèles de production se développent et se multiplient à partir de 1902 avec des voitures à deux puis quatre cylindres verticaux. En 1904, le client a le choix entre deux bicylindres de 8 et 12 ch et une quatre-cylindres de 20/27 ch en deux blocs de deux. Delahaye abandonne les courses pour se consacrer aux modèles de production dont la qualité est bientôt reconnue dans le monde entier. Le type 32 quatre cylindres à moteur monobloc est une grande réussite. Un moteur V6 très moderne, trop ambitieux, est abandonné. Delahaye produit des voitures jusqu'à 60 ch.

Pendant la Grande Guerre, Delahaye développe sa production de camions commencée dès 1905 et se spécialise dans les véhicules de lutte contre l'incendie qu'elle produira jusqu'aux années 1950. Delahaye a du mal à lutter contre Renault et Citröen avec des voitures 10 CV et 15 CV de qualité, mais chères. Un groupement coopératif de constructeurs est créé en 1927 avec Chenard et Walcker, Unic et Donnet, pour la mise en commun de

Une Delahaye de 1911 à carrosserie d'avant-garde. Depuis le Salon de 1907, le radiateur est arrondi. Émile Delahaye a cédé sa marque en 1898.

La Delahaye type 32 présentée en 1907 est une 10/12 HP moyenne à moteur quatre cylindres monobloc de 2 litres. Elle sera produite jusqu'en 1913 en plusieurs séries.

Avec deux longueur de châssis et quatre types de boîte de vitesses, la Delahaye type 32 est une voiture à la carte.

Delahaye 135 MS carrossée par Figoni et Falaschi en 1937, à l'apogée de leur créativité.

Un châssis Delahaye 145 Sport à moteur V12 de 4,5 litres a été carrossé en coupé de route par Henri Chapron après 1945.

châssis, d'organes mécaniques et de carrosseries. Il entraîne une perte d'identité, des modèles devenus trop banals. En 1930, Delahaye propose une petite 1 500 cm^3 à moteur Chenard, une 1 800 cm^3 à culbuteurs et une 2,5 puis 2,9-litres à culbuteurs. En 1932, cette entente vient à son terme.

Delahaye amorce alors un tournant qui va déboucher sur des modèles très réussis. Au Salon de Paris de 1933, la série Superluxe à moteurs culbutés et roues avant indépendantes fait sensation. La quatre-cylindres 12 CV de 2 150 cm^3 et 55 ch à 3 800 tr/min complète la six-cylindres 18 CV de

Planche de bord (gainée de cuir) d'une Delahaye 135 MS hors série habillée par Figoni. On distingue sous le volant à gauche la commande de la boîte Cotal.

Le moteur 135 MS de 3,5 litres à trois carburateurs délivre environ 130 ch pour la route et 152 ch pour la course. Il équipera dans cette dernière version le type 235 de 1952.

Ce roadster Delahaye 135 MS a été carrossé par Figoni et Falaschi pour le Salon 1936 et vendu à l'Aga Khan.

3 227 cm^3 de 90 ch. Les mêmes châssis existent sur trois empattements différents : 286, 295 et 315 cm. La 18 CV type 138 évolue en 20 CV type 135, grande routière polyvalente qui va vivre jusqu'en 1953. Cette série est déclinée en 135 M et 135 MS, en 135 Compétition Spéciale avec un ou trois carburateurs, puis en type 148. Les puissances vont de 95 ch à 152 ch, les empattements de 295 à 315 cm, les vitesses de 120 à 170 km/h.

Les Delahaye s'illustrent en rallye (Monte Carlo et Paris-Nice) aux 24 Heures du Mans (victoire en 1938) et même en Grand Prix jusque dans les années 1950.

Le type 135 est construit jusqu'en 1952, évoluant brièvement en type 235. En 1936, Delahaye présente un modèle à moteur V12 de 4,5 litres de cylindrée en version sport (type 145), monoplace course (type 155) et routière (type 165), avec des puissances développées de 160 à 235 ch. Puissante et chère voiture, elle ne sera plus construite après 1945.

Delahaye, marque financièrement saine grâce aux véhicules légers tout-terrain VLR, est absorbée par le groupe Hotchkiss en 1954.

Delahaye 135 carrossée par VandenPlas après 1945.

Cette réplique de la voiture expérimentale Delamare-Deboutteville de 1884 a été construite pour le centenaire de cette réalisation.

Logotype du centenaire de l'Automobile française célébré en 1984 par une exposition au Grand Palais à Paris.

Delamare-Deboutteville

Si on considère en général que les premières automobiles viables ont été construites par Benz et Daimler en 1885-86, les Français honorent Edouard Delamare-Deboutteville et ses essais de 1883-84. Cet inventeur longtemps oublié parce qu'il a abandonné très vite l'automobile pour des moteurs industriels (Simplex), a pris le 12 février 1884 un brevet pour un véhicule mû par un moteur à essence de deux cylindres à quatre temps, trop puissant pour la charrette sur laquelle il était monté et qu'il détruisit. Ces essais n'eurent aucun écho. Ses travaux ne sont décrits que dans des ouvrages techniques de l'époque et quelques ouvrages historiques. D'après les plans du brevet 160267, une réplique de la voiture expérimentale Delamare-Deboutteville a été construite en 1984, pour son centenaire. Cependant, les bases de l'industrie automobile ont été établies en 1889 par la coopération de Daimler et de Panhard et Levassor, cette dernière firme proposant des automobiles sur catalogue dès 1890.

Plan de la transmission de la voiture Delamare-Deboutteville de 1884.

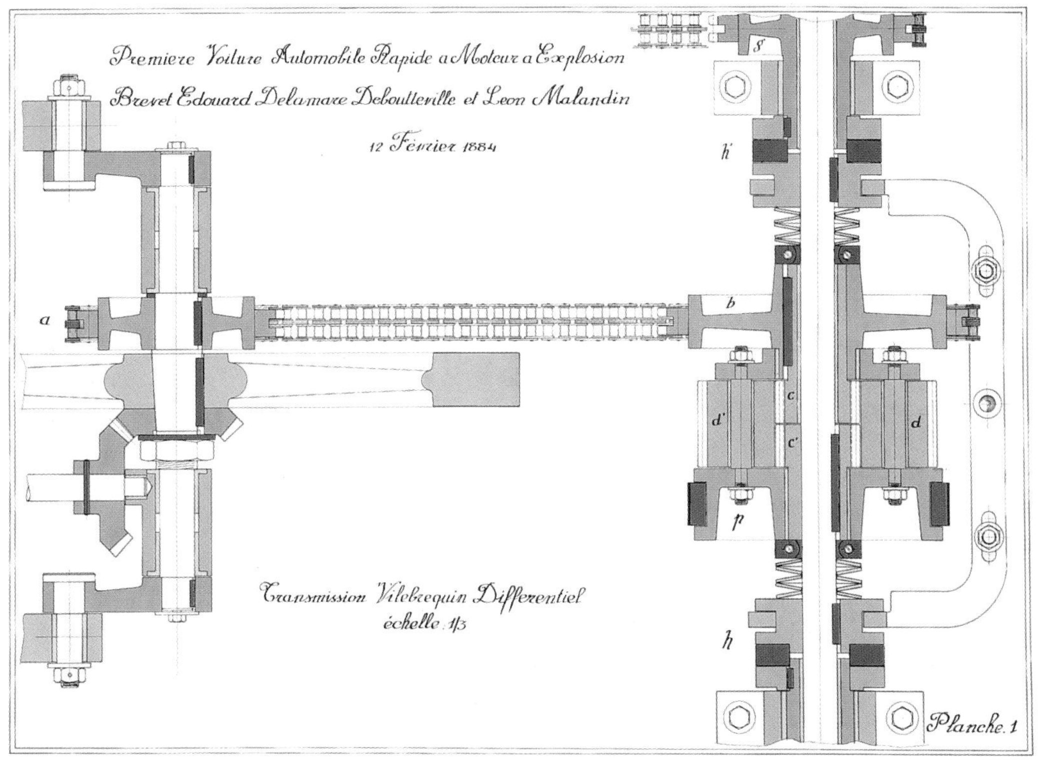

DeSoto

Le 30 novembre 1960, DeSoto achève l'assemblage de sa 2 024 629e voiture, puis la chaîne de montage s'arrête définitivement. La demande s'est en effet raréfiée sur ce segment de prix et la production doit cesser.
Si Walter Percy Chrysler avait été encore de ce monde, il n'aurait certainement pas compris. Il avait fondé cette marque le 4 août 1928. DeSoto est le nom d'un explorateur espagnol, Hernando De Soto, notamment gouverneur de Cuba au XVIe siècle. Avec cette nouvelle marque, Chrysler cherche à concurrencer directement Pontiac Oldsmobile et Nash.
C'est d'abord une réussite, mais les DeSoto reçoivent souvent des carrosseries qui sont identiques à celles des Plymouth et des Dodge, perdant ainsi toute individualité.
La première DeSoto apparaît à l'été 1928. On a l'impression que c'est la voiture que le marché attend.
Au cours des douze premiers mois, 81 065 DeSoto sont vendues. Elle est dotée d'un six-cylindres. En 1930, le type CF reçoit un moteur huit cylindres. Ce modèle partage son châssis et

Coach DeSoto du groupe Chrysler série Airflow de 1936. Son toit isolé sert d'antenne de radio.

Les DeSoto 1932 adoptent des lignes plus aérodynamiques. Le moteur est un six-cylindres en ligne latéral de 3,5 litres et 75 ch. Ce coach a été produit à 3 730 exemplaires.

DeSoto du premier millésime, 1929, présentée en août 1928 avec un six-cylindres de 2,8 litres et 55 ch.

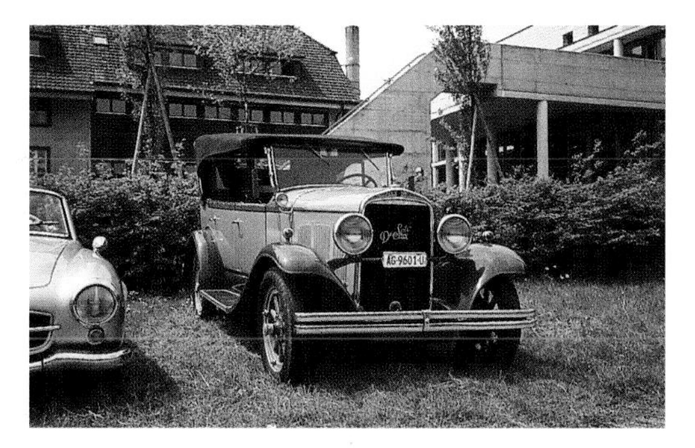

Cette DeSoto 1941 version Club Coupé est équipée du moteur 3,6 litres poussé à 105 ch. La production totale de l'année modèle s'élève à 99 999 voitures.

Sur les DeSoto 1938 les projecteurs commencent à être intégrés dans les ailes. Sur 302 cm d'empattement, cette limousine peut accueillir sept occupants et leurs bagages.

son moteur avec une Dodge du même millésime. La CF fait place en 1932 à la DeSoto SC dotée d'un nouveau six-cylindres. Lorsque Chrysler introduit les modèles Airflow en 1934, une DeSoto identique est proposée. Cette voiture très profilée ne rencontre pas un grand succès, mais il se vend davantage de DeSoto Airflow que de Chrysler (15 000 contre 11 000).
La marque doit combler l'écart entre la coûteuse Chrysler et la Plymouth économique. Mais quand Walter Chrysler rachète la marque Dodge, il introduit dans son groupe une concurrente directe de la DeSoto. Pendant une longue période, les DeSoto sont moins chères que les Dodge, mais ce principe est abandonné en 1934. Les dernières DeSoto d'avant guerre sortent de chaîne le 9 février 1942.

À 870 dollars, le coupé d'affaires DeSoto à trois places est le moins cher de la gamme.

Detroit Electric

Les constructeurs sont divisés, au tournant du XXe siècle. Certains croient encore à la vapeur, d'autres privilégient les moteurs à essence ou électriques, plus modernes. En 1899, l'ingénieur belge Camille Jenatzy bat le record du monde de vitesse sur route avec un véhicule propulsé par l'électricité. La Jamais Contente atteint la vitesse de 105, 8 km/h. Une partie des constructeurs s'exclame avec enthousiasme : *« On vous l'avait bien dit! »*. Les techniciens de la société Detroit Electric sont certainement de cet avis. Cette firme américaine présente ses premières voitures électriques en 1907. Elle en vendra 14000 jusqu'en 1938. Les clients apprécient ces voitures sans odeur ni bruit. Leur conduite est également très facile, utilisant deux manettes : une pour la direction, une pour régler la vitesse. Pourtant, malgré une longue période de production, la voiture n'a pas d'avenir. Son autonomie de 100 km est trop faible. Et ces voitures pèsent

La réputation de la Detroit Electric est telle que la marque vivra de 1907 à 1938. L'autonomie moyenne était de 120 km entre recharges.

Le style baroque de la Detroit Electric de 1929 devient un argument de vente auprès d'une clientèle non conformiste.

Propre et silencieuse, la Detroit Electric est une voiture de ville très pratique offrant une excellente visibilité.

Planche de bord de la Detroit Electric.

jusqu'à 2,3 tonnes à cause des batteries. Les voitures électriques n'ont pourtant jamais été oubliées; elles sont même, plus que jamais, à l'ordre du jour. Mais tant que la technologie des batteries n'aura pas progressé, les expériences actuelles ont peu de chance de déboucher sur un vrai succès.

DFP

La marque DFP est formée des initiales des noms des fondateurs de la firme: Auguste Doriot, Ludovic Flandrin, Alexandre et Jules-René Parant. Doriot et Flandrin ont travaillé longtemps pour Peugeot avant de créer leur propre entreprise en 1906. Leurs premières voitures sont vendues sous la marque Doriot-Flandrin qui devient DFP en 1908 quand les frères Parant s'associent à la firme. L'usine fabrique des voitures bon marché à moteur mono ou quatre cylindres. En 1912, W. O. Bentley et son frère représentent la marque en Angleterre et s'engagent en compétition avec une DFP préparée sur laquelle ils expérimentent des pistons en aluminium. Grâce à cette publicité, beaucoup de DFP sont vendues outre-Manche. La gamme comprend des 2-litres et des 3-litres puis en 1912, des quatre-cylindres de 1,8 litre jusqu'à une six-cylindres de 3,6 litres. Après la Grande Guerre, la 2-litres est remise en fabrication, mais les ventes se raréfient et DFP ferme ses portes en 1926.

DFP, qui construit de 1916 à 1926, connaît ses meilleures années avant 1914. Ici une 8/10 HP de 1909.

DKW

Jörgen S. Rasmussen (1878-1964) naît au Danemark. À l'âge de dix-huit ans, il part en Allemagne où il fréquente plusieurs universités avant d'achever ses études de mécanique à Zwickau. Il reste en Allemagne et crée une affaire de machines-outils et de mécanique avant de fabriquer des motos en 1919. Les motos DKW sont fiables et bon marché. Dans les années 1920 et 1930, DKW est le plus gros fabricant de motos du monde.

En 1926, DKW construit sa première automobile sous forme de prototype. Le concept est curieux: les deux occupants sont assis en tandem et la caisse autoporteuse est décapotable. Le moteur entraîne la roue arrière

Une DKW type 3/15 de 1927-1928, première automobile de la marque carrossée en roadster sport. Ce type est encore à roues arrière motrices.

Les DKW Front type sport roulent à 75 km/h et leur tenue de route leur vaut quelques succès en compétition. Le dessin des roues est caractéristique.

Une DKW F1 à moteur bicylindre 600 cm^3 carrossée en coupé découvrable.

En 1931, DKW propose des tractions-avant à moteur deux temps, les DKW Front. Ici, un roadster de 1932.

La DKW F1 (Front 1) carrossée en élégant cabriolet. La caisse est en contreplaqué gainé d'une sorte de simili cuir.

gauche par une chaîne. Deux ans plus tard, DKW présente une voiture plus orthodoxe dans laquelle les occupants sont côte à côte. Le moteur est à l'avant sous un capot classique. La propulsion est assurée par un bicylindre deux temps de 584 cm^3 donnant 15 ch. Le moteur utilisé dans la version sport 18 PS donne 18 ch. Cette 18 PS est l'une des rares voitures de sport produite comme telle par Rasmussen, qui préfère fabriquer des voitures de tourisme.

Les voitures DKW sortent de différentes usines. Les plus grands modèles proviennent de l'usine berlinoise de Spandau. Comme sur les premiers types, les roues arrière sont motrices, mais le moteur est un quatre-cylindres

Ce roadster sport deux places est un châssis DKW F5 700 Front Luxus de 1937. Son moteur deux cylindres de 692 cm³ et 20 ch l'emmène à 90 km/h.

Cette DKW Schwebeklasse à propulsion est équipée d'un moteur deux temps à quatre cylindres en V plus deux pistons-pompes. La cylindrée est de 990 cm³ en 1935-1936 et de 1 054 cm³ en 1937.

La DKW F8 cabriolet de 1939 bénéficie des bons soins du carrossier Baur comme les Horch du même groupe.

Affiche présentant la première DKW de 1928 dans un décor de grande classe flatteur pour la voiture.

deux temps. Mais la marque acquiert une grande réputation avec les petits modèles à traction avant et moteurs deux cylindres ou trois cylindres (après la guerre), mais toujours à deux temps. Ces petites voitures proviennent des usines Audi qui appartiennent au même groupe, Auto Union. Les caisses en bois viennent de Berlin, les moteurs de Zschopau. La gamme comprend trois catégories de prix : les DKW Front, les Reichklasse et les Meisterklasse. Malgré les différences de carrosserie, les châssis et les moteurs sont initialement les mêmes avec une cylindrée de 584 cm³. Alimentées par un mélange à 4 % d'huile, ces voitures sont reconnaissables au petit nuage de fumée bleu qui les suit. En 1933, la cylindrée est portée à 692 cm³. Avec ses 20 ch, la DKW atteint 85 km/h.

Dans les années 1930, la crise mondiale incite Rasmussen à procéder à un regroupement de constructeurs. Il crée Auto Union avec Horch, Audi

La DKW Schwebeklasse vendue 2 990 reichsmarks en 1935.

et Wanderer, le 1er novembre 1931. Deux ans plus tard, il est chassé de la direction du groupe par les banques et monte une entreprise de fabrication de réfrigérateurs et une usine d'automobile qui produit des Framo en petite quantité.
Après 1945, ces usines se retrouvent en zone soviétique puis en RDA. Rasmussen est exproprié et retourne au Danemark où il meurt en 1964. Il reste en Allemagne une quantité relativement grande de DKW d'avant guerre car elles n'ont pas été réquisitionnées par les autorités militaires, probablement méfiantes vis-à-vis du deux-temps et de la traction avant.

Dodge

Les frères John et Horace Dodge possèdent une entreprise de fabrications mécaniques qui produit des moteurs et des boîtes de vitesses pour Henry Ford et Oldsmobile. En

En 1916, les frères Dodge construisent 71 400 voitures à caisse tout acier. Ils attaquent directement Ford, leur ancien client qui leur achetait des moteurs et des boîtes de vitesses.

La Dodge 1926 est produite à près de 250 000 exemplaires et Dodge est le quatrième constructeur américain. Le quatre-cylindres de 3,4 litres délivre 35 ch. Les roues en bois sont standard.

1913, ils abordent la construction automobile pour eux-mêmes et leur première voiture sort en 1914 de leur usine de Hamtramck. Sur plusieurs points, leur voiture est en avance sur la concurrence. Par exemple, ils adoptent dès 1916 une carrosserie tout acier alors que la construction traditionnelle utilise la tôle clouée sur une structure en bois. Le système électrique est en 12 volts quand les autres marques conservent le 6-volts.
La propulsion est assurée par un quatre-cylindres à soupapes latérales de 35 ch. Le modèle évolue peu jusqu'en 1926 à l'exception d'un allongement de l'empattement de 270 à

Cette Dodge 1937 est assemblée en Suisse par Saurer, constructeur de camions et de bus, à partir de lots de pièces.

La Dodge 1927 est livrée avec un totalisateur de distance, un ampèremètre au tableau de bord, un avertisseur électrique, une trousse d'outils et un rétroviseur, ce qui n'est pas la règle à l'époque. Les Dodge quatre cylindres sont moins chères que les Chrysler, qu'elles vont compléter en 1928 dans le même groupe constructeur.

La Dodge Victory Six est lancée fin 1927. La carrosserie dite Brougham est un coach deux portes cinq places. Ici, un modèle 1929 à roues fils optionnelles et pare-brise plat vertical.

295 cm. Au cours de la première année complète de production, 1915, Dodge vend plus de 45 000 voitures. La Dodge est une grande réussite. En 1920, les ventes grimpent jusqu'à 141 000 véhicules. Cette année-là, Dodge est le deuxième constructeur américain. Seul, Ford vend davantage. Malheureusement, les frères Dodge profitent peu de leur succès car ils meurent l'un après l'autre de pneumonie et d'une cirrhose en 1920. Les veuves confient la direction de la firme au vice-président avant de céder leurs actions en 1925 à un consortium de banques pour la somme colossale à l'époque de 146 millions

Le six-cylindres Dodge 3,3 litres du groupe Chrysler donne 63 ch à 3 000 tr/min.

Ce cabriolet Dodge 1939 a été carrossé en Suisse par Hermann Graber.

Le nouveau style 1936 est appliqué aux Dodge D2, haut de gamme de la marque. Cette décapotable quatre portes coûte 1 000 dollars contre 640 seulement pour un coupé d'affaires.

L'année modèle 1942 s'arrête en février à cause de l'entrée en guerre des États-Unis. Ce Custom Convertible Coupé (cabriolet deux portes cinq places) n'a été produit qu'à 1 185 exemplaires.

de dollars. Trois ans plus tard, le 31 juillet 1928, Walter Chrysler reprend les usines Dodge pour 170 millions. À cette époque, Dodge est toujours l'un des plus grands constructeurs du monde avec plus de 146 000 voitures vendues en 1927. Au sein du groupe Chrysler, les ventes de Dodge vont encore augmenter.

En 1928, presque tous les modèles ont un moteur six-cylindres et quatre freins hydrauliques. Les modèles haut de gamme sont même équipés de la radio. En 1930, les voitures sont vendues sous la marque Dodge au lieu de Dodge Brothers. Les années de crise ont des conséquences dévastatrices sur la marque. En 1929, Dodge vend encore 124 557 voitures, mais en 1932, le chiffre est tombé à 30 216. En 1933, la reprise se fait sentir et les ventes remontent à 108 000 unités. Entre 1930 et 1934, l'acheteur a le choix entre des six et des huit-cylindres. Entre 1936 et 1953, toutes les Dodge sont des six-cylindres.

Donnet-Zedel

En 1896, les Suisses Zürcher et Lüthi créent à Neuchâtel une usine de moteurs de motos vendus avec succès sous la marque ZL (Zedel). En 1904, les deux associés construisent leur première voiture sous la même marque

et installent une usine à Pontarlier qui produit peu de voitures. En 1914, Zedel a produit entre 300 et 400 automobiles. En 1918, La marque est rachetée par un autre Suisse, Jérôme Donnet, qui a construit en France des hydravions militaires.
Dès lors, les voitures prennent la marque Donnet-Zedel. En 1927, le centre de production est transféré à Nanterre, près de Paris, dans une usine nouvellement construite, et la marque devient simplement Donnet.
La dernière voiture sort de production en 1933 et l'usine est cédée à Simca en 1935, avec son parc de machines.
La plupart des voitures vendues sous les marques Zedel, Donnet-Zedel et Donnet sont munies de moteurs à quatre cylindres. La Zedel avait une cylindrée de 3168 cm^3, les Donnet-Zedel de 3176 cm^3, 2120 cm^3, 1100 cm^3 et les Donnet de 1400 cm^3 et 2540 cm^3, cette

En 1924, Donnet-Zedel propose deux modèles, les types G et CI respectivement de 1 100 cm^3 et 2 litres.

Donnet-Zedel a produit des modèles sport comme ce type G2 de 1 100 cm^3 ici en course de côte dans les années 1990.

dernière étant une six-cylindres latérale de qualité, mais trop chère.

Duesenberg

Nés en Allemagne, Friedrich (Fred) Samuel (1876-1932) et August (Augie) (1880-1955) Duesenberg sont élevés aux États-Unis par leurs parents immigrés. Pourtant sans formation technique, ils se révèlent très doués dans ce domaine. Ils construisent des bicyclettes, font faillite, puis créent une voiture de course en 1904. Ils sont soutenus financièrement par l'avocat général Edward R. Mason, qui donne son nom à la voiture. La Mason est munie d'un bicylindre opposé à plat. Cette marque vit jusqu'en 1915, mais les Duesenberg ont entretemps fondé leur marque, en 1913, et créé des types de course à

Les plus belles carrosseries ont habillé les Duesenberg type J. Ici un Roadster 1929 de Walter J. Murphy. À ce niveau de prix, il est difficile de trouver deux voitures identiques.

La Duesenberg type J sur 390 cm d'empattement dépasse les 5 mètres de long. Le moteur huit-cylindres en ligne de 6,9 litres délivre 265 ch au banc, plus de 200 sur la voiture.

Une Duesenberg SJ (à compresseur) carrossée par Murphy. Son moteur donne jusqu'à 320 ch au banc, et plus de 250 installé dans la voiture.

moteur quatre cylindres à soupapes horizontales très puissants. Les voitures se montrent très rapides et concourent à la réputation des deux frères qui fondent la Duesenberg Motor Corporation en 1916 avec des banques, sans en avoir le contrôle effectif. Pendant la Grande Guerre, ils construisent des moteurs d'avions conçus initialement par Bugatti, tout en étudiant un moteur d'automobile à huit cylindres en ligne.

Leur première voiture huit-cylindres en ligne de 4,2 litres à 1 ACT, la Model A, sort en 1920 de leur usine d'Indianapolis sous la forme d'un tourer à quatre places, suivi d'autres styles de carrosserie produits jusqu'en

Les JN à carrosserie élargie ont donné lieu à deux SSJ à empattement court, l'une pour Clark Gable, l'autre pour Gary Cooper. Les portes dissimulent le châssis.

Les Duesenberg JN carrossées par Rollston ont un habitacle plus confortable et plus spacieux. Cette SSJ a appartenu à Clark Gable.

Duesenberg 1934 carrosserie Town Car ou coupé-chauffeur de ville par Murphy. Les Duesenberg J et SJ sont les voitures les plus chères du monde.

L'habitacle d'une Duesenberg SJ allie fonctionnalité et sobriété avec une instrumentation très complète. C'est à l'époque la voiture la plus puissante du monde.

Le moteur d'une Duesenberg J délivre environ 210 ch installé dans la voiture.

Une Duesenberg 1935 carrossée en Double Cowl Phaeton (double pare-brise).

1926. Fin 1926, Errett Lobban Cord rachète la marque Duesenberg, alors en déconfiture financière car les frères Duesenberg, s'ils sont de brillants techniciens, ne sont pas de bons gestionnaires. Cord les charge de produire « la plus belle voiture du monde ». Dès décembre 1928, la Duesenberg Model J fait sensation au Salon de New York avec son huit-cylindres en ligne à 2 ACT et 32 soupapes de 6,8 litres qui donne

Ce roadster Duesenberg est resté inactif pendant 50 ans avant d'être restauré.

265 ch au banc. En 1932, la version SJ (supercharged J) est encore plus formidable. Le même huit-cylindres en ligne a été muni d'un compresseur centrifuge qui porte la puissance à 320 ch (brut) et la vitesse maximale à 200 km/h. L'effondrement de l'empire Cord en 1937 signifie aussi la fin de la Duesenberg Incorporated qui a produit environ 480 Model J toutes versions confondues. Quelques voitures ont été exécutées sur mesure pour de grandes vedettes comme Gary Cooper, Clark Gable ou Mae West, pour assurer la promotion des films et des studios. La Duesenberg J reste, sur tous les plans, la voiture américaine la plus emblématique et la plus raffinée de tous les temps.

Dufaux

Les frères Charles (1879-1950) et Frédéric (1881-1962) Dufaux, de Genève, s'intéressent très jeunes à la moto avant de créer des voitures de course destinées à participer à la Coupe Gordon-Bennett. Ils construisent en 1904 une huit-cylindres en ligne de 80/90 ch non qualifiée aux

Cette Dufaux 70/90 HP de construction devait courir la Coupe Gordon Bennett 1904. Elle est conservée au Musée national de l'Automobile-Collection Schlumpf, à Mulhouse.

Le huit-cylindres en ligne de 12 750 cm³ de cette Dufaux délivre environ 80 ch.

Une autre Dufaux est conservée au Musée national des Transports de Lucerne en Suisse. Elle est créditée d'une vitesse de 140 kmh.

Chaque paire de cylindres est entourée d'une chemise d'eau rivetée en aluminium ou en laiton.

En 1907, une Dufaux huit cylindres est engagée au Grand Prix de l'ACF 1907 à Dieppe sous la marque (italienne) Dufaux-Marchand. Elle est créditée de 125 ch. Pilotée par Frédéric Dufaux, elle abandonne à la fin du septième tour, très retardée.

essais de la Coupe sur panne mécanique. Le moteur de 12 760 cm³ tourne à 1 300 tr/min en développant un couple énorme. La voiture atteint 115 km/h sur le kilomètre lancé à Genève, record pour la Suisse.
Une nouvelle quatre-cylindres de plus de 26 litres est construite, qui se traduit par une puissance de 150 ch. Frédéric Dufaux bat à son volant, le 13 novembre 1905, un record du monde en parcourant le kilomètre en 23 secondes à 156 km/h. En 1906, des voitures de production sont commercialisées avec un quatre-cylindres de 16 ch puis apparaissent une 40 ch et une huit-cylindres de 80 ch qui ren-

La Dufaux, accidentée au cours des essais, ne disputa pas la Coupe Gordon-Bennett 1904 sur le circuit du Taunus.

contrent un certain succès. Les frères Dufaux s'associent alors avec le constructeur italien Marchand et préparent une Dufaux-Marchand pour le GP de l'ACF 1907. Cette huit-cylindres de 12 760 cm³ abandonne au bout de six tours. Trop coûteuse, l'activité sportive est arrêtée en 1907.

Du Pont

La marque Du Pont est bien oubliée aujourd'hui. Pourtant, les Du Pont sont de très intéressantes voitures produites à 537 exemplaires au total. La première, la Model A, est construite dans l'usine de Wilmington en 1919.

Cette Du Pont carrossée en phaéton sport double pare-brise date de 1931. Son empattement atteint 370 cm.

Le concepteur, Paul Du Pont, développe pour elle un moteur à quatre cylindres d'un peu plus de 4 litres qui reste un prototype. Il comprend bientôt qu'il est plus économique d'utiliser un moteur existant. Les Du Pont sont de très grande qualité et peuvent facilement se comparer aux Packard, Duesenberg, ou Lincoln. Du Pont lance en 1921 le Model B toujours à quatre cylindres, mais le Model C de 1924 est équipé d'un six-cylindres Herschell-Spillman. Ces voitures sont produites à 48 exemplaires. En 1927, le Model C fait place au Model D de 75 ch. Les dernières Du Pont Model G, de 1929 sont équipées d'un huit-cylindres Continental.
Très chères, elles sont acquises par des célébrités de la finance, du sport et du cinéma comme Mary Pickford ou Jack Dempsey. En 1930, la production est transférée à Springfield dans l'usine de motos Indian, rachetée par Paul Du Pont. Malheureusement, la marque ne survit pas à la crise boursière de 1929 et est mise en liquidation en février 1933.

Durant

William Crapo Durant (né en 1861), l'un des co-fondateurs de General Motors, produit des voitures sous son nom à partir de 1921.
Bien que ces modèles n'offrent rien de spécial, ils se vendent bien. Dès 1923, la 100 000e voiture tombe de chaîne. Les premières Durant sont équipées de moteurs à quatre cylindres à soupapes en tête construits par Continental sur plans Durant, mais l'acheteur a le choix, dès 1922, d'un six-cylindres Ansted. En 1928, tous les modèles reçoivent de nouveaux moteurs. En 1929, la gamme comprend quatre modèles de base : la 4-40, dotée d'un quatre-cylindres de 36 ch et les 6-60, 6-66 et 6-70 à moteurs six cylindres de 43, 47 et 65 ch. Malgré cette gamme étendue, les ventes stagnent et la crise à venir ne va rien arranger.
En 1929, Durant vend 47 716 voitures. En 1930, le volume tombe à 21 440 et s'effondre à 7 229 en 1931. Lorsqu'en 1932, 1 135 voitures trouvent preneurs, Durant est contraint de vendre. Le fondateur de General Motors meurt pauvre en 1947.

Fondateur évincé de General Motors, William C. Durant crée sa marque en 1923 et propose des quatre et des six-cylindres jusqu'en 1932. Les puissances vont de 36 à 70 ch. En 1928 (année de ce modèle), les Durant sont des six-cylindres.

La Durant 6-60 de 1929, dotée d'un six-cylindres de 43 ch ne peut rien contre les Ford A et les Chevrolet.

Egg

Avant la Seconde Guerre mondiale, quelque cinquante constructeurs ont tenté l'aventure automobile en Suisse. Certaines de ces firmes n'ont vécu que quelques jours, d'autres ont produit pendant de nombreuses années. Parmi ces dernières, la marque Egg. Rudolph Egg (1866-1939), ingénieur de formation, construit une voiture pour son propre usage en 1893. En 1896, il passe un accord avec le riche M. Egli. Dès lors, la société Egg & Egli aborde la production. Le premier modèle de la marque est une voiture à trois roues munie d'un moteur De Dion. Bien étudié, le modèle est aussi construit sous licence par d'autres firmes suisses. En 1899, l'usine produit sa première quatre-roues. Les roues arrière plus grandes que les roues avant lui donnent une allure déjà archaïque.
En 1904, Egg déménage de Zürich à Wollishofen. La firme prend alors la raison sociale Motorwagenfabriek Excelsior et ses premiers modèles ressemblent fortement, sur le plan de la carrosserie comme de la caisse, à l'Oldsmobile Curved Dash.
Rudolf Egg produit d'autres types et participe à la création des premiers moteurs aéronautiques suisses. Après 1919, dernière année de production, Egg liquide sa société pour devenir concessionnaire Renault à Zürich.

Essex

La première Essex voit le jour en 1918 dans l'ancienne usine Studebaker de Franklin Avenue à Detroit. La marque Essex est alors une division de la Hudson Motor Car Company.
Les premières Essex ont des moteurs à quatre cylindres. Sous un aspect banal, elles sont de grande qualité.
En 1919, sur le circuit de Cincinnati, une Essex parcourt une distance de 4 859 km en cinquante heures. Au

Le Suisse Egg construit en 1898 de petites voitures à moteur De Dion reprenant aussi la formule du vis-à-vis.

Cette Egg date de la dernière année de production de la marque, 1919. Le moteur est un quatre-cylindres maison.

L'Essex Super Six modèle 1929 est équipée d'un six-cylindres de 2,6 litres donnant 55 ch. Les pare-chocs et certains instruments de bord sont livrés avec supplément.

début des années 1920, les conduites intérieures sont encore rares.
Quand Essex propose en 1922 une voiture fermée disposant de quatre places, pour un prix supplémentaire de 300 dollars seulement par rapport à la torpédo, les chiffres de production bondissent.
Naturellement, l'Essex bénéficie de l'expérience technique de la maison mère, Hudson. Par exemple, toutes les voitures livrées à partir du millésime 1929 sont équipées de quatre freins Bendix à câbles sous gaines.
À partir de 1924, les Essex sont équipées d'un six-cylindres dont la marque n'annonce pas la puissance, car elle est inférieure à celle du quatre-cylindres précédent, mais avec une souplesse supérieure.
En 1928, Essex produit 229 887 voitures contre 52 316 pour Hudson. En 1929, le groupe Hudson-Essex se place en troisième position parmi les constructeurs américains avec un volume record de 300 962 voitures dont 227 653 pour la seule marque Essex. Pourtant, Chevrolet est en mesure de proposer une six-cylindres bon marché et si Essex maintient son slogan publicitaire « La reine des Six », la firme perd du terrain.
La direction tente d'améliorer son image de marque en médiatisant des tentatives de records. En 1932, une Essex relie Los Angeles à New York en soixante heures et vingt minutes, mais les retombées sont faibles.
En 1933, l'Essex devient la Terraplane en prenant le nom d'un modèle Essex lancé en 1932.

La berline Essex 1928 à moteur 2,5 litres n'est livrée qu'avec des roues en bois. Les pare-chocs sont en option.

Cette Excelsior de 1911 a été exportée en Australie avant 1914. Elle n'est revenue en Belgique que dans les années 1990.

Excelsior

L'ingénieur Arthus de Coninck fonde la Compagnie Nationale Excelsior à Bruxelles en 1903. Les premières voitures sont produites en 1904 avec des moteurs Aster, à un, deux ou quatre cylindres. Ces modèles assemblés n'ont rien de particulier. Ce n'est qu'en 1907 que la marque se réorganise et sort sa première voiture totalement construite par la firme, la 14/20 CV quatre cylindres à soupapes latérales.

En 1909, la firme prend le nom de Société des Automobiles Excelsior et rachète l'usine Belgica à Bruxelles. En compétition, Excelsior engage des six-cylindres de neuf litres de 170 ch au GP de l'ACF à Dieppe. Une voiture prend la sixième place. Les six-cylindres Grand Prix de 1913 terminent huitième et dixième au Circuit d'Amiens.

Cette année-là, la production atteint 250 châssis, pour la plupart exportés. La famille royale belge roule en Excelsior.

Après la Grande Guerre, les Excelsior Adex B et C consolident la réputation de la marque avec des voitures capables d'atteindre 140 km/h et pourvues d'un stabilisateur très efficace sur le pont arrière. En 1926, l'Albert 1er est une version modernisée de l'Adex avec un moteur six-cylindres à 1 ACT très brillant, en deux versions de 110 et 130 ch, mais l'importation massive des voitures américaines ruine l'automobile belge. Excelsior est rachetée par Impéria en 1927. La dernière Excelsior est exposée au Salon de Bruxelles de 1930.

Favier

Marque rare et presque inconnue… La plupart des connaisseurs pensent que les Ateliers Favier, avenue de la Gare à Tullins, près de Moirans, n'ont jamais construit d'automobile.
Mais il existe au moins une Favier type F. D'après ses papiers et sa plaque, présentée ci-dessous, cette voiture, châssis n° 14, a vu le jour en 1924.
Les Favier étaient équipées d'un petit moteur à quatre cylindres à soupapes latérales.

La plaque constructeur originale atteste de l'existence de cette petite marque locale.

Favier: une marque très confidentielle. Ici, un modèle de 1924.

Fiat

En 1889, au café Burello près de la gare de Porta Nuova à Turin, un groupe de jeunes gens, dont Giovanni Agnelli, discutent de l'avenir de l'automobile naissante. Dix ans plus tard, la Società Anonima Fabbrica Italiana di Automobili Torino ou F.I.A.T. est fondée. La première voiture de la marque sort la première année, d'après une étude antérieure. C'est un petit vis-à-vis à moteur bicylindre horizontal de 679 cm^3 de 3,5 ch.
En 1902, Fiat produit sa première quatre-cylindres à moteur avant logé sous un capot. La cylindrée est de 4 200 cm^3 et les 16 ch sont transmis aux roues arrière par des chaînes.
Dès ses débuts, Fiat s'intéresse à la course. La Fiat 6 HP « course » de 1900 atteint déjà 60 km/h. La Corsa remporte plusieurs épreuves, déjà pilotée par l'essayeur maison Vincenzo Lancia. Les versions course sont à deux places avec un petit siège pour

Fiat Brevetti (1905-1912), produite après le rachat des Ateliers Ansaldi. Sur un empattement de 307 cm, le moteur de trois litres donne 20/25 ch. Vitesse: 65 km/h.

le mécanicien. Les modèles de production à deux ou quatre places se multiplient jusqu'en 1914, y compris une grosse quatre-cylindres de 60 HP de 10 litres de cylindrée en 1905.

En 1906, F.I.A.T. devient Fiat et présente en 1907 sa première six-cylindres. La première Fiat produite en série est la Tipo Zero de 1912. Fiat produit aussi des voitures de Grand Prix formule internationale comme la grosse S. 76 de 1911.

À côté des types 501/503 et 509 de grande diffusion, Fiat construit des voitures de Grand Prix biplaces et présente en 1927 sa première et dernière monoplace, la 806 qui remporte le

La Fiat 500 de 1936 est surnommée Topolino (Mickey en italien). Elle est équipée d'un moteur de 13 ch et d'une boîte à 4 rapports. D'une longueur de 324 cm, elle accueille deux adultes et leurs bagages.

En 1910, Fiat propose une gamme de modèles très étendue de 1 800 cm³ à 9 litres. Ici, un landaulet 12/15 HP de 1 846 cm³. Les petites cylindrées sont les plus vendues et les grosses voitures sont exportées.

La Fiat type 501 renouvelle la production Fiat au lendemain de la guerre. Elle sera produite de 1919 à 1926 à plus de 45 000 exemplaires.

En 1911, Fiat court et gagne le Grand Prix d'Amérique avec les types Course S 74. Leur moteur à quatre cylindres de 14, 1 litres donne 190 ch à 1 600 tr/min. L'année suivante, ces moteurs monstrueux seront battus par les Peugeot à 2ACT.

Conçue par un juriste devenu directeur technique de Fiat, la 501 est un bon exemple de voiture populaire du début des années 1920.

GP de Milan. Techniquement, c'est un ambitieux projet avec un douze-cylindres de 1 500 cm³ seulement en deux blocs de six, parallèles sur un carter commun, avec trois ACT et un compresseur Roots, pour une puissance de 187 ch à 8 500 tr/min. Mais la formule change pour 1928 et la 806 reste la dernière Fiat Grand Prix.

La 806 de 1927 est la dernière Fiat de Grand Prix. Elle gagne le GP de Milan avec Pietro Bordino. Sa vitesse maximale frôlait 250 km/h.

Une voiture américaine en réduction? Les Fiat 514 de 1929 sont plus confortables que performantes, premières Fiat dotées d'amortisseurs hydrauliques.

La Fiat Ardita de 1932 est une amplification de la Balilla. Elle existe en 1,5 et 2 litres à quatre cylindres et en 2,5 litres à six cylindres comme celle-ci.

À partir de 1927, Fiat ne construit plus que des voitures de tourisme ou de sport comme la 503, évolution de la 501 sur un châssis plus étoffé, dont 42 000 exemplaires sont vendus en 1927 et 1928. Le moteur est repris du type 501 : il s'agit d'un 1 460 cm³ à soupapes latérales. La 514 lui succède pour 1930 avec un 1 400 cm³ latéral plus moderne donnant 28 ch. La gamme des carrosseries est très vaste et, de fin 1929 à 1932, 36 970 unités sont vendues. En 1932, la Fiat 508 Balilla à moteur quatre-cylindres

La Fiat 508 Balilla donne lieu à une versions sport à moteur culbuté, la 508 S Coppa d'Oro produite de 1934 à 1937.

La Fiat 508 Balilla anticipe le concept de voiture du peuple de plusieurs années. Ici, un modèle de 1934 qui évoluera jusqu'en 1937. Elle est produite sous licence par NSU-Fiat en Allemagne et par Simca en France à partir de 1935.

de 995 cm^3, économique et bien conçue remporte un vrai succès au Salon de Milan. C'est un vrai modèle populaire et largement exporté.
La Balilla 508 Sport ou Coppa d'Oro se présente comme une jolie biplace à moteur à culbuteurs porté à 36 ch. En 1936, Fiat introduit un nouveau petit modèle appelé à un grand avenir, la 500 Topolino, qui marque l'histoire de l'automobile populaire (la Simca 5 en France). Cette petite deux-places est équipée d'un quatre-cylindres de 569 cm^3 refroidi par eau. Ce modèle sera repris après 1945 et, en version à soupapes en tête, construit jusqu'en 1955.

Une rare Fiat 508 S en berlinette Aerodinamica engagée dans les Mille Miglia de 1991.

La première affiche F.I.A.T. date de 1899, année de la fondation de la marque.

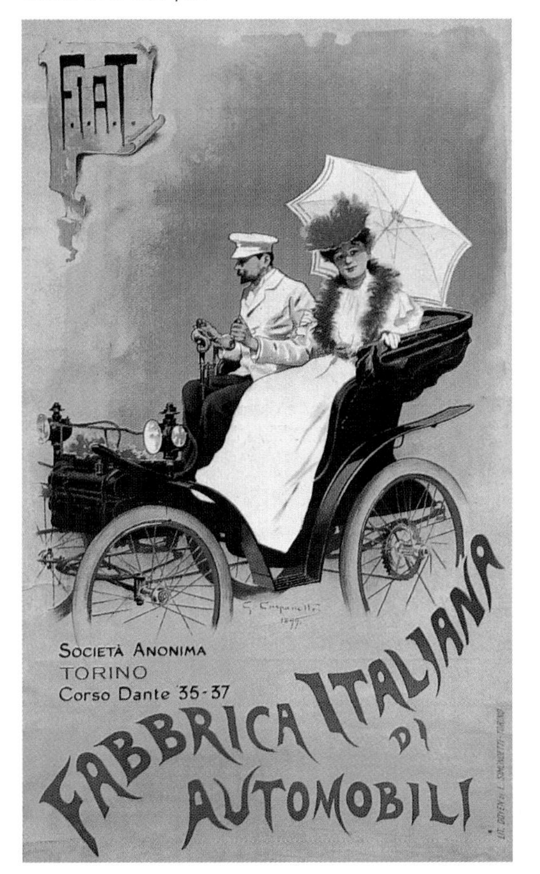

FN

La Belgique a compté environ 140 marques d'automobiles. Dans la plupart des cas, leur production n'est pas allée au-delà du stade du prototype, mais certaines firmes, comme la Fabrique Nationale d'Armes de Guerre ou FN ont eu une durée de vie importante.
En 1895, FN produit des armes et des bicyclettes, mais la première voiturette FN de 954 cm^3 sort dès 1897. FN produit ensuite des types De Dion-Bouton sous licence, puis en haut de gamme, une Rochet-Schneider Belge (RSB) fabriquée de 1906 à 1908.

Affiche de FN datant de 1905.

L'écusson de la Fabrique Nationale d'Armes de Guerre rappelle des deux activités de la firme belge : les armes et la mécanique de précision.

De fin 1927 à 1929, FN produit à 2 000 exemplaires la 1400, une 10 CV de qualité. Ici un modèle 1929.

La FN 1250 à roues démontables apparue en 1913 est produite jusqu'en 1923. Son moteur à quatre cylindres est alors porté à 1 330 cm³. Sa production totale ne dépasse pas 444 exemplaires.

Avant la guerre de 1914, FN produit 26 modèles différents. La plupart sont équipés d'un moteur de quatre cylindres développant 1 300 et 2 300 cm³. En 1913, un modèle populaire très réussi, la 1250, apparaît au Salon de Paris. Il sera repris après 1918. La 1300 de fin 1923 puis la 1400 de 1927 sont d'excellentes voitures moyennes. La première huit-cylindres arrive en décembre 1930, en pleine crise mondiale.
Trois roadsters 832 sont engagés aux 24 Heures de Spa 1932. Elles remportent la Coupe du Roi par équipe, la voiture de George et Mathot ayant parcouru 2 323 km à une moyenne de 96 km/h.

Au début des années 1930, l'Europe est envahie de modèles américains. De nombreuses marques disparaissent. La dernière FN de tourisme sort en 1935. FN se consacre désormais aux camions, cars, tracteurs et véhicules militaires.

Ford Allemagne

Le 1er avril 1926, la première Ford Model T assemblée quitte l'usine Ford de Berlin. En août 1928, ce modèle fait place à la nouvelle Ford Model A produite jusqu'en 1934.
La Ford Model A fait elle-même place à la Ford Rheinland qui, sous l'aspect de la nouvelle V8, conserve le moteur quatre-cylindres de 3 280 cm³ développant 50 ch, mais elle reçoit des roues de 17 pouces.
En 1930, Ford déplace son site de production de Berlin à Cologne. Henry Ford et Conrad Adenauer, alors maire de Cologne, posent la première pierre de l'usine. Divers modèles y seront produits dont la petite Ford Köln, version allemande de la Ford Y

La Ford Eifel style 1937 est une Ford anglaise Model Y dotée d'une carrosserie plus moderne.

britannique. Initialement, la Köln est assemblée à partir de pièces d'origine britannique, mais la gamme comprend une décapotable conçue en Allemagne. Le quatre-cylindres de la Ford Köln, de 921 cm³, donne 21 ch à 3 500 tr/min. Au total, 11 121 voitures seront livrées jusqu'en 1936.

Les Ford allemandes 1939 sont redessinées selon le style des modèles américains.

La Ford Taunus 1939 sera remise en production après 1945 et jusqu'en 1952.

Cette Ford Eifel a été carrossée en limousine spéciale par la firme allemande Drauz.

En 1935, la Ford Köln est remplacée par la plus moderne Eifel sur laquelle le moteur Köln est porté à 1 172 cm³. L'Eifel rencontre un grand succès. Jusqu'en 1939, pas moins de 61 495 unités sont vendues. En 1939, l'Eifel laisse la place à la Ford Taunus, premier modèle totalement développé et produit en Allemagne. Le moteur et la boîte proviennent de l'Eifel, mais le châssis et la carrosserie sont des nouveautés. La Taunus sera remise en production après 1945.
Les célèbres moteurs V8 bon marché de Ford ne sont pas réservés au marché américain. Plus de 15 000 voitures produites en Allemage en sont équipées. De style américain, ces voitures sont conçues et construites en Allemagne jusqu'en 1939.

La Ford Eifel 1938 se distingue du modèle 1937 par ses roues plus petites, 16 pouces au lieu de 17.

Ford Angleterre et Ford France

Henry Ford ouvre une usine de production du Model T à Manchester, en Angleterre dès 1911. Cette implantation a pour but de réduire les coûts de transport, de production et les droits de douane. La Model T connaît aussi un grand succès en Angleterre. Quand la chaîne s'arrête en 1925, plus de 250 000 Model T ont été produites.
En 1920, le gouvernement britannique avait institué un nouveau système de taxes fondé sur la cylindrée. Ce système pénalise la Ford A car elle est équipée d'un moteur de plus de trois litres. En 1928, la Ford AF réservée au marché européen et produite à Cork en Irlande reçoit donc un moteur de deux litres. Mais l'AF n'est pas concurrencielle face aux petites Morris et Austin.
Ford décide alors, en 1932, d'étudier un tout nouveau petit modèle. Une nouvelle usine est édifiée à Dagenham pour la production de cette petite Ford Model Y ou Eight (8), avec un quatre-cylindres latéral de 933 cm³. En 1934, Ford propose la Ten avec un moteur porté à 1 172 cm³. Peu de temps avant la guerre, ces modèles sont rebaptisés Ford Anglia et Ford Prefect, désignations conservées après 1945.
En 1932, la célèbre Ford V8 est lancée aux États-Unis. Le premier modèle britannique équipé de ce moteur de 3,6 litres à soupapes latérales apparaît un an après. En version deux portes, elle coûte 230 livres, soit plus du double d'une Ford Y.
Le moteur V8 est aussi produit en France, où il équipe les Matford, marque issue de la fusion de Ford France et de Mathis en 1934. Des Ford T « françaises » avaient déjà été assemblées en France, à Bordeaux, avant 1914 et jusqu'en 1926.
Cette année-là, Ford France commence la construction de l'usine d'Asnières, près de Paris, qui produit des Model T, AF, Y puis des Matford en attendant l'achèvement de l'usine de Poissy dont la construction ne commence qu'en 1938.

La petite Ford Model Y de 1932 inspire le style de la V8-40 dont l'étude est alors presque achevée.

Une Ford Eight Popular est une version simplifiée à deux portes de la Fordor de luxe à six glaces.

La Ford Ten Prefect (ou 10 HP) apparaît en 1934 avec un moteur plus gros que celui de la 8 HP.

Ford Amérique

Henry Ford (1863-1947) naît dans une ferme près de Dearborn dans le Michigan. Il part pour Detroit en 1879 où il devient apprenti dans une petite entreprise de mécanique. Au début des années 1890, il est devenu ingénieur chez Edison Illuminating Company. En 1893, Henry Ford crée son premier moteur, puis songe à une voiture. Le 16 juin 1903, il fonde la Ford Motor Company, après plusieurs échecs et le 1er octobre 1908, il présente la Model T, qui sera produite sans grands changements pendant près de dix-neuf ans à plus de 15 millions d'exemplaires. La Ford Model T n'est sûrement pas la meilleure voiture américaine de son temps, mais c'est bien la moins chère et la plus fiable. Dès 1913, sa production s'effectue de manière novatrice. Un câble tire les châssis le long d'une ligne d'assemblage sur laquelle sont montés successivement les différents organes mécaniques. L'utilisation du système de la chaîne mobile permet une production plus rapide et plus économique. En 1914, une Ford T sort d'usine toutes les 40 secondes et en 1925, la production atteint plus de 9 000 voitures par jour.

La dernière Ford Model T sort de chaîne le 31 mai 1927. Elle porte le numéro de châssis 15 176 888.

La Model T fait place à la Ford Model A et Henry Ford se permet de fermer l'usine six mois pour réorganiser la production. La première Model A sort le 2 décembre 1927. Entre-temps, les concessionnaires ont dû vivre sur leur stock et regarder leurs clients

Planche de bord de la Ford Prefect de 1939. Les finitions de la Prefect sont plutôt supérieures à celles de la Popular.

La Ford Model T des années 1925-1927 a reçu diverses carrosseries dont ce coupé à roues en bois.

Une Ford Model A 1929 carossé en coupé de ville.

En 1927, une Ford Model T torpédo de base coûte en Amérique 380 dollars. Ce modèle a été produit à 81 181 exemplaires en 1927.

Coupé Ford Model A 1931. Plus léger, il accélère encore mieux que les berlines. Il inspirera la Primaquatre de Renault, avec un gros moteur dans un châssis léger.

acheter auprès de la concurrence. La Ford Model A, bien plus moderne que la Model T, n'a pourtant pas le même succès, avec son quatre-cylindres latéral. En effet, face à elle, la Chevrolet offre six cylindres avec des soupapes en tête.
Henry Ford ne tarde pas à riposter. Le 31 mars 1932, il présente le premier modèle populaire doté d'un moteur V8, et qui surtout ne coûte pas plus cher que la Model A, en version limousine quatre portes. En version décapotable, elle est même moins chère de 35 dollars (545 dollars contre 580).
Le V8 a été conçu sous la direction du fils unique de Henry, Edsel Ford, qui malheureusement, meurt en 1943 à l'âge de 49 ans. Henry Ford se voit

Ford propose des breaks en bois depuis 1925, sur les Model T et A puis sur les V8 et B (quatre cylindres) en 1933.

La Station Wagon à caisse en bois figure dans la gamme Ford jusqu'en 1942 et sera reprise après 1945.

Les modèles Ford 1935 bénéficient d'un style très modernisé sur les 15 types de carrosserie standard proposées, dont le cabriolet avec spider.

Jusqu'à la fin des années 1930, le spider reste très à la mode pour les cabriolets deux places, malgré la perte de volume pour les bagages. La lunette arrière peut être détachée.

En 1938, malgré un style plus fluide, Ford ne produit que 410 000 voitures de tourisme.

contraint de reprendre la direction du groupe avant d'être remplacé en 1945 par l'aîné de ses petits-fils, Henry Ford II.

La gamme de septembre 1941 est produite jusqu'en février 1942. Le Coupé Sedan Super Deluxe 3 places ne coûte que 850 dollars, avec un six-cylindres (nouveau) ou un V8.

Le cabriolet Deluxe 5 places 1940 est l'un des modèles les plus chers de la gamme Ford, après les breaks.

Deux ans plus tard, le fondateur de cet empire industriel sans précédent meurt à l'âge de 82 ans.

Franklin

John Wilkinson, un ingénieur, construit en 1901 une voiturette dotée d'un moteur refroidi par air, mais sans parvenir à la commercialiser. Au moment où il est sur le point d'abandonner son projet, il fait la connaissance d'Herbert H. Franklin. Ce dernier est si impressionné par le modèle qu'il réussit à convaincre Wilkinson de produire cette voiture sous la marque Franklin. La première Franklin est vendue en 1902 et la

La quatre-cylindres Franklin Tourer 5 places coûte 1 850 dollars en 1910, soit environ deux fois le prix d'une Ford Model T.

En 1933, avant-dernière année d'activité de la marque, Franklin propose une élégante, mais trop chère, V12 de 150 ch, toujours refroidie par air.

Charles Lindbergh, héros du premier New York-Paris en avion, était un amateur de Franklin. En son honneur, un modèle 1928 est baptisé Airman. Cette Airman 1931 est celle de l'aviatrice Amelia Earhart, première passagère (1928) et première femme pilote (1932) sur la traversée de l'Atlantique.

Cette Franklin Airman série 16-A Phaeton à carrosserie hors série est équipée d'un moteur six cylindres de 100 ch refroidi par air.

courbe des ventes progresse régulièrement. Au début, il s'agit de petites voitures à deux places découvertes, qui font place rapidement à des modèles de tourisme plus puissants. Toutes les Franklin sont propulsées par des moteurs à culbuteurs refroidis par air. En 1906, Franklin présente son premier six-cylindres qui connaît u grand succès commercial. En 1919, Franklin bat son record de production avec près de 9000 voitures. Jusqu'en 1928, toutes les Franklin ont un châssis en bois armé, remplacé par un châssis en acier en 1929. Cette même année, près de 14000 voitures sont construites, c'est le record de production Franklin. En raison de la crise mondiale, moins de 2000 voitures sont construites en 1932. En 1933, la marque introduit un modèle à moteur V12 dont la version conduite intérieure coûte 3885 dollars. Cette coûteuse automobile ne peut sauver la firme du désastre. Toutes les voitures sont vendues à perte et les banques ne tardent pas à couper les crédits. La firme ferme ses portes en 1934.

Frazer Nash

H. R. Godfrey et le capitaine Archie Frazer-Nash commencent en 1910 une petite fabrication de cyclecars sportifs vendus sous la marque GN. La baisse de la demande après la Grande Guerre pousse les deux associés à céder leur entreprise en 1923. Frazer-Nash décide alors de créer sa propre marque et vend sa première voiture dès 1924.

Une Frazer Nash dans une épreuve historique. Cette voiture de sport à moteur Meadows 1,5 litre et transmission par chaînes et crabots est très rapide. Pour la course, il suffit de démonter les ailes et les phares.

Cette Frazer Nash monoplace spéciale est équipée d'un moteur Gough à compresseur de 1 500 cm^3 qui la propulse à plus de 200 km/h.

Il s'agit d'un modèle de sport, plus grand que le GN précédent. Cette voiture est assez brute : elle n'est constituée que d'un châssis, un moteur et deux sièges baquets.
Les roues arrière sont entraînées par chaînes, comme le GN, et du coup, les conducteurs de ces voitures sont vite connus comme le « chain gang » (c'est une allusion à la chaîne des forçats). Frazer Nash utilise des moteurs PowerPlus et Anzani, puis Meadows ou Blackburne.
En 1927, Frazer-Nash cède ses parts et la firme est rachetée en 1928 par les frères Aldington qui créent AFN (pour Aldington Frazer Nash) pour produire des voitures très rapides à moteur Blackburne ou Gough (pour la course).
À partir de 1934, le chiffre d'affaires est assuré par l'importation et l'assemblage de voitures BMW qui sont vendues en Grande-Bretagne sous la marque Frazer Nash BMW. Malgré son prix, la BMW 328 intéresse les sportifs anglais.
La dernière Frazer Nash à chaînes sort d'usine en 1934. Démodées à l'époque, mais performantes, elles sont très recherchées par les collectionneurs d'aujourd'hui.

Cette BMW 319 est vendue en Grande-Bretagne par AFN en 1936. Après la guerre, les Frazer Nash seront équipées de moteurs BMW 328 construits par Bristol.

AFN (Aldington Frazer Nash), qui construit les Frazer Nash, est créée en 1927. En 1934, la firme anglaise importe les BMW, activité qu'elle reprendra après 1945.

Le deux-litres six cylindres donne 45 ch à 3 750 tr/min permettant d'atteindre 115 km/h avec une voiture légèrement carrossée. La boîte est à 4 rapports.

Georges Irat

L'industriel et financier Georges Irat (1890-1970) devient constructeur au lendemain de la Grande Guerre avec une très belle 2-litres à tendance sportive conçue par l'ingénieur Gaultier, transfuge de chez Delage. La voiture est lancée au Salon de Paris de 1921. Le moteur quatre cylindres à soupapes en tête est souple et puissant, le châssis a quatre freins de grand diamètre assistés par un servo autorégulateur. Ces Georges Irat 2-litres participent à de nombreuses épreuves entre 1923 et 1929. Le modèle, très au point, varie peu de 1922 à 1929. En 1927, Georges Irat complète son offre par une six-cylindres 3 litres, portée à 3,6 litres en 1928. Leur diffusion reste confidentielle en raison de leur prix et de la forte concurrence dans leur catégorie. La crise de 1930 met fin à leur carrière.

Georges Irat cherche à remplacer ses coûteux moteurs par des groupes américains bon marché et choisit le Lycoming pour la Irat Huit de 1930. C'est là encore un échec commercial. En 1935, il s'associe à Godefroy et Lévêque, constructeurs du moteur Ruby qui équipe de nombreuses petites voitures de sport. La marque propose au Salon 1935 une petite traction-avant à quatre roues indépendantes, très basse et de style très moderne, mais à moteur Ruby un peu vieillot. Avec une bonne tenue de route, cette voiture plaît beaucoup, mais son prix élevé et une qualité de construction insuffisante en limitent la diffusion. 600 exemplaires équipés de moteurs Ruby 5 et 6 CV verront le jour avant que Georges Irat ne

En 1935, Georges Irat présente un modèle sport totalement différent de ses productions précédentes. Cette petite traction-avant est propulsée par un quatre-cylindres Ruby de 1,1 litre.

Une Georges Irat deux litres de 1927. Cet excellent modèle est produit de 1922 à 1927.

propose en 1938 un modèle doté du groupe moteur de la 11 CV Citroën. La guerre, en 1939, mettra un terme à la carrière de ce modèle très performant, qui ne sera pas remis en production en 1946.

Georges Richard

En 1893, les frères Georges et Max Richard créent une petite usine de fabrication de cycles à Paris. Ils y construisent leur première voiture, mise en production en 1897 sous le nom Poney, avec un moteur de 3,5 ch et une transmission par chaînes.

En 1900, Georges Richard propose des voitures à moteur à essence (des Vivinus belges produites sous licence) et des voitures électriques. En 1901, la Poney peut être équipée en option d'un volant de direction et d'une transmission à cardan.

La même année, Henri Brasier, ingénieur chez Mors, devient directeur de production puis associé en 1902. Les voitures deviennent donc alors des Richard-Brasier. En 1905, elles remportent pour la deuxième fois consécutive la prestigieuse Coupe Gordon-Bennett. Richard Brasier propose, en production, des deux et des quatre-cylindres. Georges Richard se sépare la même année de la firme qu'il a fondée pour créer Unic, tandis que les voitures Richard-Brasier deviennent des Henri Brasier.

Tablier de la Georges Richard 1902, sur lequel on distingue le graisseur « coup de poing ».

À partir de 1902, les Georges Richard conçues par Henri Brasier sont à châssis tubulaire.

Gladiator

En 1891, Jean Aucoc et Alexandre Darracq fondent une entreprise de construction de bicyclettes sous la marque Gladiator, dans une usine située au Pré Saint-Gervais à Paris. Dès 1894, la firme s'intéresse à la bicyclette motorisée, puis aux tricycles et aux quadricycles à moteur. L'entreprise est cédée à des investisseurs anglais associés à Adolphe Clément, qui devient responsable de la firme Gladiator française et engage l'ingénieur Marius Barbarou avant qu'il ne rejoigne Benz en Allemagne en 1903. Cette année-là, Clément revend ses parts pour développer sa marque Bayard-Clément. Les Gladiator ont d'abord des moteurs Aster à un ou deux cylindres. Des quatre-cylindres sont proposés en 1903, avec un succès certain. La gamme se diversifie jusqu'en 1914 sans atteindre à la production de série. En 1909, la firme en difficulté est vendue à Vinot-Deguingand et les Gladiator deviennent des Vinot, plus luxueusement construites. La marque disparaît en 1920, six ans avant Vinot.

Gladiator, qui a des ambitions en compétition au plus haut niveau, construit cette voiture pour la Coupe Gordon-Bennett 1904. Son quatre-cylindres de 9 litres donne 90 ch, à transmission par chaînes. Elle frôle les 150 km/h.

Fondée par Darracq et Aucoc à Paris, la firme Gladiator, cédée à un groupe anglais en 1896, produit des voitures de grosses cylindrées à partir de 1904.

GN

Le mot « cyclecar » est une contraction des termes anglais motorcycle et motorcar. Ces petits engins nés vers 1910 en Angleterre et en France veulent combiner le prix et le coût d'entretien d'une moto et le « confort » d'une voiture. Deux jeunes anglais, Godfrey et Frazer-Nash, créent un cyclecar dès 1905 pour leur usage, puis plusieurs avant de débuter une petite production au domicile de Frazer-Nash à Hendon. Initialement, ces engins sont construits pour la course et leur construction est de ce fait très allégée. Sur un châssis en bois, un bicylindre en V (JAP généralement) entraîne les roues arrière par des chaînes. La direction est très spéciale : les roues avant sont braquées au moyen d'un câble enroulé sur une bobine centrale. Le moteur est lancé par une corde. Une manivelle sera proposée en 1922 ainsi qu'une carrosserie avec portes, mais la clientèle se fait rare malgré ces innovations.

Le GN est un pur cyclecar créé en 1919. Il est équipé d'un bicylindre en V transversal et d'une transmision par chaînes. Salmson le produit sous licence à partir de 1920.

En 1919, Salmson achète la licence de fabrication du GN avant de créer ses propres modèles fin 1921. Mais l'ère du cyclecar rudimentaire est terminée. On trouve une Austin Seven, une Citroën ou une Ford Model T pour un prix bien inférieur. En 1923, Godfrey et Frazer-Nash vendent leur affaire. Godfrey s'associe avec Halford et Robbins pour fonder HRG et Frazer-Nash crée sa propre marque de voitures de sport.

Le Musée de Mulhouse-collection Schlumpf regroupe de nombreux modèles Gordini dont cette Simca Gordini construite sur base Simca 5 en 1937.

Gordini

L'histoire de l'automobile de sport et de course française doit beaucoup à deux Italiens, Ettore Bugatti et Amadeo (Amédée) Gordini. Ce dernier naît le 23 juin 1899 à Bazzano, près de Bologne. Son père travaille dans une ferme d'élevage de bovins et de chevaux. À l'âge de onze ans,

En 1939, Gordini prépare des voitures de compétition sur base Simca Huit, comme celle-ci avec laquelle il remporta la catégorie 1 100 cm³ et l'Indice de performance aux 24 Heures du Mans.

Amédée est déjà en apprentissage chez un maréchal-ferrant. Il travaille ensuite dans des garages. À 25 ans, après avoir fait la guerre, il émigre à Paris et est engagé chez un spécialiste Hispano-Suiza avant d'ouvrir son propre garage où il répare et prépare des Fiat qu'il engage en compétition (il gagne le Bol d'Or 1935).
En 1936, il reçoit le soutien financier du créateur de Simca, Pigozzi, et la fourniture de pièces spéciales. Ainsi naissent les Simca-Gordini sur base Simca 5 puis Simca Huit qui se mettent en vedette au Bol d'Or puis aux 24 Heures du Mans. En 1938, pas moins de six Simca-Gordini prennent le départ des 24 Heures dont deux petites Simca 5 de 568 cm^3 et 26 ch dont l'une remporte l'Indice de performance. En 1939, Gordini lui-même remporte la classe 1 100 cm^3 et l'Indice de performance.
Après 1945, il construit des voitures de sport mais il en vend très peu. Sans soutien financier, il abandonne la course en 1957 et collabore avec Renault pour la mise au point des Dauphine puis des R8 Gordini. Il meurt à Paris le 25 mai 1979.

Graham-Paige

En 1908, les trois frères Joseph, Ray et Robert Graham possèdent un important garage de réparations de camions.

Les frères Graham rachètent Paige en 1927 et fondent Graham-Paige. Les premiers modèles, en 1928, sont dotés de six et huit cylindres. Ici, une six-cylindres 1929.

Une Graham Special Touring Sedan 1938, au style caractéristique de cette année-là, la forme de l'avant dite « en nez de requin ».

Le coupé Special Six 1939 est équipé d'un six-cylindres à compresseur basse pression de 116 ch à 4 000 tr/min. Il coûte 940 dollars à l'époque.

Le style « nez de requin » appliqué aux Graham 1938 ne fait pas l'unanimité et précipite la chute des ventes de la marque. Les Graham se situent au niveau de prix des Chrysler.

En 1925, ils sont devenus les plus gros producteurs de camions du monde et cèdent leur entreprise à Dodge en 1926. L'année suivante, ils rachètent la Paige-Detroit Motor Car Company en faillite. La première Graham-Paige est présentée au Salon de New York en janvier 1928.

La voiture rencontre un grand succès et 73 000 exemplaires sont vendus la première année. En 1930, la marque devient simplement Graham.

La gamme comprend plusieurs modèles dont des six et des huit-cylindres. L'acheteur a le choix entre plusieurs types de carrosserie, du roadster deux places au coupé-chauffeur.

En 1940, Graham utilise les éléments de carrosserie de l'ancienne Cord 812 et le châssis Hupmobile fournis par Hupp. La Graham Hollywood est produite en 2 859 exemplaires.

En 1934, la Custom Eight bénéficie d'un moteur à compresseur qui délivre 135 ch à 4000 tr/min. Ces moteurs huit-cylindres sont montés jusqu'en 1935 lorsque l'usine adopte un nouveau type de six-cylindres.

La gamme 1936 est composée de trois séries : la Crusader Six, la Cavalier et la Supercharger Série 110. Cette année-là, le total des voitures vendues s'élève encore à 16 439, mais deux ans plus tard, les ventes se sont effondrées à 4 139 exemplaires.

En 1938, Gragam n'a plus que deux séries au catalogue : la Spécial Six et la Supercharged Six. Chaque série comporte trois modèles : le Business Coupé, le Combination Coupé à six places et la Sedan (conduite intérieure) à six places. Le nouveau style suscite quelques critiques assez virulentes et l'avant de la voiture est notamment considéré comme très laid. En outre, l'offre globale est immense dans toutes les marques.

La demande en faveur des Graham décline encore. La firme modifie son style extérieur, mais cette mesure ne suffit pas à redresser la barre et les ventes tombent à 1 856 en 1940. Graham disparaît du marché automobile en 1941, sans faire faillite.

Grégoire

Cette Grégoire sport de 1912 est équipée d'un quatre-cylindres de 2 113 cm³. Elle possède deux bougies par cylindre et deux carburateurs.

En 1903, Automobiles Grégoire, qui construit surtout des moteurs, présente sa première voiture, une monocylindre de 8 HP dans la norme de l'époque. Les Grégoire sont bien construites, mais leur originalité principale est dans la forme en poire de leur radiateur. La firme ne tarde pas à proposer des deux et des quatre-cylindres de 12 et 20 HP.
En 1911, Grégoire propose brièvement une six-cylindres puis des modèles à moteurs sans soupapes Daimler. La firme se fait aussi remarquer par des carrosseries aérodynamiques d'avant-garde. La 16/24 HP de 3,2 litres révèle un certain caractère sportif. La production de l'usine de Poissy ne dépasse pas 500 voitures par an, alors que Peugeot en construit plus de 5 000 et Renault encore davantage.
Après la Grande Guerre, Grégoire crée sa première voiture à moteur culbuté, une 2,3 litres de 50 ch qui dépasse 100 km/h. Mais le chiffre d'affaires reste modeste et l'usine est rachetée en 1924 par l'un de ses clients, Jacques Bignan, qui y poursuit ses propres fabrications.

Légères et bien construites, les Grégoire sont des voitures agréables à conduire. Celle-ci a été carrossée dans le style sportif des runabouts américains de la période 1910-1914.

Haase

La société américaine Northwestern Furniture Company de Milwaukee vend sous la marque Haase, du nom du directeur de la firme, 15 voitures du même modèle, à carrosserie deux places, entre 1902 et 1904. Le moteur deux cylindres, installé sous le siège, entraîne les roues arrière par chaînes. Le radiateur est à l'avant. La Haase est dirigée au moyen d'une barre franche.

Hanomag

Hanomag est l'abrégé de Hannoverische Maschinenbau AG, fondée en 1835 par Georg Egestorff. La firme construit des chaudières et des machines à vapeur, puis des locomotives.

La Haase de 1903 à moteur arrière ne pouvait pas dépasser 6 km/h avec la capote levée.

En 1925, la société produit sa première automobile. À cette époque, elle emploie environ 5 000 personnes. Les premiers modèles sont petits et bon marché et Hanomag est moins frappée que les autres firmes par la crise économique. La toute première Hanomag est la 2/10 PS, un modèle très simple sur une étude de Fidelis Böhler. Pour économiser du poids, Böhler supprime les ailes et les marchepieds et crée l'une des premières

La Kommisbrot se voulait le minimum automobile en 1925.

L'Hanomag 2/10 version course. Sa carrosserie en osier semble quand même apocryphe.

L'Hanomag 4/23 est produite entre 1931 et 1934. Son quatre-cylindres de 1 097 cm^3 donne 23 ch.

L'Hanomag 2/10 PS roule à 60 km/h avec les 10 ch de son moteur de 500 cm^3.

carrosseries ponton. Le moteur monocylindre de 502 cm^3 à soupapes latérales est placé en avant de l'essieu arrière. Il donne 10 ch à 2 500 tr/min. La voiture complète pèse seulemnt 280 kg, et elle atteint 60 km/h. Appelée « Kommisbrot » (pain de guerre) en raison de sa forme générale, cette voiturette est un succès.

La Rekord d'Hanomag est produite de 1934 à 1938. Certaines reçoivent un moteur diesel. La carrosserie tout acier de ce cabriolet est construite par Ambi-Budd.

En trois ans de production, plus de 15 000 exemplaires sont vendus. Le modèle qui lui succède, la 3/16 PS de 1926, présente des lignes plus conventionnelles, mais il rencontre moins de succès, avec 9 300 exemplaires vendus.

Hanomag s'est toujours limitée à la construction de petites voitures, avec succès. 19 188 Rekord sont vendues entre 1934 et 1938 dont 1 074 équipées d'un moteur diesel, solution encore très rare à l'époque. La Sturm de 1934, modèle plus luxueux, a elle peu de succès. Elle est propulsée par un six-cylindres à soupapes en tête de 2 241 cm^3 donnant 50 ch.

En 1939, 4 885 unités seulement ont été produites. Hanomag produit des voitures de tourisme jusqu'en 1941 puis des véhicules militaires. La production de modèles de tourisme ne reprend pas après 1945.

Hansa

Au début du XXe siècle, deux amis, le Dr Robert Allmers et le Dr August Sprockhorst, construisent des automobiles pour leur propre usage.
En 1905, ils deviennent constructeurs et fondent la Hansa Automobilgesellschaft qui deviendra la Hansa Automobilwerke AG.
Les voitures construites avant la Première Guerre mondiale sont équipées d'un monocylindre De Dion-Bouton jusqu'en 1908. Les modèles ultérieurs reçoivent des quatre-cylindres et des transmissions à cardans à la place des chaînes.
En 1914, Hansa fusionne avec Lloyd. Pendant la Première Guerre mondiale, Hansa-Lloyd construit surtout des camions pour l'armée allemande. Après 1918, la production repart très lentement. En 1920, Hansa-Lloyd, NAG et Brennabor fusionnent pour créer la Gemeinschaft Deutscher Automobilfabriken ou GDA. Mais ce groupement de constructeurs ne parvient pas à éviter la faillite qui frappe en 1929. Le consortium est racheté par l'ingénieur Carl Borgward dont les usines font face à celle de Hansa.

La Hansa 1700 possède un six-cylindres de 1 634 cm^3 à culbuteurs développant 40 ch à 3 800 tr/min.

La planche de bord de la Hansa 1700. La clé de contact commande aussi les éclairages.

Les Hansa de 1 100 et 1 700 cm^3 ont connu un grand succès. Les carrosseries sont identiques, seules les mécaniques sont différentes.

En 1931, Borgward fusionne les marques Goliath, Hansa et Lloyd en une seule société. Goliath produit les camions et les deux autres marques, les modèles de tourisme. Hansa tente de produire des voitures plus grosses, comme par exemple, en 1927, les types A6 et A8, qui sont équipés de moteurs américains Continental. Le modèle A6 est doté d'un six-cylindres de 3 262 cm^3 et le A8 d'un huit-cylindres de 3 996 cm^3. Ces moteurs étant relativement bon marché, elles sont vendues à des prix concurrentiels, mais cela ne suffit pas à garantir de grands volumes de ventes. Au total, environ un millier seulement de voitures à moteurs américains sont

construites. La firme a davantage de succès avec la Hansa 1100. Entre 1934 et 1939, un peu plus de 20 000 unités sont vendues.
La Hansa 1700, une 1100 dotée d'un moteur plus gros, connaît aussi un certain succès avec une production estimée à environ 6 000 exemplaires. La dernière Hansa de tourisme est produite en 1939.

Hinstin

La voiturette Hinstin découle d'un cyclecar construit par Jacques Hinstin, concessionnaire Grégoire de Maubeuge et industriel associé à Citroën dans l'exploitation des brevets Kégresse. Cette voiturette sportive est produite de 1920 à 1926.
La firme ne produit pas elle-même ses moteurs et ses transmissions mais les achète auprès de fabricants spécialisés comme CIME, Altos et Ruby. Grâce à ses bonnes relations avec l'importateur Grégoire et par son intermédiaire, Hinstin vend ses voitures en Grande-Bretagne où elles sont connues sous le nom de Little Greg.

Le cyclecar Hinstin évolue en voiturette sportive au début des années 1920.

Hispano-Suiza

Si cette marque a des origines espagnoles et suisses, elle n'a jamais produit de voiture en Suisse. Elle a été créée par l'ingénieur Marc Birkigt qui émigre en 1899, à l'âge de 21 ans, de Genève à Barcelone. En 1904, avec l'industriel catalan J. Castro, puis avec Damian Mateu, il fonde la *Hispano-Suiza Fabrica de Automoviles*. Leurs premiers modèles sont une quatre-cylindres de 10 HP et une 14 HP, héritées d'une firme précédente, la société J. Castro.
En 1906, la jeune marque introduit deux nouveaux types au Salon de Paris, une 20/24 HP et une 40 HP, respectivement de 3,7 litres et 7,4 litres.

La cigogne devient l'emblème officiel d'Hispano-Suiza après 1918. L'écusson du radiateur associe les drapeaux suisse et espagnol.

L'Hispano-Suiza J12 a été produite de 1931 à 1938 sur commande. Elle a été vendue à 120 exemplaires. Non rentable, c'est surtout un vecteur d'image pour cette firme aéronautique.

L'Hispano-Suiza H6B est une évolution du type H6 de 1919. Elle date de 1925, apogée de la marque. Son moteur est un six-cylindres de 6,6 litres qui produit 120 à 130 ch à 2 000 tr/min.

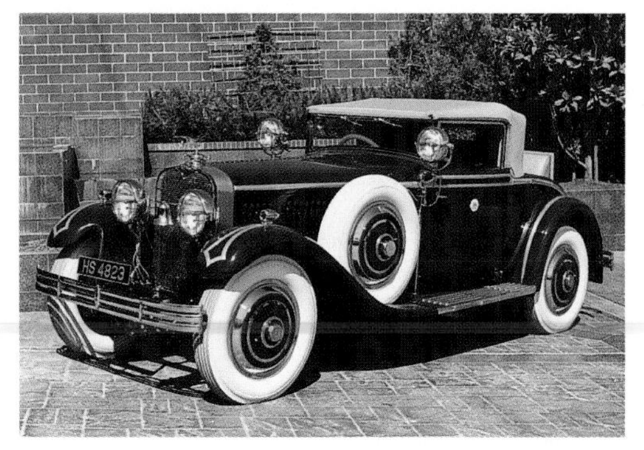

Peu après, Hispano-Suiza présente ses premières six-cylindres de 7 et 11 litres, ainsi qu'une quatre-cylindres de 12 HP à soupapes monolatérales, puis une 30 HP, pour des voitures plus lourdes et plus confortables. Parmi la clientèle de la marque, le roi Alfonso XIII n'est pas le moins enthousiaste.
Hispano-Suiza participe en France aux Coupes de l'Auto avec des voitures spéciales et remporte l'épreuve de 1910. Cette voiture de course donne lieu à la production en 1911 d'une série de voitures de sport dotées d'un moteur porté à 3,6 litres, capables d'atteindre 150 km/h et désignées type Alphonse XIII. Parallèlement, Hispano-Suiza propose une 2,6 litres moins exclusive. En 1911, Hispano-Suiza crée une filiale en France, d'abord à Levallois, puis à Bois-Colombes en 1913. C'est de cette usine que sortiront les modèles les plus prestigieux de la marque.
En 1919, Marc Birkigt présente son type H6 qui rivalise avec les Rolls-Royce, Mercedes-Benz et autres Isotta Fraschini, qu'elle surpasse même par son modernisme. Pendant la Grande Guerre, la firme, avec ses sous-traitants, produit près de 50000 moteurs d'avions V8 de 150/180 ch.
L'expérience acquise est appliquée aux moteurs d'automobiles. La H6 ou 32 CV bénéficie d'un six-cylindres en ligne en alliage léger chemisé

L'Hispano H6C est une H6 sport portée à 8 litres de cylindrée, produite parallèlement à la H6B à partir de 1923. Cette torpédo est une réalisation du carrossier Franay datant de 1932.

Hispano-Suiza J12 Type 68bis à moteur V12 porté à 11 300 cm³ et 220 ch. La carrosserie torpédo à double pare-brise est de Henri Binder, carrossier parisien. Le V12 avait été agrandi pour équiper des autorails.

La dernière Hispano-Suiza produite en France est la K6 de 1936, une six-cylindres en ligne à culbuteurs de 5 litres donnant 120 ch à 3200 tr/min. La production cesse pratiquement fin 1938.

La 15 CV Hispano-Suiza, produite en France à partir de 1912, prend l'appellation Alfonso XIII dans sa version sport, en hommage à un illustre client et commanditaire de la marque.

à 1 ACT de 6597 cm³, avec double allumage. Le châssis, très équilibré possède quatre grands freins à commande assistée mécaniquement. La H6 et ses évolutions (H6B, H6C 46 CV) sont produites jusqu'en 1932. Depuis fin 1931, Hispano propose la J12 ou 54 CV, une « super-voiture » à moteur douze-cylindres en V de 9,4 litres et 220 ch à 3000 tr/min qui évolue en type 68 bis de 11 litres et 250 ch à 2800 tr/min. Très peu de voitures sont construites jusqu'en 1938 (environ 120). Pour un meilleur silence, les soupapes sont à culbuteurs. Leur prix, au moment de la crise, freine leur diffusion. La firme française produit en 1930 la HS 26 ou Junior sur châssis Ballot puis, en 1934, la K6, une six-cylindres à culbuteurs de 5184 cm³, l'usine espagnole produisant des modèles moins chers. En 1938, Hispano-Suiza cesse la production d'automobiles en France pour consacrer toutes ses ressources à la production de moteurs d'avions et d'armements.

En Espagne, les automobiles sont produites jusqu'en 1943, puis la firme entre en 1947 dans le groupe ENASA, partiellement nationalisé, qui produit des camions et des bus sous la marque Pegaso (ainsi qu'une poignée de voitures de sport en 1952). La production totale est estimée à 6000 voitures en France et 2600 en Espagne. Marc Birkigt décède en Suisse en 1953.

Horch

August Horch naît en Allemagne en 1868. À treize ans, il travaille avec son père, maréchal-ferrant. Il devient apprenti dans diverses firmes d'Europe de l'Est, puis il suit des cours techniques en Allemagne entre 1887 et 1891.

Après ses études, il travaille comme dessinateur technique dans une entreprise de mécanique de Leipzig. Son savoir-faire est rapidement détecté par Karl Benz, qui lui offre un emploi dans son usine de Mannheim.

Horch s'intéresse tellement à l'automobile qu'il décide de fonder sa propre entreprise en 1899. Un an après, le premier prototype sort de

La Horch 10/12 HP est présentée en 1901 avec un bicylindre de 10 ch. Ce tonneau à dais démontable date de 1904.

La Horch huit cylindres apparaît en 1931 et 1932 sous le type 420 d'une cylindrée de 4,5 litres.

Intérieur d'un cabriolet Horch 853A aux finitions parfaites en cuir et bois vernis d'une qualité légendaire. Revers de la médaille : un poids élevé qui limite les reprises et pénalise la consommation.

La Horch 853A (ici un cabriolet de 1937) est propulsée par un huit-cylindres en ligne de 5 litres et 100 ch.

Ce cabriolet Horch 853A capturé par les militaires russes est resté en Russie.

son petit atelier. Du point de vue technique, ce véhicule est très en avance sur son temps. Le moteur bicylindre est placé à l'avant, comme sur les Panhard, mais la transmission est du type arbre à cardans et non à chaînes. En 1904, la première Horch quatre cylindres est présentée, suivie en 1908 d'une six-cylindres.
August Horch quitte sa firme en 1909, en désaccord avec ses commanditaires et associés, et fonde la marque Audi. La production des Horch continue : de grosses six-cylindres 6,4 litres et des quatre-cylindres 2,5 litres et 1,6 litre. En 1914, ces voitures peuvent être équipées d'un éclairage et

d'un démarrage électriques, mais avec un appréciable supplément de prix. Aucun modèle Horch n'est produit en grande quantité.
Au lendemain de la Première Guerre mondiale, moins de 35 000 voitures avaient été produites.
En 1922, Paul Daimler est embauché par la firme Horch. En octobre 1926, il sort la Horch 8 à moteur huit-cylindres en ligne à 2 ACT de 3 230 cm³ de 60 ch à 3 200 tr/min.
Avec le temps, les moteurs Horch, comme ceux des autres constructeurs, deviennent de plus en plus gros *(voir tableau ci-dessous)*. Entre 1931 et 1933, un moteur V12 est également proposé en haut de gamme. Avec une cylindrée de 6 litres et une

Affiche Horch de 1913-1914, au graphisme très moderne pour l'époque, qui met en avant la vitesse de la voiture.

La carrosserie Voll et Ruhrbeck a réalisé ce cabriolet Horch 853A aux formes profilées à la fin des années 1930.

La Horch 855 Spezial Roadster, haut de gamme de la marque, n'est produit qu'à sept exemplaires, à des fins promotionnelles. Ce type de voiture est confié à des vedettes de cinema ou prêté pour des films.

puissance d'environ 120 ch à 3 200 tr/min, il atteint la vitesse maximale de 120 km/h. Ce modèle, pesant près de deux tonnes, consomme plus de 30 litres aux 100 km.
Depuis la fin de 1932, Horch est chargée de produire, dans le groupe Auto Union, les modèles de grand luxe sous la direction technique des ingénieurs Fiedler et Schleicher qui ont remplacé Paul Daimler. Mais à partir de 1933, Horch se limite aux « petits »

Année	*Cylindrée*	*Puissance*
1927	3 378 cm³	65 ch
1928	3 950 cm³	80 ch
1931	4 517 cm³	90 ch
1935	4 944 cm³	100 ch

Les deux derniers moteurs sont à 1 ACT.

La Horch 930V est produite, de 1937 à 1940, à 2 054 exemplaires toutes carrosseries confondues.

huit-cylindres de 4 à 5 litres. Les plus belles voitures datent de cette époque. Entre 1935 et 1940, les types 850, 853 et 855 sont équipés du huit-cylindres de 5 litres à 1 ACT. Le type 851 est produit spécialement pour les administrations et l'armée et la Horch 851 est livrable en Pullman Limousine avec caisse à quatre portes et en décapotable quatre portes.

Pendant la Seconde Guerre mondiale, Horch produit des véhicules de combat tout-terrain et des blindés légers pour la Wehrmacht. Après 1945, les usines, situées en Allemagne de l'Est, sont nationalisées.

Affiche soulignant le caractère sportif de la Horch.

La Horch huit cylindres type 780 produite en 1932 et 1933 se présente ici en Sportcabriolet.

Hotchkiss

Cette Hotchkiss AM80 de 1930 à moteur six cylindres de trois litres est une routière de qualité, rapide et fiable.

Le style adopté en 1936 (ici un cabriolet 17 CV 680 de fin 1935, carrossé en Suisse par Graber) va perdurer sans modifications importantes jusqu'en 1950.

L'emblème de la marque, avec ses deux canons croisés et une grenade, rappelle que l'entreprise a débuté dans l'industrie de l'armement. Benjamin Berkeley Hotchkiss naît dans le Connecticut, à Watertown, en 1826. Après des études de commerce, il entre dans la fabrique d'armes de Samuel Colt, où il participe à la création du célèbre revolver. En 1855, Benjamin Hotchkiss fonde une société avec son frère Andrew pour la fabrication de canons, de fusils et de munitions. Ces armes sont exportées surtout au Mexique et au Japon. Les Hotchkiss développent leurs activités du fait de la Guerre de Sécession.

En 1867, Benjamin Hotchkiss propose au gouvernement français une mitrailleuse. Il fonde une usine dans l'Aveyron au moment de la guerre de 1870 puis, en 1875, une autre à Saint-Denis, au nord de Paris, pour la production de canons à tir rapide. Il meurt en France en 1885. Son adjoint Lawrence Vincent Benet commence à fabriquer en sous-traitance des pièces de précision pour les premiers constructeurs automobiles.

Soupapes, vilebrequins, pistons et bielles sont livrés aux usines Panhard et Levassor, Charron, De Dion, etc. Des moteurs complets sont aussi produits, pour Delaugère et Clayette.

En 1903, Hotchkiss fabrique ses premières automobiles, très proches des grosses Mercedes, avec un quatre-cylindres de 30 ch. La transmission aux roues arrière est à chaînes.

Très tôt, des types Grand Prix sont construits comme le type E de 1904 pour la Coupe Gordon-Bennett. Le quatre-cylindres de 17,8 litres développe 80 ch à 950 tr/min. La première six-cylindres 30/40 HP est

L'AM2 à moteur à quatre cylindres culbuté de 2 413 cm³ apparaît fin 1925. Ici, un coupé-chauffeur de 1928.

Les Hotchkiss 1935, recentrées sur l'avant, reçoivent une calandre inclinée concave. Ce style transitoire et pseudo-aérodynamique sera heureusement revu dès 1936.

Une Hotchkiss type 486 millésime 1936 sur empattement de 292 cm. Avec un quatre-cylindres de 2 312 cm³, elle atteint 110 km/h. Le style 1936 va durer pratiquement jusqu'en 1948, sans grand changement.

présentée en 1908 puis, en 1910, des modèles plus petits de 2,1 litres et 3,6 litres, à côté des modèles 5 et 5,6 litres déjà existants.

Pendant la Grande Guerre, Hotchkiss se consacre à la production de mitrailleuses et ne réalise que quelques voitures d'état-major. Mais la fabrication d'automobiles est reprise en 1919 avec le type 18/22 HP. En 1923, la marque produit uniquement le type AM de 12 CV.

Entre 1919 et 1939, Hotchkiss crée 31 types différents, dont 16 à moteur à quatre cylindres et 15 à moteur à six cylindres. L'AM 80 six cylindres de 3015 cm³ est l'un des modèles les plus vendus dans les années 20, avec

Une Hotchkiss 864 (4 cyl. 86 mm d'alésage), produite de 1938 à 1950 croise ici une Salmson S4-61 de 1937.

la quatre-cylindres AM2. Après la Première Guerre mondiale, Hotchkiss ne produit plus de modèles de course, mais les grandes routières Hotchkiss sont assez performantes pour gagner quatre fois le rallye de Monte Carlo en 1932, 1933, 1934 et 1939. Parallèlement, Hotchkiss produit des chars de combat et des armements. La production automobile reprend en 1946 et cesse en 1954, sauf celle des Jeep et des camions légers.

HRG

Sans avoir produit plus de 241 voitures, HRG est entrée dans l'histoire, au moins en Grande-Bretagne. L'usine est fondée en 1935 à Kingston-on-Thames par trois ingénieurs : E. A. Halford, Guy Robins et H. R. Godfrey. Auparavant, Godfrey avait créé le cyclecar GN. HRG construit des voitures de sport aux suspensions très fermes et au confort minimal, mais très rapides. Leur long capot cache un moteur

La HRG 1500 de 1939 reçoit un moteur Singer quatre cylindres à un arbre à cames en tête poussé à 65 ch avec deux carburateurs.

La planche de bord d'une HRG, voiture de sport coûteuse, est particulièrement bien équipée.

Un pilote de HRG se soucie peu de roues indépendantes et de freins hydrauliques.

Meadows 1 500 cm^3 ou un moteur Singer 1 100 ou 1 500 cm^3. Au printemps 1936, un premier prototype est présenté et cinq voitures sont livrées la première année.
Les types d'avant 1939 ont des freins à câbles et les essieux avant et arrière rigides sont conservés jusqu'en 1955, où un projet de voiture moderne à roues indépendantes est lancé.
L'offre de HRG n'a jamais été très étendue, comme le montre le tableau ci-dessous :

Année	*1,5 litre série A*	*1,5 litre série W*	*1100 S*
1935	1		
1936	5		
1937	10	1	
1938		8	1
1939		1	7
Total	*16*	*10*	*8*

Les 207 autres voitures ont été produites après 1945. Le dernier prototype HRG naît en 1966 et ne sera pas suivi de production.

Hudson

Prendre un bon départ constitue une grosse moitié du succès et les associés et amis Roy Chapin et Howard Coffin eurent tout lieu de se féliciter du leur. Leur première Hudson sort d'usine à Detroit le 3 juillet 1909 et à l'issue des douze premiers mois, ils ont vendu plus de 4 000 voitures. Jamais encore un nouveau modèle ne s'est autant vendu en si peu de temps. Joseph Hudson a, lui aussi, toutes les raisons d'être satisfait. Il est le commanditaire de l'entreprise. La Hudson Motor Car Company construit des voitures à moteurs de quatre et six cylindres.
À l'époque, la course est un puissant moyen publicitaire, qui assure la réputation ou marque le déclin des marques. En 1916 par exemple, une Hudson Super Six est la première voiture américaine à réaliser une double

La Hudson Super Six est présentée en 1916 avec un nouveau six-cylindres maison, qui devient la référence dans sa catégorie (4,7 litres et 76 ch). La voiture ci-dessous a été utilisée par le général Pershing en France.

Dès 1909, Hudson annonce son Model 20 quatre cylindres avec le slogan : « élégant, puissant, rapide et spacieux ».

La qualité du moteur Hudson Super Six donne lieu à la construction de versions course en 1917. La marque bat aussi de nombreux records de vitesse et d'endurance.

traversée du continent de New York à San Francisco et retour.
En 1919, une Hudson termine neuvième des 500 Miles d'Indianapolis.

La Hudson Model R modèle 1930 est une huit-cylindres de 3,4 litres et 80 ch qui sera construite jusqu'en 1952. Des volets de capot remplacent les ouïes et la barre porte-phares est courbe. L'appellation The Greater Hudson remplace Super Six.

En 1918, Hudson lance la marque Essex. Elle est alors en mesure d'offrir un gamme comportant des modèles dans toutes les catégories de prix, mais connaît des fortunes diverses, comme tous les constructeurs.
25 772 voitures sont vendues en 1916, année record mais en 1918, les ventes ne sont que de 12 526 exemplaires. En 1925, Hudson occupe le troisième rang des constructeurs américains, derrière Chevrolet et Ford. Les ventes s'élèvent à 109 840 voitures, toutes équipées du moteur à six cylindres Super Six.
En 1930, Hudson propose sa première huit-cylindres en ligne. Cette voiture, vendue sous l'appellation générale Hudson Great Eight, est proposée en deux empattements et pas moins de onze types de carrosserie différents. Cette première année de

Le style des Hudson 1940 est profondément remanié. Ce cabriolet est conservé au Musée Jysk de Gjern au Danemark.

Dans les années 1930, Hudson exporte beaucoup de châssis nus, habillés par les meilleurs carrossiers européens. Ici, un cabriolet 1935 carrossé par Gangloff, de Colmar.

crise se traduit par 36 674 ventes. Par la suite, la production va décroître encore, du fait de la crise persistante. Le volume de production atteint en 1930 ne sera retrouvé qu'en 1938.

Année	*Volume*	*Année*	*Volume*
1931	17 487	1937	19 848
1932	7 777	1938	51 078
1933	2 401	1939	82 161
1934	27 130	1940	87 900
1935	29 476	1941	79 529
1936	25 409	1942	40 661

La crise économique frappe durement Hudson, comme toute l'industrie automobile américaine.

Après l'introduction du huit-cylindres en ligne en 1930, Hudson ne propose plus de six-cylindres en 1931 et 1932. Erreur stratégique ? Probablement, et une Super Six est réintroduite fin 1932.
La même année, Hudson crée la marque Terraplane, afin de concurrencer la nouvelle Ford V8. La nouvelle marque se vend bien et assure l'essentiel des bénéfices du groupe Hudson.

Hupmobile

Robert Craig Hupp a déjà travaillé pour Ford et Oldsmobile quand il crée son automobile en 1908. Il s'agit d'une petite sportive décapotable.
Hupp présente cette voiture un an après au Salon de l'Automobile de Detroit sous la marque Hupmobile. À ses débuts, la Hupp Motor Car Company réussit bien.
En 1909, l'usine de Milwaukee Avenue à Detroit sort 1 618 voitures. En 1910, le volume atteint 5 340 voitures et 6 079 en 1911. Les premières ont un moteur à quatre cylindres. En 1925, le modèle E-1 introduit dans la gamme un huit-cylindres en ligne .
Ce modèle fait place en 1926 au type A-1, doté d'un six-cylindres latéral.
En 1930, l'usine propose trois modèles de base : le modèle S avec un six-cylindres de 70 ch, le modèle C avec un huit-cylindres de 100 ch et le type H avec un huit-cylindres de 133 ch. Ce dernier modèle possède un empattement de 318 cm et des roues de 19 pouces. La même année, plus de 22 000 voitures sont produites, qui placent Hupmobile au 17e rang des constructeurs américains.

En 1928, cette Hupmobile Century Six est en vente à un prix de 1 395 dollars, soit trois fois celui d'une Ford Model A de base.

En 1931, les revendeurs Hupmobile peuvent offrir une gamme étendue. Le type le moins cher est la Century Six à moteur six-cylindres. Les quatre autres modèles ont un huit-cylindres. Il s'agit des Century Eight et Hupmobile C, H et U. Ces deux dernières ont une puissance de 133 ch et la version limousine coûte 2295 dollars, un prix élevé à l'époque.
Une Century Six revient à moins de 1000 dollars. Les Hupmobile sont fiables et bien construites. Le style est élégant et elles ne sont pas (beaucoup) plus chères que leurs concurrentes directes. Pourtant, la demande ne cesse de décliner.

Hupmobile Roadster Century Six 1929 équipée en option de roues fils. Le spider offre deux places supplémentaires.

En 1932, la marque occupe toujours la treizième place des constructeurs, mais la production de cette année-là dépasse à peine les 10000 exemplaires. En 1935, 9346 acheteurs seulement se décident en faveur d'une Hupmobile. En 1936, tous les modèles ont des freins hydrauliques et un surmultiplicateur peut être monté en option, avec supplément. Mais les acheteurs se raréfient. 1556 voitures seulement trouvent preneur en 1936. La production est arrêtée en 1937.
Dans un ultime sursaut pour retourner la situation, des modèles totalement nouveaux sont étudiés pour 1938, mais cette tentative échoue. Cette année-là, les ventes ne s'élèvent qu'à 1400 voitures.
Entre-temps, Hupmobile a racheté les outillages de fabrication de la Cord 810/812. En 1939, la première Hupmobile à carrosserie Cord (fabriquée en fait par Graham) apparaît avec un nouvel avant. Les ventes s'élèvent à 319 unités. À l'automne 1940, la dernière Skylark quitte l'usine Hupmobile. Ces voitures sont munies d'un six-cylindres de 101 ch. La marque disparaît sans faillite déclarée.

En 1940, la Skylark, dernière Hupmobile produite, utilise les éléments de carrosserie de la Cord 812 qui inspire jusqu'au style très moderne de la planche de bord.

Invicta

Noël Macklin construit sa première voiture de sport en 1924, ou plutôt son premier châssis, dans une dépendance de la propriété familiale de Cobham, au sud de Londres.

Les premières voitures sont livrées en châssis, équipées d'un moteur Meadows à culbuteurs 2,6-litres au lieu d'un Coventry Climax 2,5 litres mal adapté. Après un essai routier de 1 600 km, le moteur est démonté, inspecté et remonté avant d'être livré. Très vite, la cylindrée est portée à trois litres et l'Invicta établit quelques records spectaculaires.

Au Salon de Londres de 1928, Invicta propose une voiture avec moteur Meadows six-cylindres de 4,5 litres d'environ 110 ch avec deux carburateurs. Ce modèle est vendu en 1928 et 1929. La marque sort alors en 1930 une version S, surbaissée, donnée pour 160 km/h, mais cette spectaculaire voiture arrive sur le marché au mauvais moment, au début de la grande crise économique.

Pour en démontrer tout le potentiel, Donald Healey s'engage au rallye de Monte Carlo 1931, qu'il gagne devant le jeune Jean-Pierre Wimille. Raymond Mays établit quelques records en côte avec une type S 4,5 litres.

Les acheteurs d'Invicta ont le choix entre deux empattements, court et long, mais après 1929, seul le court est disponible. La voiture est garantie cinq ans et le prix de vente en tient compte : 950 livres en 1931.

La production totale ne s'élève pas à plus de 80 voitures.

Les dernières Invicta 4,5 litres S ont une puissance de 140 ch. Invicta lance alors un petit modèle à moteur Blackburne 1,5 litre qui n'a pas plus

L'Invicta surbaissée n° S 106 est produite en 1931, en pleine crise économique. Le couple important du moteur demande une grande vigilance à son pilote.

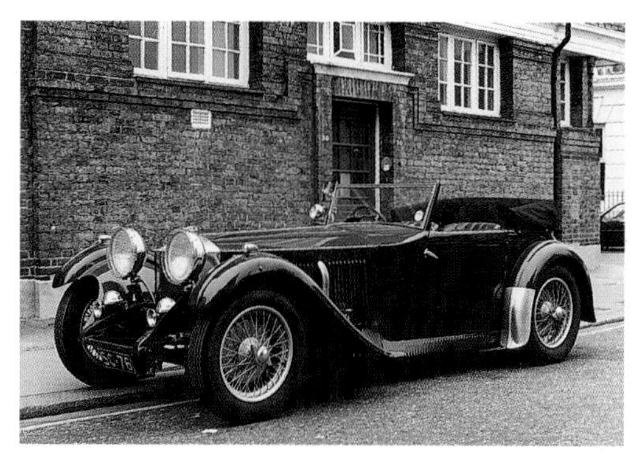

Cette Invicta type S 4,5 litres, carrossée en cabriolet, offre davantage de confort que les roadsters traditionnels. Son capot occupe plus de la moitié de sa longueur totale.

Une Invicta S 4,5 litres a remporté le rallye de Monte Carlo 1931 pilotée par Donald Healey, en battant la Lorraine de Jean-Pierre Wimille d'une fraction de point.

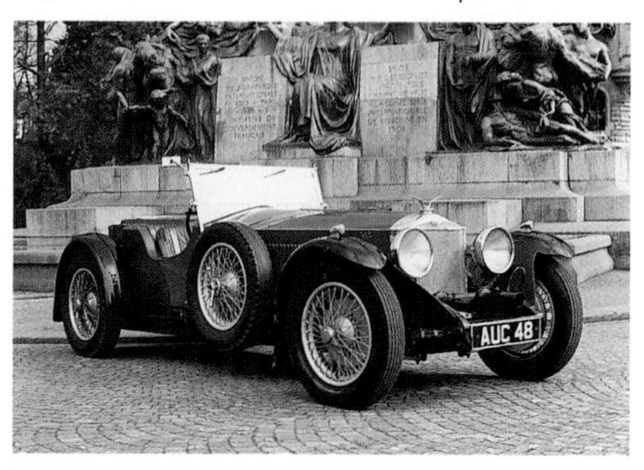

Une Invicta 4,5 litres frôle 160 km/h et accélère de 0 à 100 km/h en 14,5 secondes. La production totale est d'environ 80 exemplaires.

Le six-cylindres de l'Invicta, produit par Meadows, peut être alimenté par deux ou quatre carburateurs SU. Il délivre jusqu'à 140 ch.

de succès que la 12/90 de 1933, même avec un compresseur optionnel. Les droits de la marque sont alors vendus. Pendant la Seconde Guerre mondiale, l'ancienne usine Invicta produit des vedettes lance-torpilles pour la Navy britannique.
En 1946, la marque réapparaît avec la Black Prince, une ambitieuse voiture aérodynamique à quatre portes avec un moteur Meadows trois litres à 2 ACT, double allumage et convertisseur de couple hydraulique à la place d'une boîte de vitesses.
La production, très confidentielle, est arrêtée en 1949.

Isotta Fraschini

Si les dernières années du XXe siècle sont difficiles pour Rolls-Royce, les années 1920 ne sont pas de tout repos pour « la meilleure voiture du monde ». En Allemagne, on rêve d'une Mercedes ou d'une Maybach, Hispano-Suiza domine le marché en France et en Amérique, Packard et Peerless s'imposent, sans oublier Cadillac.
En Italie, c'est en Isotta Fraschini que roule l'élite. L'histoire de cette marque commence quand Cesare Isotta et Oreste Fraschini (ainsi que ses frères) s'associent pour produire des automobiles, d'abord par assemblage, puis en construisant eux-mêmes des modèles originaux de forte cylindrée, conçus par l'ingénieur Stefanini assisté de Giustino Cattaneo.
En 1908, rompant avec ses habitudes, Isotta Fraschini propose une petite quatre-cylindres de sport à moteur 1,2 litre à 1 ACT à laquelle la première Bugatti type 10 de 1909 ressemblera

Cette magnifique torpédo sport est une réalisation du carrossier Cesare Sala sur châssis 8A SS de 1927.

Isotta Fraschini exporte beaucoup sa huit-cylindres aux États-Unis, sous forme de châssis nus carrossés sur place. Ici un cabriolet de 1928 habillé par Le Baron.

beaucoup . Mais cette période de production de voiturettes ne dure pas et la marque revient bientôt aux grosses voitures chères.

En 1913, par exemple, Isotta Fraschini propose des quatre-cylindres de plus de 10 litres. Pendant la Première Guerre mondiale, la firme se spécialise dans la production de moteurs d'avions V12 et W18.

L'expérience acquise sera transposée après le conflit dans la production automobile. En 1919, l'Isotta Fraschini Tipo 8 est une grande et luxueuse huit-cylindres en ligne à culbuteurs dont le bloc est en aluminium chemisé. La cylindrée initiale est proche de 6 litres comme l'Hispano, mais la puissance est limitée à 75/80 ch à 2200 tr/min. La Tipo 8 est sans doute la première huit-cylindres produite en série.

En 1924, Cattaneo porte la cylindrée à 7,4 litres sur la 8A qui dispose de 110 à 120 ch dans un silence parfait, mais l'alourdissement du châssis ruine le gain de puissance. Pour réaliser de vraies performances, Isotta Fraschini en dérive les 8A S et 8A SS à châssis court dont le moteur peut être poussé à 160 ch à 3000 tr/min.

En 1931, la Tipo B bénéficie d'un châssis plus rigide, d'un moteur de 150 ch et d'amortisseurs plus efficaces. Mais la production s'effondre et Isotta Fraschini entre dans le groupe aéronautique et industriel Caproni pour produire des moteurs diesel et des camions.

La carrosserie Stabilimenti Farina a carrossé cette Isotta Fraschini 8A de 1929 en Imperial Landaulet. Il s'agit d'une carrosserie découvrable dite « tous temps ».

En 1930, Carrozzeria Castagna produit cette torpédo sport à double pare-brise sur châssis 8A SS n° 1664.

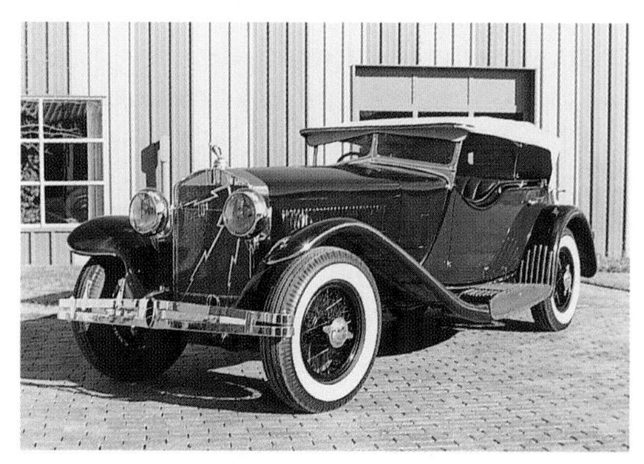

Jaguar

William Walmsley et William Lyons jettent, le 4 septembre 1922, les bases d'une firme appelée à devenir l'une des marques automobiles les plus célèbres du monde.

La Swallow Sidecar Company est fondée dans Bloomfield Road à Blackpool, dotée d'un capital de mille livres, avec comme objet social la fabrication de side-cars.

Ces attelages présentent une ligne moderne et fonctionnelle et leur qualité d'exécution leur vaut un succès immédiat, qui durera et assurera les premières années de l'entreprise.

Toujours en 1922, Herbert Austin lance la Seven dont le succès est sans précédent. La jeune Swallow Sidecar Company en partagera le succès car, en 1927, elle propose des carrosseries spéciales sur le châssis Seven.

L'Austin Swallow en version conduite intérieure ou sport est très élégante et bien équipée et son succès se traduit par une production croissante qui dépasse bientôt celle des sidecars. La firme habille aussi d'autres châssis et devient davantage une entreprise de carrosserie que de sidecars, au point de changer de raison sociale. Elle s'établit à Coventry en 1928, où William Lyons crée bientôt les ancêtres directes de la Jaguar.

En juillet 1931, des fuites organisées dans la presse annoncent la prochaine SS: *« Wait, the SS is coming »*, *« Attendez, la SS arrive… »*

Que signifient ces lettres « SS » ? Super Sport, Standard Swallow ou Swallow Sidecar, on n'a jamais su vraiment…

La présentation officielle des SS One (ou I) et SS Two (ou II) a lieu au Salon de Londres en octobre 1931. À côté d'une Wolseley Hornet Swallow, s'étirent deux coupés très bas aux lignes nettes. C'est surtout la SS I qui retient l'attention des amateurs.

Ce coupé sport possède un long capot et un habitacle court, avec deux places et un espace à peine suffisant pour deux enfants. La voiture est réalisée sur la base mécanique de la Standard 16, mais le moteur six-cylindres 2 litres peut être « gonflé » de 45 à 55 ch. Les finitions de la voiture sont de très haute qualité: sellerie en cuir raffinée et planche de bord en bois verni.

Le plus étonnant est son prix. Pour 310 livres, l'acheteur obtient une voi-

William Lyons commence sa carrière industrielle en 1922 par la fabrication de side-cars aux lignes très modernes.

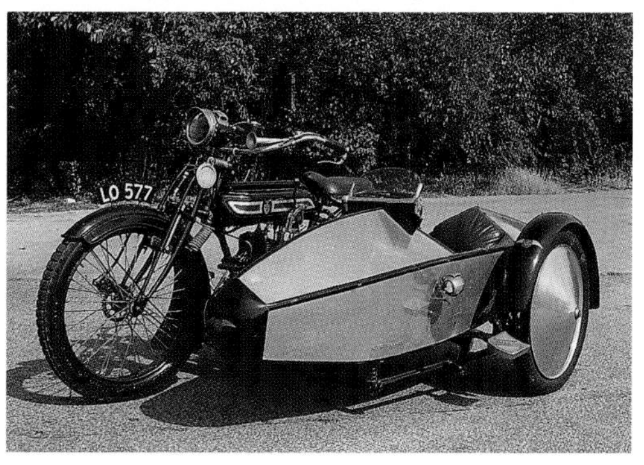

En 1933, la SS I, construite sur un nouveau châssis long et surbaissé, fait sensation par son style et son prix très abordable.

Cette SS I, carrossée en faux cabriolet, possède une capote de cuir non repliable avec des compas factices.

Œuvre de carrossier, la SS I offre des finitions alliant élégance et qualité d'exécution, qui marqueront toutes les productions futures de la marque Jaguar.

ture que la concurrence propose souvent deux fois plus cher. Et pour 10 livres de supplément seulement, il peut avoir un moteur de 2,5 litres. Au début, la SS II suscite moins d'enthousiasme. Les journalistes négligent le petit modèle construit sur le châssis de la Standard Little Nine. Le moteur Nine latéral quatre cylindres a une capacité de 1 006 cm^3 et 28 ch. Même à 210 livres seulement, très peu de SS II sont vendues, leurs performances étant trop médiocres.

Dès 1932, William Lyons améliore les rendements et en 1933, le châssis est modifié. L'empattement passe de 285 à 302 cm, la SS I s'allonge de 447 à 460 cm. Au printemps, un modèle décapotable est présenté. En 1934, l'empattement de la SS II passe de 227 à 264 cm. Cette nouvelle version est propulsée par un quatre-cylindres porté à 1 343 cm^3 et 32 ch. En 1935, William Walmsley quitte la firme et William Lyons, resté seul, décide de dissoudre la Swallow Coachbuilding Company Ltd, raison sociale adoptée en 1929.

La nouvelle société est appelée SS Cars Ltd montrant ainsi qu'elle se consacre à la production d'automobiles. En 1935, autre fait d'importance, William Munger Heynes entre à la SS Cars après avoir été ingénieur en chef chez Humber. Avec Harry Weslake, il conçoit un « nouveau » moteur pour la SS. Le bloc-cylindres et l'équipage mobile proviennent toujours de chez Standard, mais une nouvelle culasse à culbuteurs coiffe le groupe. Heynes commence alors l'étude d'un nouveau châssis pour recevoir ce moteur plus performant. Ainsi naît la SS 2,5 Litre, après cinq mois de travail, présentée au Salon de Londres 1935, cette fois en berline sport à quatre portes. En 1936, la carrosserie devient tout acier, le bois n'étant plus utilisé que pour les finitions intérieures. La voiture est disponible sous différents habillages et

Ce tourer quatre places, typiquement britannique, a été réalisé en 1936 sur un châssis SS I.

À deux semaines du Salon de Londres 1935, William Lyons fait sensation en présentant le berline SS Jaguar 2,5 litres, vue ici en version 1937 (avec déflecteurs).

même avec l'ancien moteur latéral quatre cylindres de la SS II porté à 1,5 litres, puis un groupe à culbuteurs 1,8 litre. Cette dernière version, dite SS 1,5 Litre, est évidemment beaucoup moins chère. Son succès est immense avant et même après la guerre.

Les nouvelles SS sont toutes à culbuteurs (bien que les latérales soient encore livrables sur demande). Ces six-cylindres de 2,7 litres, puis, après 1937, de 3,5 litres ont une puissance de 102/105 ch puis de 125 ch, à 4600 tr/min. L'empattement des grandes voitures est de 302, puis 305 cm. Une fois de plus, les prix très bas attirent de nombreux acheteurs. Avant 1939, les voitures reçoivent des modifications de détail, comme par exemple la roue de secours, auparavant placée dans l'aile avant gauche, qui disparaît sous un plancher dans le coffre.

Le 3 octobre 1936, l'ingénieur R. Tijken essaye une SS Jaguar 2,7 litres pour le magazine hollandais Autokampioen. Voici ses impressions : « À peine assis au volant, vous ressentez une impression de jamais vu. Une pression sur l'accélérateur déclenche une ruée de chevaux et la voiture, même en prise directe, atteint sa vitesse de croisière très rapidement. Les trois rapports supérieurs sont synchronisés. Si vous voulez accélérer plus fort, il vaut mieux monter les rapports selon l'ancienne méthode, de façon à gagner des secondes. C'est d'ailleurs l'un des côtés séduisants de la Jaguar. Vous pouvez la conduire comme une très digne six-cylindres capable de rouler toujours en prise directe, intégrée calmement dans la circulation urbaine et à peine différente des autres voitures de grosse cylindrée,

ou bien vous pouvez tirer le meilleur des qualités de la voiture de telle sorte qu'en jouant de la boîte avec discernement, vous pilotez alors une voiture capable de satisfaire les vrais sportifs. » Tijken conclut son essai par cette appréciation : « L'expérience recueillie après avoir conduit la Jaguar sur plusieurs centaines de kilomètres peut être résumée en disant que cette voiture réunit les qualités d'une voiture de sport et d'une automobile de luxe de la façon la plus heureuse, de telle sorte que cette unique personnalité satisfera sur de nombreux points à la fois l'automobiliste le plus pondéré et le sportif. »
En créant la berline quatre portes Jaguar, William Lyons a fait un pas de géant vers la berline sport, mais sans oublier toutefois la recette de la vraie voiture de sport. Bien au contraire.
Il est alors évident qu'une nouvelle SS sportive doit être créée à partir des moteurs de William Heynes. Cette superbe SS 90 n'a qu'un défaut : sous son long capot, elle n'offre qu'un six-cylindres vieillot à soupapes latérales. Ses 2,7 litres ne donnent que 72 ch et le compteur n'affiche au

La SS 100 est présentée en 1936 avec un moteur 2,7 litres. Ses lignes en font un archétype de la voiture de sport.

La SS 100 bénéficie en 1938 d'un moteur 3,5 litres à culbuteurs et culasse spéciale développant 125 ch. Le nombre 100 est la vitesse maxi de la voiture (100 miles/ 160 km/h).

mieux que 140 km/h. Entre mai et septembre 1935, 23 SS 90 seulement sont vendues.
Pendant l'hiver 1935-1936, Weslake et Heynes mettent au point un nouveau moteur à culbuteurs qui va être monté dans le nouveau modèle SS 100 présenté en septembre 1936. Cette voiture devient alors la sportive d'avant guerre par excellence, avec son six-cylindres 2,7 litres poussé à 102 ch. Mais la vitesse annoncée, une fois de plus, est trop faible, au-dessous des 160 km/h.
Le seuil est franchi en 1937 lorsque la SS 100 bénéficie du nouveau moteur de 3,5 litres. Avec 125 ch, la SS 100 devient alors aussi performante que belle malgré le poids élevé de son châssis et ses essieux rigides qui ne permettent pas toujours d'exploiter sa puissance. Elle est quand même capable d'accélérer de 0 à 100 km en 11 secondes.
Pour des raisons évidentes, William Lyons abandonne la marque SS en mars 1945. Désormais, ses voitures s'appelleront uniquement Jaguar.

Jeep

La paternité de la Jeep est souvent attribuée à Willys-Overland. Jeep-Eagle, qui est aujourd'hui propriété du groupe Chrysler, ne le contredira pas. Mais la vérité historique désigne American Bantam comme vrai créateur de la Jeep. En 1940, les services de l'armée américaine lancent un appel d'offres auprès des constructeurs automobiles pour la fourniture d'un véhicule tactique léger, capable d'évoluer en tout-terrain, appel assorti de conditions draconiennes.
Le 11 juillet 1940, 135 firmes sont sollicitées. Elles ont… 11 jours seulement pour soumettre leur projet, puis en cas d'approbation, 49 jours pour présenter leur premier prototype… Deux firmes seulement répondent dans les délais. Willys-Overland obtient une prolongation, seule Bantam respecte le délai original. La petite firme, qui produit des dérivés de l'Austin Seven, obtient une commande de 70 voitures complètes, le 25 juillet 1940. Huit d'entre elles doivent être à quatre roues motrices. Le 23 septembre, le premier prototype quitte l'usine pour les pre-

La Bantam est la « grand-mère » des Jeep. Le service du matériel avait demandé une voiture à quatre roues motrices de 203 cm d'empattement et d'un poids maximal de 590 kg qui sera pratiquement doublé.

Le prototype Bantam de la future Jeep intègre les phares aux ailes.

Le prototype Ford, qui ressemble beaucoup à celui de Bantam, place les phares dans la calandre.

miers essais et le 17 décembre, le colonel Eisenhower (futur général et président) réceptionne les autres véhicules. Les premiers véhicules tout-terrain Bantam sont constitués d'organes divers. Le moteur quatre cylindres est un Continental, la boîte à trois rapports une Warner et les joints de transmission des Spicer. Après avoir examiné la Bantam, les ingénieurs de Willys redessinent leur modèle, qui du coup lui ressemble beaucoup… Bantam accuse Willys de plagiat, mais les militaires réussissent à éviter une action en justice. Bantam reçoit une commande de 1 500 voitures et fournira toutes les remorques commandées ultérieurement. Le 23 novembre 1940, Ford présente un prototype de

Ford propose des phares pivotants logés dans les angles de la calandre. Cette astuce permet d'éclairer le compartiment moteur pour réparer ou vérifier.

Si Ford et Willys obtiennent le marché des Jeeps, Bantam doit se consoler avec la fabrication des remorques.

véhicule léger tout-terrain, la Pigmy, mais il est prié de revoir sa copie.
La nouvelle Pigmy ressemble aussi à la Bantam, ce qui n'a rien de surprenant: Ford a reçu les plans originaux de celle-ci. Ford et Willys reçoivent une commande de 1 500 véhicules de présérie pour essais. Willys appelle son premier modèle MA. La voiture est propulsée par un excellent moteur à quatre cylindres dit Go-Devil. Ford nomme son modèle GP. Il a au départ un moteur de tracteur Ferguson de 45 ch. Les différents modèles sont sans cesse améliorés (Willys MB) et les constructeurs retenus vont produire un modèle unique, à quelques détails près, connu dans l'histoire sous le nom de Jeep dont plus de 630 000 véhicules seront produits, 277 896 par Ford, 368 000 par Willys et Bantam. Selon le général Marshall, la Jeep représente « la plus grande contribution de l'Amérique à la guerre moderne ». Sur tous les fronts, l'engin a servi de voiture de liaison, de porte-mitrailleuse mobile, de camionnette d'infanterie, d'ambulance, etc. Elle a débarqué en Normandie, en Nouvelle-Guinée, en Afrique du Nord, servi en Russie, en Italie, dans les Balkans. Le 13 juin 1950, le mot Jeep est déposé officiellement par Willys-Overland. Si d'autres tout-terrain ont été appelés Jeep, c'est un abus de langage. Il n'y a qu'une seule vraie Jeep, née aux États-Unis. Qu'elle soit née Bantam et non Willys n'y change rien.

Jeffery

Thomas Jeffery est à l'origine d'une des voitures américaines les plus diffusées en son temps, la Rambler. De 1902 à 1910, date de son décès prématuré, il en vend des milliers. Son fils Charles reprend la firme dont il

Les dernières Jeffery de tourisme sortent en 1917. Ici un modèle 472 à quatre cylindres. Parallèlement, la firme produit des camions à 4 roues motrices.

En 1916, Charles Jeffery cède sa firme à Charles Nash qui poursuit la production sous sa marque.

change le nom de Rambler en Jeffery en hommage à son père. En 1914, plus de 10 000 voitures et plus de 4 000 camions sont produits.
Pendant la Première Guerre mondiale, l'usine construit davantage de camions (à quatre roues motrices) que de voitures de tourisme.
En 1916, Jeffery Jr, alors âgé de quarante ans, vend la firme et l'usine à Charles Nash. Celui-ci conserve la marque Jeffery pendant un an sur les voitures de tourisme (avant de les appeler Nash) et sur les camions.

Jensen

Comme William Lyons (de Jaguar), les frères Alan et Richard Jensen commencent par produire des carrosseries spéciales sur des châssis de série. Mais alors que Lyons considère très tôt la fabrication de carrosseries hors-série comme une activité marginale, les Jensen n'accordent qu'une importance secondaire à la production de leurs propres voitures.
En 1934, la première Jensen quitte l'usine de West Bromwich. Ce type est fondé sur une Ford américaine équipée du moteur V8 de 3,6 litres équipé de deux carburateurs. Des essais seront effectués avec un moteur

Les frères Jensen, carrossiers industriels pour diverses marques britanniques, créent leur propre modèle en 1934 en utilisant un moteur V8 Ford.

Ford de 2,2 litres plus adapté au marché européen. Jensen produit aussi un modèle à moteur Nash à huit cylindres en ligne. Les ponts arrière sont complétés d'un démultiplicateur qui donne deux gammes de vitesses soit six rapports en tout. Les versions cabriolets à quatre places comportent deux petits saute-vent pour les passagers arrière, qui peuvent accéder à leur place par une seule porte, du côté gauche.
Les Jensen sont très appréciées aux États-Unis pour leur élégance, notamment par l'acteur Clark Gable.
Jusqu'en 1938, Jensen ne peut exposer ses voitures au Salon de Londres car la firme est enregistrée comme carrossier et non comme constructeur. Le grand public ne peut voir les Jensen qu'à partir de 1938.
En 1939, la firme présente deux voitures dotées d'un moteur Lincoln V12, dont l'une est vendue à Clark Gable. Le producteur de Clark Gable possède aussi deux Jensen, un coach à moteur Ford V8 et un cabriolet plus petit à moteur Nash.

Jowett

Certains constructeurs automobiles restent fidèles à des solutions personnelles, quel qu'en soit le coût. Gabriel Voisin est resté attaché au moteur sans soupapes, Frazer Nash aux chaînes de transmission à crabots et William et Benjamin Jowett aux moteurs à cylindres opposés à plat.
Dès 1906, leur première voiture à deux places est propulsée par un bicylindre opposé à plat. La cylindrée n'est que de 816 cm³ puis de

907 après 1914, mais la puissance est suffisante pour obtenir une vitesse maximale satisfaisante.
En 1923, l'usine de Bradford produit un modèle assez vaste pour accueillir plus de deux adultes. Cette voiture est dotée d'un moteur deux cylindres qui présente à l'époque un avantage fiscal. Jowett privilégie constamment les petits moteurs économiques exigés par sa clientèle traditionnelle.
Seul le type J de 1936 fait exception. Il reçoit un moteur quatre-cylindres opposés à plat d'une cylindrée de 1 166 cm³. En 1937, le fidèle bicylindre de 907 cm³ fait place une version de 946 cm³.
Le dernier modèle d'avant guerre, prévu pour 1940, a même une boîte de vitesses à quatre rapports dont trois synchronisés.

Paradoxe: ce haut radiateur cache un bicylindre à plat. La Jowett de 1927 est animée par un 900 cm³ 75,4 x 101,5 mm d'une dizaine de chevaux.

Kissel

En 1905, George et Will Kissel fabriquent leur première automobile à Hartford, dans le Wisconsin. C'est l'acte fondateur de la Kissel Motor Company, officiellement déclarée en 1906, première année de production. Les Kissel ont du succès. Dix ans plus tard, Kissel propose des quatre et des six-cylindres et, pour 1917, une V12. Jusqu'en 1917, la firme se contente de produire des types de tourisme fiables et à prix modérés, mais après 1918, Kissel s'intéresse au marché des voitures de sport. Dès 1917, les frères Kissel introduisent la Kissel Kar Silver Special Speedster, modèle nommé d'après son concepteur, Connover T. Silver. En 1918, la Kissel Golden Bug définitive est exposée au Salon de l'Automobile de New York. La voiture est propulsée par un moteur six cylindres à soupapes latérales de 4,3 litres, remplacé plus tard par un moteur huit-cylindres de 4,9 litres. Parallèlement, les modèles de tourisme sont améliorés.

En 1927, la série des modèles de grand luxe reçoit des huit-cylindres en ligne Lycoming. Imposantes et raffinées, les Kissel sont trop chères pour être largement diffusées.

En 1929, le nouveau type dit White Eagle va être victime de la crise économique comme tous les modèles haut de gamme. La production de la première année ne dépasse pas 931 exemplaires pour tomber à 93 voitures en 1930. Alliée à Moon dès 1930, la marque disparaît définitivement de la scène automobile en 1931.

La Golden Bug est, en 1929, une concurrente redoutable de Stutz et Mercer.

Knox

Harry A. Knox est l'un des premiers constructeurs automobiles à adopter les moteurs à refroidissement par air. Il utilise un système d'aiguilles creuses radiales, à la place des ailettes, qui gagne le surnom de « porc-épic ». En 1900, il fonde la Knox Automobile Company. La même année, il vend quinze trois-roues et plus de cent véhicules en 1901. En 1902, Knox introduit une voiture à quatre roues et en vend plus de 250 exemplaires. Ces voiturettes conservent le moteur à air. En 1907, l'arbre à cardans remplace les chaînes puis le refroidissement par eau est proposé en option. Les Knox sont relativement chères et les ventes limitées. La firme est régulièrement en difficultés financières. En 1912, elle est mise en règlement judiciaire. En 1914, les repreneurs s'orientent vers la construction de camions pour l'armée américaine.

Harry Knox produit ce premier tricycle en 1900. Le bicylindre refroidi par air est placé à l'arrière. Noter le grand volant moteur et la barre de direction.

Lagonda

À la fin du XIXe siècle, Wilbur Gunn quitte sa terre natale de l'Ohio pour émigrer en Angleterre. C'est là qu'il construit autour de 1900 de bonnes motos qu'il commercialise sous la marque Lagonda, un nom d'origine indienne. En 1904, il présente ses premiers tricycles qui ressemblent à des triporteurs de livraison équipés de moteurs auxiliaires. Ce véhicule a deux roues à l'avant. La selle est placée au-dessus du train avant tandis qu'une seconde selle et le moteur sont placés en arrière de la roue arrière.

En 1907, la première « vraie » voiture quitte l'usine de Staines, propulsée par un moteur à quatre cylindres. Lagonda produit en même temps de petites et de grosses voitures, dont l'excellent niveau de qualité se traduit par des prix élevés.

Comme presque toutes les marques de l'époque, Lagonda produit aussi des modèles de sport. En 1910, Gunn et Bert Hammond remportent la course Saint-Petersbourg – Moscou. Cette victoire déclenche un grand nombre de commandes.

En 1925, la 2-litres Lagonda est équipée d'un moteur à deux arbres à cames en haut du bloc. La version Speed Model atteint 145 km/h.

En 1927, Lagonda introduit sa première voiture de tourisme à moteur six cylindres de 2,7 litres portée à 3 litres, puis 3,6 litres. Après 1934, Lagonda ne propose plus de quatre-cylindres à l'exception de la Rapier à moteur de 1 100 cm³ à 2 ACT.

La Lagonda 11,9 HP de 1913 connaît un tel succès qu'elle sera produite jusqu'en 1923.

La Lagonda trois litres à moteur Meadows est produite de 1929 à 1934 parallèlement à la deux-litres.

En 1934 également, Lagonda propose la M 45 à moteur six cylindres Meadows de 4,5 litres, qui vient à point pour récupérer une partie des clients de Bentley.

Avec 115 ch, la voiture atteint 150 km/h et, en version compétition, signe quelques succès significatifs dont une victoire aux 24 Heures du Mans 1935 obtenue de justesse. Pendant la dernière heure, une Alfa Romeo double la Lagonda de tête et les haut-parleurs annoncent que l'Alfa a pris le commandement. Son

La Lagonda 16/65 3,6 litres est très peu produite en 1935. Avec 82 ch à 3 000 tr/min, elle atteint 130 km/h. Son poids et son grand empattement la rendent peu maniable.

La Lagonda LG45 est présentée en 1935 avec un moteur six cylindres Meadows revu par W. O. Bentley. La voiture atteint alors 160 km/h.

pilote, assuré de gagner, ralentit par précaution, mais peu avant l'arrivée, on annonce l'erreur : l'Alfa a un tour de retard ! Si son pilote avait main-

La Lagonda V12 4,4 litres apparaît en 1938 sous forme d'une routière rapide et bien suspendue.

tenu son allure, il est fort probable qu'il aurait battu la Lagonda sur le fil. Après la cession de sa marque à Rolls-Royce, W.O. Bentley passe peu de temps chez le repreneur. Il entre chez Lagonda, elle-même cédée à un nouveau propriétaire et travaille à l'amélioration des M 45 qui deviennent la

Le moteur Lagonda V12 est dû à W. O. Bentley. Il développe 180 ch à 5 500 tr/min.

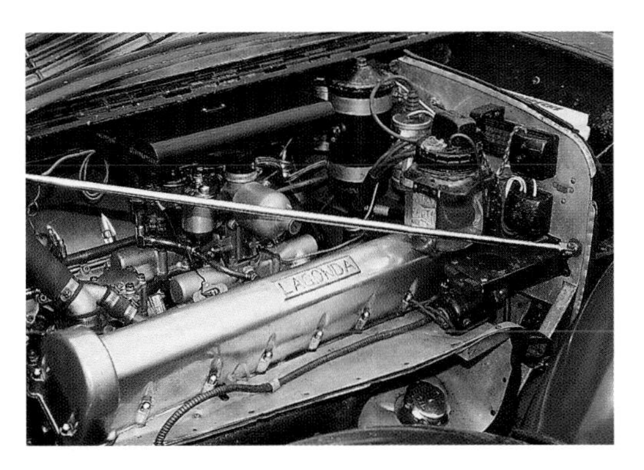

Une LG6 Rapide de 1937. Après la fin de la guerre, la marque est rachetée par David Brown, en même temps qu'Aston Martin.

La Lagonda LG 45 Rapide s'est illustrée en remportant les 24 Heures du Mans 1935.

LG6 et la Rapide. Il conçoit un nouveau moteur V12 de 4,5 litres destiné au châssis modernisé de la Rapide.

Une Lagonda spéciale pour épreuves historiques.

Ce moteur a 1 ACT par banc de cylindres. La version compétition délivre 225 ch avec une compression portée à 8,8 : 1. Les Lagonda V12 prennent les troisième et quatrième places au Mans en 1939, derrière la Bugatti 57 et la Delage trois litres.

Lanchester

L'usine Daimler anglaise a construit la première automobile britannique de production (d'origine allemande), mais la première vraie voiture de création britannique est le fait des frères Frederick William et George Lanchester. Elle est dotée d'un pont arrière à vis sans fin, d'une commande de gaz par pédale, de freins à tambour sur les roues, de ressorts cantilever et d'une boîte de vitesses à mécanisme de présélection. Le premier modèle Lanchester présente un aspect spécifiquement automobile et pas celui d'une charrette

La première quatre cylindres Lanchester apparaît en 1904. Le moteur est installé entre les places avant. La direction à barre franche est très précise et très douce.

La dernière « vraie » Lanchester est la 30 HP à moteur huit cylindres en ligne et 1 ACT de 4,4 litres lancée fin 1928. Sa puissance est de 82 ch à 2800 tr/min.

Cette Lanchester 40 HP de 1925 rivalise avec les Rolls-Royce. Son six-cylindres de 6,1 litres est à arbre à cames en tête.

motorisée. La production débute vraiment en 1900. La voiture est dotée d'un moteur à deux cylindres placé au milieu du châssis. Lanchester propose ensuite en 1904 une voiture à quatre cylindres. Le groupe à soupapes en tête est, pour la première fois, placé à l'avant.
La célèbre Forty (40 HP) de 1914 possède un six-cylindres de 5,6 litres porté à 6,2 litres et doté d'un arbre à cames en tête après 1918. Ce modèle de prestige peut être comparé à une Rolls-Royce sur tous les points, y compris le prix.
La Thirty de 1929 est une autre grande Lanchester, à huit cylindres en ligne, arbre à cames en tête. Avec sa cylindrée de 4,4 litres, elle dispose d'une puissance de 82 ch à 2800 tr/min. Sa vitesse maximale est de 120 km/h. En raison de la crise économique mondiale, cette voiture très chère se vend peu au début des années 1930 et Lanchester doit faire face à de graves difficultés financières.
Les frères Lanchester cèdent leur entreprise en 1931 à la Daimler britannique. Le repreneur ferme brutalement l'usine Lanchester et tout le stock de pièces, estimé inutilisable, est détruit. La marque Lanchester est maintenue, mais les voitures sont désormais fabriquées par Daimler. L'illustre marque ne désigne plus que des Daimler bon marché.

Lancia

Vincenzo Lancia a la réputation d'être un bon vivant, amateur de bonne chère et de bons vins chez Gobato, son restaurant favori de la Via Superga à Turin. Il aime converser pendant des heures avec des amis

La première Lancia, appelée plus tard type Alfa, sort fin 1907. Cette Landaulette est la plus ancienne Lancia existante.

Cette Lancia Alfa sport date de 1908. Elle est aussi appelée 18-24 HP. Sa vitesse frôle 100 km/h.

La Lancia Lambda à carrosserie autoportante, moteur V4 et suspensions avant télescopiques indépendantes représente une grande avancée technique. Ici, une torpédo de série de 1928.

comme Pinin Farina, le comte Biscaretti ou ses collègues pilotes et ingénieurs. Il aime aussi la musique classique, l'opéra et des célébrités comme Ernest Hemingway, Erich Maria Remarque et Arturo Toscanini sont ses clients fidèles.

Malgré son existence confortable sinon luxueuse, Lancia n'oublie pas ses employés. Il est l'un des premiers industriels italiens à construire des logements sociaux et un centre de vacances sur le rivage méditerranéen pour son personnel.

Vincenzo Lancia naît à à Fobello le 24 août 1881. Après des études commerciales, il obtient un poste de comptable à l'usine automobile de Giovanni Ceirano à Turin. Peu après, il passe chez FIAT où il devient metteur au point. Il pilote aussi en course pour cette jeune marque avec succès. En 1900, Lancia compte parmi les meilleurs pilotes d'Europe.

En 1906, il fonde la société Lancia et C^{ia} Fabbrica Automobili, avec son ami Claudio Fogolin, essayeur comme lui. En 1907, la société introduit son premier modèle, la 18/24 HP rebaptisée par la suite Lancia Alfa d'après la première lettre grecque, alpha. Le moteur est un quatre-cylindres bibloc de 2,5 litres de 28 ch à 1 800 tr/min. Le couple moteur est transmis au pont arrière par un arbre à cardans.

En 1922, la Lancia Lambda représente une avancée technique considérable. Cette voiture possède une structure autoportante (monocoque) brevetée par Lancia et des roues avant indépendantes grâce à des systèmes télescopiques. Pas moins de 13 501 Lambda sont vendues jusqu'en 1931. Elles sont toutes propulsées par un

Le moteur V4 de la Lambda, en V à 13 degrés, a un arbre à cames en tête. Sorti en 2,2 litres et 49 ch, il passera à 2,6 litres et 65 ch à la fin en 1931.

Sur le châssis de l'Astura V8, les carrossiers italiens créent de très belles caisses, comme cette berline quatre portes profilée de Pinin Farina de 1939.

La Dilambda est équipée d'un V8 étroit de quatre litres et 100 ch à 4 000 tr/min.

moteur à quatre cylindres en V étroit doté d'un arbre à cames en tête. La cylindrée de 2 120 cm³ de la première série donne 49 ch à 3 250 tr/min, régime élevé à l'époque. Le moteur utilisé sur la neuvième et dernière série a une cylindrée de 2 570 cm³ et une puissance de 69 ch.
Lancia a produit une longue série de voitures de qualité. Si la Lambda est la première dotée d'un V4 étroit, les modèles précédents ont des quatre-cylindres en ligne. La Theta (1913-1918) et la Kappa (1919-1922) sont même équipées de moteurs latéraux, mais tous les moteurs ultérieurs ont

Lancia élargit sa gamme dans les années 1930. La petite Artena (1931-1940) possède un moteur V4 1 924 cm³ sur un empattement de 295 cm.

La Lancia Augusta (1933-1936) à moteur de 1 200 cm³ atteint 100 km/h.

La Lancia Ardea est présentée juste avant la guerre, en 1939. C'est une variante de l'Aprilia de dimensions réduites : elle ne mesure que 3,64 m de longueur, soit l'encombrement d'une Renault Clio. Agile et performante malgré sa cylindrée réduite, elle révèle un comportement très en avance sur son temps.

des soupapes en tête. La Dikappa (1921-1922) est la seule à n'avoir pas d'arbre à cames en tête. La Trikappa (1922-1925) possède un moteur V8 comme la Dilambda (1929-1935) et l'Astura (1931-1939). Tous les autres modèles sont dotés d'un V4. Comme la plupart des constructeurs italiens, Lancia vend des châssis roulants habillés par les plus célèbres carrossiers comme Pinin Farina, Zagato, Bertone ou Touring. L'Aprilia est le dernier modèle étudié du vivant de Vincenzo Lancia, qui décède le 15 février 1937 à l'âge de 56 ans.

La caisse monocoque des Aprilia et Ardea (1936-1949) permet d'adopter des portes sans pied milieu.

L'Aprilia, comme la Fiat 508, est à la base d'études aérodynamiques comme les coupés Aerodinamica de Pinin Farina produits en plusieurs variantes en 1936 et 1937.

Publicité typique de l'époque, avec une conductrice, pour les nouvelles Lancia 25/35 HP Theta de 1913, déjà équipées d'un démarreur, de l'éclairage et d'un avertisseur électrique, ces deux derniers « commandés depuis le volant ». Ce modèle sera repris en 1919.

La Ponette

De 1909 à 1925, la petite SA des Automobiles La Ponette produit des véhicules à Saint-Rémy-lès-Chevreuse, au sud de Paris. Georges Granvaud, propriétaire et fondateur, commence par produire des cyclecars. Ces voiturettes biplaces sont propulsées par un monocylindre de 827 cm³ de 7 ch. La puissance est transmise par un arbre à cardans au lieu de chaînes. En 1912, elles peuvent être équipées sur demande d'un quatre-cylindres Ballot. Ces moteurs à soupapes latérales sont beaucoup plus fiables que les monocylindres qui sont abandonnés en 1913. Des types à moteurs quatre-cylindres Ballot et SCAP sont ensuite proposés avec des cylindrées allant de 1,7 à 2,8 litres. Leur production restera toujours très limitée.

La Ponette est assemblée de 1910 à 1923 près de Paris avec différentes motorisations SCAP ou Ballot.

LaSalle

LaSalle, marque créée en tant que division de Cadillac, produit des voitures de qualité équivalente. Les Cadillac sont à l'époque d'un style assez conservateur, qui plaît précisément aux acheteurs. Les carrosseries des Lasalle, moins chères et plus sportives, sont conçues par le (futur) célèbre styliste Harley Earl.

La première LaSalle apparaît le 5 mars 1927. À l'évidence, Earl a été inspiré par les voitures européennes haut de gamme comme l'Hispano-Suiza. Le nom LaSalle est celui de l'explorateur français René Robert Cavelier de la Salle, découvreur de la Louisiane.

Plusieurs modèles sont proposés dès 1927. Le plus cher est l'Imperial Sedan qui coûte 2 875 dollars, soit 120 de moins que la moins chère des Cadillac. La plupart des organes mécaniques sont d'origine Cadillac. Les

La marque LaSalle est créée par General Motors en 1927 entre Buick et Cadillac. Le style est confié à Harley Earl qui s'inspire de l'Hispano-Suiza. Cette voiture de 1931 a un V8 de 5,6 litres et 95 ch.

moteurs de 5 litres sont tout à fait interchangeables, malgré de petites différences internes.

Comme les autres constructeurs automobiles, LaSalle subit les effets de la crise mondiale. En 1927, les ventes s'élèvent à 27 000 voitures pour tomber à 14 986 en 1930, à 10 098 en 1931, 3 386 en 1932 et 3 482 en 1933. General Motors, sur le point de faire disparaître la marque, en est dissuadée par Harley Earl, qui conçoit de nouvelles carrosseries et introduit de nouveaux procédés de fabrication moins coûteux. Il remplace le moteur V8 Cadillac par un 8 en ligne d'origine Oldsmobile, moins cher. Les prix sont diminués en 1934. Malgré cette baisse, 7 195 voitures seulement sont vendues. En 1935, les prix sont encore

Comme les Cadillac, les LaSalle 1929 bénéficient d'une boîte de vitesses synchronisée, associée au V8 Cadillac.

Coupé cinq places LaSalle 1929, vendu 2 625 dollars, soit environ 1 000 de moins qu'une Cadillac équivalente.

Depuis le millésime 1934, les LaSalle sont très démarquées des Cadillac quant au prix.

Dernières LaSalle de l'histoire, les modèles 1940 (ici un Special Convertible Coupé) bénéficient d'un style spécifique, d'une particulière élégance.

réduits. Les ventes remontent à 8851 voitures. En 1937, les LaSalle retrouvent les moteurs Cadillac V8, mais les ventes de 1940 ne s'élèvent qu'à 10382 exemplaires. Trop proche de Cadillac, LaSalle disparaît en 1940.

Laurin et Klement

Vaclav Klement et Vaclav Laurin ouvrent un atelier de fabrication et de réparation de bicyclettes en 1894. Peu après, ils présentent leur première bicyclette, vendue sous la marque Slavia. La demande est énorme à l'époque. Dès 1898, une grande usine est construite à Mlada Boleslav, au nord-est de Prague. Un an après, la jeune firme présente sa première motocyclette. En 1905, la première automobile de marque Laurin et Klement est présentée.
Ces véhicules sont propulsés par des moteurs bicylindres en V de 1 100 ou 1 400 cm^3. En 1907, les premières quatre-cylindres sont livrées et, la même année, la première huit-cylindres est présentée au Salon de Berlin, après un essai routier de l'usine à Paris et retour. Ces types FF se vendent peu, à l'inverse des ventes faciles des modèles plus économiques. En 1907, la firme emploie plus de 500 personnes.

Une Laurin et Klement 100 de 1925. Son quatre-cylindres de 1 794 cm^3 délivre 20 ch.

La gamme Laurin et Klement 1911 comprend encore des modèles à deux cylindres.

La Laurin et Klement type A de 1905 existe en 1 000 et 1 100 cm³.

La Laurin et Klement type 110 1925 est aussi la première Skoda de 1926. Son quatre-cylindres 1,8 litres développe 25 ch.

La marque Laurin et Klement investit aussi dans la compétition, non sans succès. En 1908, un type FC bat un record de vitesse à Brooklands à la moyenne de 118, 72 km/h, et ce n'est qu'un début. Ces voitures brillent dans diverses épreuves routières sur longue distance, comme dans la Coupe du Prince Henri en 1909 (deuxième au général) et la course Moscou-Riga en 1911. Entre 1908 et 1911, la marque ne remporte pas moins de 57 victoires, 25 deuxièmes places et 11 troisièmes places. Laurin et Klement reprend la marque RAF en 1913 et devient le constructeur le plus important d'Autriche-Hongrie. Au début de la Grande Guerre, les ventes s'effondrent. La société se consacre à la production de véhicules militaires. Après 1918, la ville de Mlada Boleslav n'est plus en Autriche, mais dans la nouvelle Tchécoslovaquie. Au début des années 1920, la production se maintient à un bon niveau, mais la concurrence s'appelle dorénavant Tatra et Praga. Pour renforcer sa position sur le marché intérieur, la firme fusionne avec Skoda en 1925. Les voitures sont vendues sous la marque Laurin et Klement-Skoda, En 1928, seule subsiste Skoda. Un nom illustre disparaît pour toujours.

Léon Bollée

Fils d'Amédée Bollée, pionnier de la vapeur, Léon produit dès 1895 un véhicule automobile à essence qu'il appelle Voiturette, en déposant ce nom. Ce trois-roues est propulsé par un monocylindre horizontal de 650 cm^3 qui entraîne la roue arrière. Il vend les droits de fabrication aux Anglais pour 500 000 F-or. En 1898, Bollée développe sa première automobile à quatre roues, dont il cède la licence de fabrication à Alexandre Darracq pour 250 000 F-or. Une nouvelle Voiturette suit en 1901, mais la demande en faveur des petites voitures est réduite. Bollée, déjà très riche, s'accorde un temps de répit.
Fin 1902, associé au milliardaire américain Vanderbilt, il relance une fabrication de grosses voitures destinées à l'exportation. Ces grandes routières sont dotées d'un moteur quatre cylindres de 8 litres.
En 1907, un type nouveau est introduit, à six-cylindres de 11,9 litres. Bollée vend entre 150 et 350 voitures par an, alors que des constructeurs comme De Dion vendent plus de 3 000 voitures par an et Renault, à plus de 5 000. Léon Bollée meurt en 1913. Sa ville natale du Mans érige un monument à sa mémoire et une rue de Paris porte son nom.
En 1924, sa veuve vend la firme au magnat anglais Sir William Morris. Dès lors, les voitures fabriquées au Mans portent la marque Morris Léon Bollée et la firme devient Morris Motors Ltd Usines Léon Bollée.
L'usine du Mans commence à produire des modèles anglais comme la Cowley. Les voitures sont ensuite équipées de moteurs Hotchkiss français. En 1928, apparaît un modèle doté d'un huit cylindres en ligne de trois litres. À partir de 1929, des six-cylindres anglais sont proposés. La production reste très limitée. Lors de

La Morris Léon Bollée des années 1925-1929 est équipée d'un moteur 12 CV Hotchkiss, comme l'AM2. C'est le modèle le plus vendu.

En 1924, Sir William Morris prend le contrôle de la marque Léon Bollée, pour produire en France des Morris Léon Bollée.

la crise mondiale, Morris revend les usines françaises. Quelques voitures sont produites sous la marque Léon Bollée jusqu'en 1933, époque où l'activité cesse définitivement.

Leyat

Peu avant la Première Guerre mondiale, le jeune ingénieur Marcel Leyat travaille dans l'aéronautique et conçoit le premier prototype de l'Hélica, une voiture à hélice. Cet « avion sans ailes » est produit après 1918 à Paris, dans un atelier du Quai de Grenelle. Entre 1919 et 1925, il réussit à vendre une trentaine de voitures. La carrosserie est en contreplaqué entoilé comme les avions. Les passagers sont assis en tandem. Il existe aussi une conduite intérieure. La direction s'effectue par un essieu arrière pivotant. L'hélice est mue par un moteur Scorpion de 8 ch. Le véhicule, qui pèse 250 kg, est incroyablement rapide. Jusqu'en 1925, Leyat poursuit ses expérimentations et propose même une conduite intérieure. Il essaie aussi des hélices quadripales, mais cesse bientôt sa production. En 1927, une Hélica spéciale atteint 170 km/h à Montlhéry.

L'ingénieur Marcel Leyat (en place avant) en démonstration.

Une Hélica restaurée est exposée au Salon de Genève 1997. Son moteur est un bicylindre à plat ABC provenant d'une motocyclette.

L'Hélica est dirigée par ses roues arrière. Ici un modèle à conduite intérieure de 1922.

Le Zèbre

Jeune ingénieur chez Unic, Jules Salomon conçoit à ses moments perdus une petite voiture à moteur monocylindre. Unic n'est pas intéressé par le projet, mais accepte de l'aider à construire un prototype. Jacques Bizet (le fils du célèbre musicien) et Henri de Rothschild le financent.

La construction de plusieurs douzaines de voitures devient envisageable, ce qui mène à la création en 1909 d'une nouvelle marque, Le Zèbre. Quand Unic ne peut plus prêter l'espace nécessaire à la production de cette petite voiture, les associés décident de construire une nouvelle usine à Puteaux, où la production va réellement débuter. En 1912, plus de 1 000 voitures sont vendues. La première Le Zèbre est dotée d'un monocylindre de 600 cm³. En 1912, deux modèles à quatre cylindres sont proposés, mais ce sont toujours de petites voitures mieux construites que les voiturettes économiques. Elles se vendent si bien que l'usine devient trop petite et la firme déménage à Suresnes en 1913. Pendant la Grande Guerre, Salomon rejoint André Citroën pour lequel il conçoit et développe la type A ou 10 HP de 1919. Le Zèbre doit alors subir la concurrence des petits modèles Renault, Citroën, Peugeot et Mathis. Avant 1914, la Le Zèbre n'avait pas de vraie concurrente, mais la situation change radicalement après 1918. La demande atteint un niveau tel que de petites firmes se créent à partir du concept du cyclecar, tandis que des marques pionnières bradent leurs modèles archaïques conçus avant 1914. Lorsque Jacques Bizet se suicide en 1922, la situation de Le Zèbre est désespérée. En 1925, la firme réorganisée introduit une voiture à moteur latéral 2 litres quatre cylindres et freins sur les quatre roues. Ce modèle est produit sur commande jusqu'en 1931, où l'usine ferme définitivement.

La Le Zèbre (ici une quatre-cylindres) est une voiture en réduction, sérieusement construite. Elle a été étudiée par Jules Salomon, futur concepteur de la Citroën type A.

La première Le Zèbre (1910-1913) à monocylindre de 645 cm³ et 6,5 ch. Fiable, elle connaît un succès certain.

Fin 1912, Salomon propose un petit quatre-cylindres, produit ensuite en différentes cylindrées.

La Zèbre type B de 1913 est dotée d'un quatre-cylindres de 1 742 cm³ d'une quinzaine de chevaux ou d'un 785 cm³ de 8 ch. Le modèle est remis en fabrication en 1919.

Lincoln

Rolls-Royce et Daimler sont à l'Angleterre ce que Lincoln et Cadillac sont à l'Amérique. Le fait que ces deux dernières marques aient beaucoup de points communs n'est pas une coïncidence : elles ont été toutes les deux fondées par Henry Leland.
Henry Martyn Leland, familièrement appelé « Oncle Henry » par ses collaborateurs, naît le 16 février 1843 à Danville, dans le Vermont. À neuf ans, il est cireur de chaussures. Dix ans plus tard, il est ingénieur dans une fabrique d'armes. En 1890, Henry Leland crée une petite entreprise de mécanique à Detroit, qui produit, entre autres choses, des moteurs pour Oldsmobile.
Leland fonde parallèlement une nouvelle firme appelée Cadillac Motor Car Company. En 1909, cette marque entre dans le groupe General Motors. Leland et son fils Wilfred continuent à travailler pour GM jusqu'en 1917, année où ils créent leur propre entreprise pour fabriquer des moteurs d'avions. Le gouvernement américain commande 6 000 moteurs et prête aux Leland 10 millions de dollars pour ce projet. Malheureusement – si l'on peut dire – pour les Leland, la guerre dure moins de deux ans pour l'Amérique. Les besoins en moteurs s'évanouissent. Le père comme le fils se retrouvent dans une situation financière difficile.
Leland a alors 77 ans. Avec son fils, il décide de créer une voiture de tourisme. Leur nouvelle firme, la Lincoln Motor Company, présente son nouveau modèle le 20 septembre 1920. Dès cette première année, 834 voi-

Une Lincoln Model L de 1929. Sous le grand capot se cache un V8 latéral de 6,3 litres donnant 90 ch. Cette voiture est un Phaéton spécial double pare-brise à quatre places. La marque est dirigée par Edsel Ford.

Une voiture de chef d'État. La Lincoln KB est équipée d'un douze-cylindres en V de 7,3 litres.

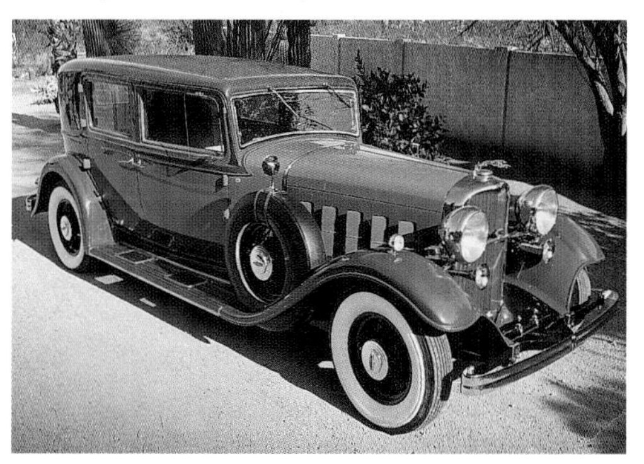

Malgré ses dimensions (empattement 368 cm), la Lincoln type K 1931 cabriolet Le Baron 2/4 places est très équilibrée. Elle coûtait 4 700 dollars, soit le prix de dix roadsters Ford Model A.

tures sont produites. Ces voitures sont propulsées par un moteur V8 de 5,4 litres, donnant 81 ch grâce à une construction de qualité. Après une production d'environ 3 000 voitures, les Leland se retrouvent en situation financière difficile. Henry Ford rachète l'entreprise pour 8 millions de dollars et ajoute de son propre chef deux chèques de 635 000 et 325 000 dollars pour son vieil ami et le fils de ce dernier.

Sous la direction de Ford, les Lincoln sont construites avec le même soin

En 1937, le Model K est en fin de carrière. Il est produit à 977 exemplaires, toujours équipé du moteur V12.

Avec la Zephyr dessinée par John Tjaarda en 1937, Lincoln marque son époque. Ici, un coupé six places 1939, au style allongé et plus fluide conservé jusqu'en 1941.

Cette Lincoln Zephyr de 1939 est dans un état absolument neuf en 1995, ayant parcouru… 20 000 km depuis sa sortie d'usine.

Cette Lincoln Continental spéciale a appartenu au styliste Raymond Loewy (mondialement connu pour avoir conçu la bouteille de Coca-Cola et l'intérieur du Skylab), qui l'a redessinée et dotée d'un toit en plexiglas.

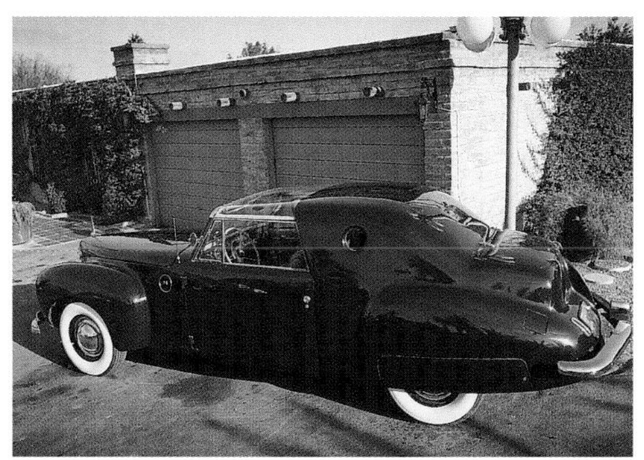

que précédemment. En 1922, le fils d'Henry Ford, Edsel, devient président de Lincoln. Il réussit à produire 5 512 voitures cette année-là. Les chiffres de vente continuent à croître malgré leur coût: ces voitures sont construites en grande partie manuellement. Le record de production est atteint en 1926 avec 8 858 voitures. La crise économique mondiale frappe aussi Lincoln et le chiffre des ventes tombe à 2 002 voitures en 1933.
Henry Leland meurt le 26 mars 1932, année de l'introduction du type KB. Rompant avec les V8 des modèles précédents, la KB reçoit un V12 de 7,2 litres pour une puissance de 150 ch. Cette lourde voiture atteint 160 km/h en vitesse de pointe.
Le moteur V8 équipe toujours les KA. En 1933, celle-ci est proposée en 13 versions différentes et la KB, en 25. La Lincoln la moins chère est le roadster KA, à 2 700 dollars. Le modèle le plus cher est la KN douze cylindres qui vaut 7 000 dollars, prix très élevé cette époque où une berline Ford V8 coûte 500 dollars. En 1924, le président Calvin Coolidge avait choisi une Lincoln. Les voitures officielles de la Maison Blanche ont été depuis des Lincoln. Malgré cette publicité, trop peu de voitures sont vendues. Ford est sur le point de fermer l'usine quand le styliste hollandais John Tjaarda dessine la plus petite et moins coûteuse Lincoln Zephyr. Concrètement, elle n'a rien de commun avec les « vraies » Lincoln. C'est la première voiture de série américaine dotée d'une caisse autoportante, elle est moderne et séduisante. La Zephyr est propulsée par un V12 et elle ne coûte que 1 275 dollars. Le V12 de 4,4 litres découle du V8 Ford. Beaucoup d'organes mécaniques sont

En 1940, la Zephyr sert de point de départ à la Continental. Sa roue de secours extérieure doit lui donner une allure européenne.

repris de ce moteur, ce qui explique son coût raisonnable pour un V12. En 1936, première année de production, Lincoln vend 14994 Zephyr. Sa production s'élève en 1937 à 29997 voitures. En 1939, la dernière Lincoln série K quitte l'usine.
Elle est remplacée en 1940 par la Continental, un nouveau modèle haut de gamme qui connaît à son tour un succès considérable. Le style en est signé Eugene Gregorie, qui lui a donné un air « continental » ou européen, avec une roue de secours apparente contre la porte de coffre. La première Continental a été réalisée pour Edsel Ford. Le succès de la voiture l'incite à en lancer la produciton.
À partir du 11 février 1942, Lincoln se consacre à la production de véhicules militaires dont 145000 caisses de Jeep, 25332 moteurs de chars et 24929 berceaux moteurs pour bombardiers B-24 Liberator.

Lohner-Porsche

À 23 ans, Ferdinand Porsche (né en 1875) travaille pour la société Bela Egger qui fabrique des moteurs électriques. En 1898, il est engagé par la célèbre manufacture de voitures et de carrosses Ludwig Lohner, de Vienne, fournisseur de la cour d'Autriche sous la raison sociale K & K Manufacture royale de carrosses Jakob Lohner et Cie.
Lohner s'intéresse aussi aux voitures sans chevaux et construit des automobiles depuis 1896 en utilisant des moteurs français importés. Il croit pourtant davantage à l'électricité et c'est la raison pour laquelle il engage le jeune Ferdinand Porsche. Pour son précédent employeur, il avait étudié

Une Lohner-Porsche de 1900.

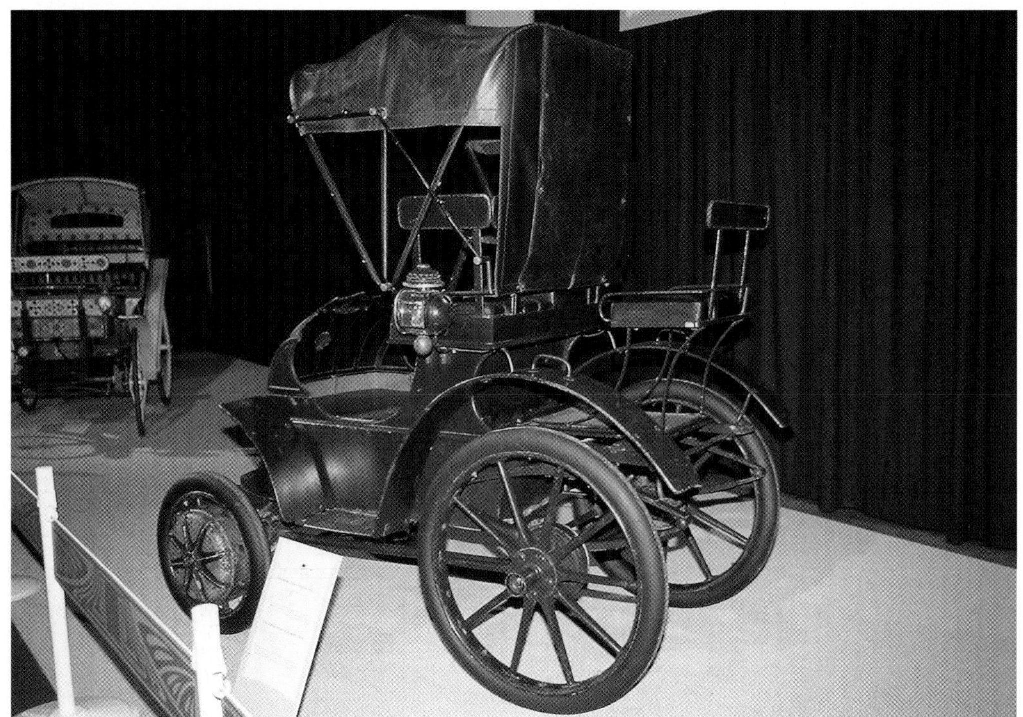

La Lohner-Porsche est propulsée par un moteur électrique dans chaque roue avant. Contrairement à beaucoup d'autres Lohner, celle-ci est équipée d'un volant. Porsche réalisera aussi des tracteurs d'artillerie à toutes roues motrices.

et mis au point des moteurs électriques susceptibles d'être montés dans les moyeux des roues. Ce système rendait inutiles les cardans et les chaînes de transmission.
Le résultat de cette collaboration avec Porsche est la Lohner-Porsche. Cette automobile, propulsée par deux moteurs électriques de 2,5 ch logés dans les roues avant, est la grande attraction de l'Exposition universelle de Paris en 1900. Avec ses batteries de 90 volts, la voiture atteint 50 km/h. En conduisant à vitesse modérée, l'autonomie peut atteindre trois heures. Porsche et Lohner construisent aussi la première automobile à propulsion « hybride ». Ses batteries sont constamment rechargées par une dynamo et un moteur à essence. Porsche travaille chez Lohner jusqu'en 1905, produisant surtout des camions et des tracteurs, dont certains à traction intégrale.

Lorraine-Dietrich

La société De Dietrich et Cie de Lunéville est spécialisée dans le matériel ferroviaire. En 1896, sa direction décide d'aborder la construction automobile.
Les premiers véhicules à trois roues sont conçus par Amédée Bollée fils, frère aîné de Léon. Peu après, en 1902, le jeune Ettore Bugatti est sollicité pour l'étude de nouveaux types destinés à être produits sous la nouvelle marque. Les diverses automobiles conçues par Ettore Bugatti pour De Dietrich jusqu'en 1905 sont à deux, quatre et six cylindres mais, par manque de fiabilité, elles ne seront pas mises en production. En 1909, l'offre ne comprend pas moins

Une torpédo Lorraine-Dietrich de 1911, sans freins sur les roues avant.

La 15 CV Lorraine-Dietrich B3/6 est le fleuron de la marque dans les années 1920. Cette six-cylindres en version sport remporte les 24 Heures du Mans en 1925 et 1926.

La production Lorraine-Dietrich d'avant 1914 comporte d'excellentes routières, comme cette 16 HP de 1912.

Le moteur de la Lorraine-Dietrich B3/6 est un six cylindres à culbuteurs de 3 445 cm^3 de 50 ch en série, poussé à 75/80 ch, avec double allumage et deux carburateurs.

de neuf types différents sous la marque Lorraine-Dietrich utilisée depuis 1906. La croix de Lorraine figure sur l'écusson de la marque. Ces voitures sont des Turcat-Méry produites sous licence. La firme investit également en compétition avec des voitures spéciales. En 1905, une Lorraine-Dietrich participe à la Coupe Gordon-Bennett. Les 17 litres de son quatre cylindres ne sont dépassés que par les 17,65 litres de la Locomobile. La Lorraine-Dietrich réalise pendant la course une moyenne de 70 km/h sur 550 km, mais ne termine qu'à la sixième place. Après 1918, les Lorraine-Dietrich participent aux premières 24 Heures du Mans en 1923 et prennent les deuxième et troisième places en 1924. En 1925, Gérard de Courcelles et André Rossignol gagnent l'épreuve à la moyenne de 93 km/h. L'année suivante, la première place revient encore aux Lorraine-Dietrich qui passent la barre des 100 km/h de moyenne. La firme ne produit jamais de petites voitures.

Le modèle le plus petit est le type A4 10/12 CV de 1923 doté d'un quatre-cylindres à culbuteurs de 2,3 litres donnant environ 50 ch. Tous les autres types sont des six-cylindres de 3 446 cm^3 (modèle B3-6 de 15 CV produit de 1921 à 1932) ou de 6 104 cm^3 (D2-6, 30 CV de 1919 à 1927). L'usine d'Argenteuil produit aussi des moteurs d'avions V12 et W12. La 15 CV est la plus vendue, mais les quantités restent modestes. Comme tous les autres constructeurs, au moment de la crise de 1930, la firme devenue La Lorraine en 1928 connaît des difficultés, en raison du coût élevé d'une production de qualité. Un modèle plus luxueux que sportif est présenté au Salon de 1931, mais cette 20 CV à moteur latéral, lourde et peu performante, est produite confidentiellement.

Marmon

Indianapolis est connue par sa course annuelle de 500 miles, organisée pour la première fois en 1911. Le premier vainqueur, Ray Harroun, pilotait une voiture construite par Howard Marmon. Harroun couvre les 800 km en 6 heures 42 minutes et 8 secondes à la moyenne de 119, 344 km/h. Il empoche 10 000 dollars pour ce succès et Marmon en tire une excellente publicité. Howard Marmon avait suivi des études techniques à l'université de Berkeley, en Californie. En 1902, cet ingénieur de 23 ans construit sa première voiture tout en dirigeant la firme familiale Marmon et Nordyke (matériel de meunerie) située Kentucky Avenue à Indianapolis. Le premier prototype fait preuve d'originalité avec son moteur à deux cylindres en V à soupapes en tête et refroidissement par air et sa transmission par arbre à cardans. La deuxième voiture reçoit un moteur V4. En 1905, apparaît un moteur V6 et, en 1908, un V8. À cette époque, tous ces moteurs ont en commun le refroidissement par air et les soupapes en tête. Les premières voitures sont vendues à des proches, mais la clientèle ne tarde pas à s'élargir. À partir de 1908, elles intègrent le refroidissement par eau.

Les types équipés de moteurs V4, dont la Marmon 32 de 1910, sont les meilleures ventes. Ces voitures ont une carrosserie en aluminium et un moteur à quatre cylindres refroidi par eau. La boîte de vitesses est installée à proximité du différentiel pour mieux répartir le poids sur les essieux. Non seulement la carrosserie est en aluminium, mais ce métal moderne

La planche de bord de la Marmon 75 de 1927. La sobriété est encore de mise. La lisibilité des instruments n'est pas un souci majeur pour les constructeurs américains d'alors.

La Marmon 75 de 1927 est une six-cylindres de 5,6 litres et 84 ch à la construction très soignée. Cette torpédo est équipée de roues fils en option.

En 1927, apparaît la Little Marmon, une petite huit-cylindres en ligne très souple de 3,1 litres, disposant de 64 ch à 3 200 tr/min.

La Marmon série 74 de 1925 est équipée d'un six-cylindres en ligne de 82 ch à 2 650 tr/min. Cette torpédo sept places coûtait 3 165 dollars.

est aussi utilisé pour fabriquer diverses parties du moteur comme le bloc-cylindres, la culasse, le carter, la pompe à eau et le radiateur. La Marmon Wasp qui a gagné les 500 Miles en 1911 est construite sur le châssis d'un type 32. Cette voiture de course doit son nom (la guêpe) à sa peinture à rayures jaune et brun.

Howard Marmon est un grand partisan de l'aluminium. Sa seize-cylindres mort-née reçoit un 8-litres de 200 ch.

En 1912, Marmon lance la Marmon 48, premier type doté d'un six-cylindres refroidi par eau. Il s'agit d'une grande voiture de 368 cm d'empattement. La plupart des modèles peuvent accueillir sept adultes.
En 1914, Marmon construit sa dernière quatre-cylindres. En effet, la firme a acquis une réputation de constructeur d'automobiles de luxe. Or les voitures du prix des Marmon doivent offrir un moteur à six cylindres au moins. En 1916, Marmon présente son Model 34, à moteur de six cylindres, qui utilise très largement l'aluminium.
Le moteur est sans cesse amélioré et sa puissance passe de 74 ch en 1916 à 84 ch en 1924. En 1925, le type 34 fait place au type 74, toujours à six cylindres, qui en diffère par quelques détails. Howard Marmon se contente d'un faible volume de production.

La grande Marmon Sixteen à moteur V16, d'un empattement de 368 cm. Elle est produite en faible quantité, en pleine crise économique et accélère la fin de la marque en 1933. Ici, un cabriolet quatre portes de 1931.

Il faut attendre 1926 pour que les ventes atteignent 3 512 voitures dans l'année. Cette faiblesse des ventes est due au prix élevé des voitures.
La Marmon la moins chère est le Speedster 74, affiché à 3 295 dollars. La plus chère est une limousine à 3 900 dollars (à comparer au prix d'une Ford Model T : 260 dollars).
À partir de 1917, Marmon ne propose qu'un type, disponible en différentes variantes. La gamme 1927 ne compte que la Little Marmon qui coûte entre 1 795 et 1 895 dollars. Elle est équipée d'un moteur huit cylindres de 64 ch et d'un châssis de 332 cm d'empattement. La Little Marmon est un succès. Dès la première année, la firme en vend 10 095 exemplaires, puis 14 770 enfin 22 323 en 1928-1929. En 1928, la gamme comprend trois modèles de base dont la 68 à moteur de 42 ch et la 78 dotée d'un huit-cylindres en ligne de 86 ch. En 1931, Marmon lance une V16 à moteur de huit litres, présentée au Salon de New York. Malgré son prix de plus de 5 000 dollars, elle se vend jusqu'en 1933, mais à peu d'exemplaires. La crise est bien installée et elle n'épargne pas Marmon. En 1930, 12 369 voitures seulement sont vendues et le chiffre tombe à 1 365 en 1932. Avec une production de 86 voitures en 1933, la firme doit fermer ses portes. Marmon continue ses activités d'ingénieur en créant des véhicules à quatre roues motrices avec le colonel Herrington.

Marquette

Il n'est pas étonnant que cette marque soit très peu connue, car sa production, dans le cadre du groupe General Motors, ne s'est élevée qu'à 35 007 exemplaires.
Elle est lancée comme modèle 1930 le 1er juin 1929. Aux États-Unis, elle

Contrairement aux Buick, les Marquette reçoivent un six-cylindres en ligne à soupapes latérales de 67 ch. La crise économique de 1930 met fin à l'expérience.

est distribuée par le réseau Buick. Pour cette raison, la Marquette est construite par l'usine Buick de Flint, Michigan, mais avec des organes mécaniques moins chers. Le moteur à six cylindres, par exemple, est un groupe à soupapes latérales de 3 491 cm^3 de 67 ch à 3 000 tr/min. L'empattement de cette voiture est de 290 cm avec des roues de 18 pouces. La Marquette est disponible sous six carrosseries différentes. Les prix vont de 990 dollars pour un coupé

Marquette est une marque créée en 1929 pour épauler Buick avec un modèle proche, mais moins cher. Toutes les Marquette (35 007 exemplaires) sont millésimées 1930.

d'affaires deux places à 1 060 dollars pour une conduite intérieure cinq places. Mais le moment est mal choisi. La crise économique commence en octobre 1929 et les ventes s'effondrent. General Motors estime les résultats insuffisants et, dès janvier 1930, la production est arrêtée. Après moins d'une année, la marque-sœur de Buick est supprimée. Décision peut-être malheureuse, car la Marquette était une bonne voiture vendue à un prix raisonnable.

Martini

L'emblème de la marque Martini est un fusil, qui rappelle l'activité première de la firme, la fabrication d'armements. La décision d'aborder l'automobile est prise à la fin du XIXe siècle et la première Martini sort d'usine en 1897. La Suisse n'a jamais joué un rôle important dans la production d'automobiles de tourisme, mais cette marque est devenue très familière dans ce pays. Pourtant, les débuts ont été très lents. Jusqu'en 1901, la firme produit un prototype

par an. La deuxième Martini de 1898 est encore un vis-à-vis, mais le moteur du modèle qui sort de l'usine de Frauenfled en 1899 est déjà monté à l'avant. La production « en série » ne débute qu'en 1902, année où trente voitures sont assemblées. Elles sont dotées d'un moteur V4 de 10 ou 16 ch.

Fabricant d'armes suisse, Martini produit des automobiles depuis 1897. La Voiturette de 1908 est une quatre-cylindres à culbuteurs de 1 087 cm³.

La Martini type FU produite de 1927 à 1931 est une très grande voiture. Cette torpédo offre sept places confortables.

Comme toutes les autres marques, Martini produit des modèles de course. En 1903, Martini s'installe à Saint-Blaise et achète la licence de la Rochet-Schneider française. Les Martini sont bien construites et elles s'exportent dans divers pays. En 1904, des Martini courent en Suisse, en Italie et en France. Quiconque aconduit une voiture moderne dans les Alpes peut imaginer les difficultés qu'on pouvait rencontrer avec les véhicules de l'époque. Trois Martini sont engagées à la Coupe des Voiturettes de 1907, courue à Dieppe.

La Martini FU est équipée d'un moteur à six cylindres monobloc d'une capacité de 3,1 litres développant 55 ch en 1927 et 70 en 1931.

En 1913, Martini produit une voiturette, la Sport Spéciale, pour le Tour de France 1913. Ce modèle est propulsé par un quatre-cylindres à un arbre à cames en tête et quatre soupapes par cylindre, mais il ne parvient pas à s'imposer sur cette épreuve de 5000 km. Cette année-là, Martini vend quand même 276 voitures, livrables complètes ou en châssis. L'effectif employé est de 265 personnes.

Martini connaît des difficultés après la Grande Guerre. Les voitures américaines et allemandes sont vendues à des prix si bas que Martini ne peut plus lutter. En 1919, le modèle TF, créé en 1914, offre un moteur à quatre cylindres à soupapes latérales de 3,8 litres qui sera produit jusqu'en 1927. La même année, Martini, dirigée par l'ingénieur allemand Steiger, adopte le moteur à six cylindres.

De nouveaux modèles sont lancés comme le type FU (1927-1931), le type KM (1930-1932) et le type NF (1932-1934). Le marché des voitures de luxe étant limité en Suisse et les

En raison d'une finition de très haute qualité, le prix des Martini devient prohibitif et l'exportation est impossible. Ici, l'intérieur d'une FU 1931.

La Martini NF est le dernier modèle de la marque. Cette voiture de 1932 a été habillée d'une carrosserie transformable par Reinbold et Christie de Bâle.

Publicité vantant le caractère national de la Martini, bien adaptée aux routes suisses.

coûts de fabrication élevés rendant l'exportation quasiment impossible, Martini tente d'attirer une nouvelle clientèle avec le type KM doté d'un moteur moins cher, un Wanderer construit sous licence. Avec 2,5 litres, il développe selon le constructeur, environ 50 chevaux. Le type KM est une voiture assez petite avec un empattement de 3 mètres seulement. La faiblesse de la demande aggrave encore les problèmes de la firme.
Le type NF est le dernier modèle et, sur le plan technique, le meilleur. Le moteur de 4,4 litres délivre 95 ch. Une boîte à quatre rapports synchronisés montée en bloc, des freins hydrauliques et des suspensions raffinées font de la NF une voiture moderne, mais Martini doit fermer ses portes en 1934.

Maserati

L'Officina Alfieri Maserati est fondée à Bologne le 14 décembre 1914 par les frères Maserati : Alfieri, Ettore, Bindo et Ernesto. Les quatre frères se consacrent à la préparation et à la mise au point des Isotta Fraschini avec l'aval de l'usine. Ils acquièrent rapidement une excellente réputation dans ce domaine.
En 1926, Diatto commande aux Maserati une voiture de Grand Prix, mais sa faillite permet aux frères de racheter le modèle et de le présenter sous le nom de Maserati Tipo 26, ce nombre se référant à l'année de production. La Tipo 26 est dotée d'un superbe huit-cylindres en ligne. Le

La Maserati Tipo 26 1,5 litre découle d'une deux-litres Diatto profondément modifiée par les frères Maserati.

25 avril 1926, Alfieri Maserati remporte sa catégorie avec la Tipo 26 dans la Targa Florio en Sicile. Comme il est d'usage à l'époque, la Tipo 26 peut courir en version Grand Prix ou en Sport. Jusqu'en 1939, Maserati ne produit que des voitures de compétition pour le circuit ou la route, dont quelques monoplaces.
Le huit-cylindres en ligne de la première Tipo 26 est un 1 500 cm^3 répondant à la formule internationale. En 1927, une version deux litres est extrapolée, la Tipo 26B destinée plus spécialement aux épreuves sport. Dix voitures sont construites pour la première série et neuf pour la seconde.

Cette Maserati Tipo 26 est traitée en biplace sport avec ailes et phares. Elle participe à une épreuve historique.

Planche de bord de la Maserati Tipo 26. Le compteur de vitesse n'est pas l'instrument le plus important.

En 1930, Maserati présente une seize-cylindres, la V4, qui échoue aux 500 Miles d'Indianapolis, mais la 26C de 1 100 cm³ se révèle brillante et rapide en versions course et sport. De même, les Maserati 1 500 cm³ se montrent performantes en catégorie Voiturette. Mais la construction de voitures de course n'est pas rentable et les Maserati doivent céder le contrôle de leur firme en 1937 à la famille Orsi, tout en gardant la direction technique pendant dix ans. En 1938, ils présentent une huit-cylindres en ligne de trois litres, la 8CTF qui tient tête aux Mercedes et aux Auto Union et remporte les 500 Miles d'Indianapolis en 1939 et 1949 sous le nom de Boyle Special.

Le moteur de la Tipo 26 est un huit-cylindres en ligne à deux arbres à cames en tête et compresseur. D'une cylindrée de 1 492 cm³ il développe 115 à 125 ch à 5 300 tr/min et la voiture atteint 160 km/h.

Maxwell

C'est avec le soutien financier du banquier J. P. Morgan que Benjamin Briscoe et Jonathan Maxwell fondent une usine de construction automobile, en 1903, à Tarrytown, New York. Maxwell est le technicien.

La première voiture, présentée en 1903, n'a rien d'original. C'est un runabout à deux places à moteur deux cylindres. Pas très belle, cette première Maxwell est pourtant rapide. Elle remporte plusieurs courses dans l'état de New York où l'usine est implantée. La production très limitée au départ (632 voitures la première année) grimpe à 3 000 exemplaires en 1905 et à 9 000 en 1909.

Maxwell est l'un des quatre plus grands constructeurs américains, avec Reo, Ford et Durant. En 1912, à la suite

La Maxwell Runabout de 1911 à deux places et moteur deux cylindres de 22 ch coûtait 600 dollars. Cette voiture était très concurrencée par la Ford Model T, plus pratique.

La Maxwell Model Q de 1911 était une quatre-cylindres de 25 ch. Ce tourer valait 1 000 dollars. Une gamme de cinq modèles renchérissait les coûts de fabrication, face au modèle unique de Ford.

d'un investissement trop important dans un nouveau type, la firme est en difficulté et Maxwell se retire.

Briscoe continue seul. Walter Flanders, président de la Flanders Motor Car Company, prend la direction de l'usine. Des voitures bon marché sont produites, comme la Mascotte et la Mercury, équipées de moteurs quatre cylindres. La production de camions se révèle plus rentable.

En 1917, la firme produit plus de 100 000 véhicules. En 1923, elle est achetée par Walter Percy Chrysler pour 15 millions de dollars. L'offre comprend alors huit types. Mais en 1925, Chrysler se rend compte qu'il est beaucoup plus facile de vendre une Chrysler six cylindres qu'une Maxwell quatre cylindres. Il arrête donc la production de cette marque. Par la suite, le groupe Chrysler réintroduira une quatre-cylindres, la nouvelle Plymouth lancée en 1928.

Maybach

Après la Seconde Guerre mondiale, les Alliés interdisent à l'Allemagne de produire des avions. Messerschmitt, Ernst Heinkel ou l'ingénieur Fritz Fend optent pour la production de petites voitures. Après la Première Guerre mondiale, Karl Maybach a dû faire la même chose.

Fils du célèbre ingénieur Wilhelm Maybach, concepteur des premières Daimler, Karl Maybach est ingénieur mécanicien. Avant 1914, la firme fondée par son père crée, pour les dirigeables Zeppelin, puis pour des avions, des moteurs qu'il a conçus. Lorsque le traité de Versailles de 1919 interdit la reprise de cette activité, il oriente la société vers la construction de moteurs pour automobiles, locotracteurs et bateaux. L'un des premiers clients est la marque hollandaise Spyker. En 1920, cette firme achète

Cette Maybach SW 38 datant de 1937 pouvait être fournie en châssis nu aux carrossiers. Ce cabriolet 4/5 places a été réalisé par la carrosserie Spohn.

Ce cabriolet Maybach SW 38 appartenait au directeur de la firme Hoechst AG. La carrosserie est de Spohn.

Spohn a carrossé la plupart des Zeppelin, mais ce cabriolet a été réalisé par Dörr und Schreck.

environ 150 moteurs Maybach. La même année, une Spyker à moteur Maybach bat un record de vitesse sur 30000 km. Malgré ce succès, les productions de la firme n'intéressent pas les autres constructeurs et Maybach décide de construire des automobiles complètes. En 1921, un premier prototype est présenté sous le nom Maybach W3, au Salon de Berlin. Il est doté d'un six-cylindres de 5,7 litres avec un couple de 28 mkg à 1000 tr/min, d'une puissance de 70 ch à 2200 tr/min. La boîte de vitesses n'a que deux rapports dont le plus court ne sert qu'en côte.

La Maybach Zeppelin, haut de gamme de la marque, rappelait que la firme motorisait aussi ces dirigeables.

La Zeppelin, aux finitions très luxueuses, offrait une instrumentation des plus complètes.

Le moteur V12 de la Zeppelin de 200 ch à 3 000 tr/min. Le modèle le plus léger atteignait 175 km/h. Le luxe ne concernait pas que la carrosserie.

Un timbre de Haute-Volta commémore la Maybach SW 38 de 1936.

Jusqu'en 1928, 700 châssis du type W3 sont vendus. Ses successeurs, les types W5 et W5 SG, reçoivent un moteur de 7 litres. Les lettres « SG » signifient Schnell-Gang ou surmultiplicateur. Grâce à son couple extrêmement élevé et à sa puissance de 120 ch, ce six-cylindres incassable convient bien aux camions, bus et bateaux de faible tonnage. Entre 1921 et 1941, Maybach ne fabrique que 2 095 voitures, dont 1 755 sont équipées d'un six cylindres. La dernière Maybach est bientôt surnommée « la Rolls-Royce allemande ». Ces voitures sont extraordinairement chères et lourdes (près de trois tonnes). En raison de leur poids, elles ne peuvent être conduites en Allemagne que par un titulaire de permis poids lourd... mais c'est en fait sans importance : les acheteurs de Maybach ont en principe un chauffeur... À la fin des années 1920, la possibilité de produire à nouveau des moteurs de dirigeables est accordée à Maybach. Le légendaire Graf Zeppelin, construit à cette époque, est équipé de cinq moteurs Maybach V12 d'environ 550 ch chacun. Il couvre environ 1,7 million de km entre l'Europe et l'Amérique. Maybach a désormais suffisamment d'expérience pour pouvoir adapter ce moteur à l'automobile. Cette performance technique apparaît en 1929 sous le nom Maybach 12 DS 7 (sept litres).

La SW 42 est un des derniers modèles de la marque. En 1939, ce luxueux cabriolet 4/5 places carrossé par Spohn coûtait près de 20 000 reichmarks

En aluminium, le puissant sept-litres ne pèse que 550 kg mais produit 150 ch à 2 800 tr/min. En un an, 125 voitures sont vendues. Le type suivant est le Zeppelin DS 8 (8 litres).
Ces voitures extrêmement chères (17 300 reichsmarks) sont le plus souvent vendues en châssis roulant. Pour une Pullman-Limousine, le client doit débourser 24 300 reichsmarks. En comparaison, une Opel Six à moteur deux litres et carrosserie Pullman ne coûte que 5 000 reichsmarks.
Au milieu des années 1930, le succès de ces machines d'un luxe extraordinaire arrive à son terme. La majorité des acheteurs choisit des voitures plus raisonnables, susceptibles d'être pilotées par leur propriétaire.
Maybach accompagne cette tendance en introduisant sur le marché un modèle plus petit, la SW 35, ce nombre faisant référence à la cylindrée. Propulsée par un moteur six cylindres de 3 455 cm^3 à 1 ACT de 140 ch à 4 500 tr/min, cette voiture ne pèse que 1 300 kg pour 140 km/h.
En 1936, elle fait place à la SW 38 de 3,8 litres. Le dernier modèle de cette série, en 1939, est la HL 42 six-cylindres de 4 197 cm^3 donnant 140 ch.
L'entreprise célèbre ses cinquante ans. Karl Maybach a alors 80 ans. Il décède le 6 février 1960, année où Daimler-Benz absorbe la marque.

Mercedes-Benz

Il est généralement admis que Gottlieb Daimler et Karl Benz ont fabriqué les premières automobiles viables, même si les Français évoquent les essais antérieurs de Delamare-Deboutteville, qui renonça très tôt, et les Autrichiens, ceux de Siegfried Marcus, leur grand pionnier. Gottlieb Daimler vivait à Cannstadt et Carl Benz, à Mannheim. Au même moment, sans se connaître, ils étudient et développent une automobile, chacun de leur côté.
Les deux firmes nées de leurs travaux fusionnent en 1926 pour former Daimler-Benz AG. Ce groupe produit de petites voitures de prix moyens, de grands modèles de luxe ainsi que des voitures de sport et de course très performantes. Il serait vain de tenter de décrire ici tous les types produits, en raison de leur grand nombre. Les grosses voitures à compresseur sont naturellement les plus passionnantes, mais il ne faut pas négliger pour autant les petits modèles comme les 130H à moteur arrière et les 170.
Avant 1945, les responsables des firmes automobiles se satisfont de volumes de production sans commune mesure avec ceux d'aujourd'hui. À l'époque, l'automobile est un produit de luxe que la majorité ne peut envisager d'acquérir.

Les Mercedes Manheim et Stuttgart, conçues après la fusion de Daimler et de Benz en 1926, représentent la gamme de tourisme moyenne du nouveau groupe. Elles portent le nom du site de production.

Chez Mercedes, le type Stuttgart, par exemple, est le plus vendu des années 1920. À l'automne 1928, il est équipé d'un six-cylindres de 1 988 cm^3. En 1929, il est remplacé par la Stuttgart 260 dotée d'un moteur de 2 581 cm^3 donnant 50 ch au lieu de 38. Au total, Mercedes construit 14 716 voitures dont 1 507 sont achetés par les militaires. Autre « petit » modèle, la première 170 six cylindres est lancée au Salon de Paris de 1931. Sa carrosserie est inspirée par le style américain, mais les acheteurs n'y voient aucun inconvénient. Mercedes produit au total 13 775 voitures de type 170.

La première « petite » Mercedes est la 170 de 1931 à moteur six cylindres de 32 ch produite jusqu'en 1934. Ici, un cabriolet C à quatre places.

La seconde Mercedes 170 est une quatre cylindres de 36 ch apparue en 1935 avec quatre roues indépendantes. Ici une 170V en cabriolet A (deux places).

La Mercedes 130H de 1933, à moteur arrière, est produite à 4 298 exemplaires. La version 150H n'est produite qu'à 25 exemplaires.

L'année 1935 est celle de la présentation d'une autre 170, la 170V. C'est une quatre-cylindres de capacité équivalente à la 170 six cylindres, mais alors que le six-cylindres de 1 692 cm^3 donnait 32 ch, le 1 697 cm^3 délivre 38 ch. Sa carrosserie est plus moderne que les types antérieurs, plus arrondie, avec un radiateur incliné. La 170V sera remise en production en 1946.

Dans les années 1930, l'industrie européenne expérimente le moteur arrière. Tatra et Porsche (Volkswagen) maîtrisent déjà cette architecture quand Mercedes tente une incursion

Un phaéton Mercedes 28/60 de 1912 conservé aux États-Unis. Le moteur à quatre cylindres de 7 195 cm^3 donne 60 ch à 1 500 tr/min.

La Mercedes type K 630 (6,3 litres à compresseur) de 1926 précède la prestigieuse lignée des S et SS de sport du Professeur Porsche. Ce cabriolet pèse deux tonnes.

La Mercedes SS de 7,1 litres avec compresseur (200 ch) est une très grande voiture : 3,40 m d'empattement et une longueur de 4,70 à 5,20 m selon la carrosserie. Le compresseur ne doit être embrayé que sur de courtes périodes.

La Nürburg 460 de 1928 est une huit-cylindres de 4,6 litres et 80 ch à soupapes latérales conçue sous la direction de Porsche. Lourde et coûteuse, elle est portée à 4,9 litres et 110 ch en 1931.

La Mercedes SSK est destinée à la compétition. Cette voiture de 1929 dispose de 225 ch compresseur embrayé.

dans ce domaine. La firme lance la 130H. Ses formes et ses performances sont comparables à celles de la Volkswagen. Elle est propulsée par un moteur à quatre cylindres monté en porte-à-faux arrière. Ce groupe latéral de 1 308 cm³ donne 26 ch à 3 400 tr/min. Une version plus musclée, la 150H, reçoit un moteur de 1 498 cm³

La planche de bord de la SSK est dominée par le compte-tours. Le compteur de vitesse est secondaire.

de 55 ch. Ces modèles, qui ont peu de succès, restent au catalogue de 1934 à 1936.

La 170V donne lieu à une version à moteur arrière, la 170H, construite de 1936 à 1939. C'est une meilleure voiture que les types antérieurs sur le plan du comportement dynamique.

En 1930 la Grosser Mercedes première série est le haut de gamme absolu de la marque, destiné à des chefs d'État ou des clients sélectionnés. Cette décapotable quatre places de 1930 a encore un châssis classique à longerons emboutis.

Moteur huit cylindres en ligne de 7,7 litres de la 770 ou Grosser. Ce groupe à culbuteurs donne 150 ch avec alimentation aspirée et 200 ch avec compresseur embrayé. La masse de la voiture demande des conducteurs expérimentés.

Ce moteur Mercedes 540K huit cylindres en ligne à culbuteurs est alimenté par un seul carburateur soufflé par un gros compresseur Roots donnant 115 ou 180 ch.

Mercedes a toujours construit des voitures avec de gros moteurs. Il y eut même des quatre-cylindres de 6 et 9,5 litres de cylindrée.

Avant la guerre de 1914, la plupart des grosses Mercedes sont à chaînes. Seule la 28/60 PS est disponible avec un arbre à cardans en option. L'avantage des chaînes est de passer des couples importants et d'alléger l'essieu arrière. Les chaînes sont aussi plus faciles à réparer ou à remplacer.

En 1922, Paul Daimler, ingénieur en chef, est remplacé par Ferdinand Porsche. Sous sa direction technique, l'usine Mercedes d'Untertürkheim va produire ses plus belles voitures. Non seulement, Porsche est responsable des voitures de compétition, mais il va créer des modèles de tourisme et de sport de grande dimension, comme la 630 K vendue de 1926 à 1930. Elle a un moteur à six cylindres de 6 240 cm³ avec compresseur embrayable momentanément. Le moteur délivre 110 ou 160 ch.

En gamme Tourisme, Porsche développe en 1928 le premier huit-cylindres en ligne pour la Mercedes Nürburg. Ce moteur relativement petit, d'une cylindrée de 4 622 cm³, délivre 80 ch à 3 400 tr/min. En 1931, le groupe est réalésé de 80 à 82,5 mm pour atteindre 4 918 cm³ et une puissance de 100 ch.

Mercedes propose parallèlement ses modèles sport-compétition comme les Mercedes S, SS et SSK dont la conduite n'est pas sans poser de problèmes, même aux pilotes expérimentés. La Mercedes-Benz type S est lancée en 1926 et produite jusqu'en 1930. Le moteur à six cylindres de 6,8 litres à 1 ACT délivre, compresseur Roots embrayé, 180 ch à 3 000 tr/min. Il consomme au moins 26 litres aux 100 km, mais la voiture atteint 170 km/h. En 1928, la SS et la

Ce magnifique cabriolet A sur châssis Mercedes 540K coûtait à l'époque 22 000 reichsmarks.

Ce cabriolet Mercedes 540 K a été la propriété de la star américaine Barbara Hutton.

SSK reçoivent un six-cylindres de 7065 cm³ donnant 200 ch. SSK signifie Super Sport Kurz (court). Le moteur de cette version est poussé à 250 ch à 3300 tr/min. Mais l'apogée de la série est atteint avec la SSKL. La lettre L signifie Leicht (léger) car la voiture ne pèse que 1500 kg au lieu de 1700. Les 300 ch de moteur permettent d'atteindre 235 km/h.

Le haut de gamme absolu en tourisme apparaît au Salon de Paris de 1930 sous la forme de la Grosser Mercedes ou type 770, produite jusqu'en 1938. Son huit-cylindres de 7655 cm³ donne 150 ch et 200 ch compresseur embrayé.

Son empattement est de 375 cm, sa longueur atteint 560 cm, sa largeur 184 et sa hauteur 183 cm. Mais sa consommation dépasse les 30 litres aux 100 km. Sa vitesse maximale d'environ 160 km/h n'est pas négligeable pour une voiture pesant 1950 kg.

La série 500/540 K remplace les six-cylindres S/SS en apportant davantage de confort et de facilité de conduite. La série 500/540 est néanmoins destinée aux amateurs de conduite sportive et de grand tourisme. Ce sont de prestigieuses routières non destinées à la compétition. La plupart sont vendues en châssis roulant et les carrossiers allemands vont créer de magnifiques caisses aérodynamiques. Certaines voitures sont allongées et blindées. Les premières 500K de 1934 sont équipées d'un huit-cylindres en ligne

Reichsmark 1000.–

RM 1000 RM

Daimler-Benz Aktiengesellschaft
Stuttgart

1000 Reichsmark

№ 115639

STAMMAKTIE
ÜBER
TAUSEND REICHSMARK

Der Inhaber dieser Stammaktie ist bei der Daimler-Benz Aktiengesellschaft nach Maßgabe ihrer Satzung als Stammaktionär beteiligt.

Stuttgart, im Dezember 1941.

Daimler-Benz Aktiengesellschaft
Der Aufsichtsrat: Der Vorstand:

à culbuteurs de 5 018 cm³. En 1936, la 540K voit son moteur porté à 5 401 cm³.
De 1940 à 1944, ces rares voitures ne sont pas vendues à des particuliers. La 500 K est produite à 354 exemplaires, la 540 K à 459 unités, les douze dernières recevant un moteur de 5, 8 litres.

En 1916, Mercer propose une quatre-cylindres de 70 ch en deux versions: le runabout sport sur 292 cm d'empattement et la torpédo de tourisme sur 335 cm.

Mercer

Deux marques sportives américaines du début du XXe siècle, Stutz et Mercer, peuvent être comparées à des firmes modernes comme Ferrari, Aston Martin ou Lamborghini. Leurs « runabouts » sont alors le rêve de tout conducteur sportif, même – et surtout – si ces modèles sont spartiates : juste un châssis, un moteur, deux sièges baquets et un gros réservoir cylindrique. Mercer construit ce genre de voiture dès 1908 et la marque leur doit sa renommée : elles désespèrent leurs concurrentes. En 1912, A. Roebling, l'un des fondateurs, disparaît dans le naufrage du Titanic. Dès lors, la firme entame sa descente aux enfers. Les nouveaux propriétaires produisent de nouveaux types, mais à carrosseries normales. À partir de 1923, Mercer ne construit que des voitures six cylindres, mais d'un prix très élevé. La moins chères des Mercer est une torpédo quatre places affichée à 3 750 dollars, une limousine sept places en coûte 5 000. Mais ces voitures ne sont plus de « vraies » Mercer. Lorsque les acheteurs s'éloignent de la marque, la production doit s'arrêter en 1925.

Mercury

Au milieu des années 1930, beaucoup de clients de Ford se tournent vers la concurrence, car la Ford la plus chère coûte 947 dollars et la Lincoln Zephyr la moins chère, 1 399. Le groupe n'a rien à proposer à prix intermédiaire. Beaucoup de clients se reportent sur les modèles Dodge, Pontiac ou Studebaker Commander.
Pour résoudre le problème, Edsel Ford introduit la marque Mercury. La première Mercury 1939 est présentée en octobre 1938.
Les concessionnaires Ford américains ont tout lieu d'être satisfaits. Ces belles et modernes voitures ont été dessinées par Bob Gregorie. Elles sont aussi à la pointe du progrès sur le

Mercury est une marque du groupe Ford créée en 1939, positionnée entre les gammes Ford et Lincoln. Elle bénéficie du style de la Zephyr et de la mécanique Ford.

Le moteur Mercury est un V8 Ford poussé à 95 ch, soit 10 ch de plus que le Ford normal.

plan technique. Elles sont équipées de freins hydrauliques au lieu du système mécanique des Ford.

Chevrolet avait adopté ce type de commande trois ans plus tôt et la Plymouth est apparue avec des freins hydrauliques dès 1928. L'empattement de la nouvelle Mercury est supérieur de 10 cm à celui des Ford, offrant ainsi beaucoup plus d'espace à ses passagers.

Un moteur spécial a été mis au point pour la Mercury. Ce V8 de 3 917 cm³ donne 95 ch à 3 600 tr/min. Il est de qualité supérieure à celle du V8 Ford. Le vilebrequin est plus généreux, les bielles sont renforcées et les paliers sont plus larges.

La nouvelle marque « fait un tabac ». Dès la première année, Ford en vend 70 835 exemplaires et plus de 86 000 en 1940. Pourtant, peu de choses ont changé sur les nouveaux modèles. Les glaces de porte ont reçu un déflecteur et le modèle est appelé Mercury Eight au lieu de Ford Mercury.

En 1941, la caisse de la Mercury est complètement redessinée, plus haute et plus large que la précédente. Avec l'ajout à la gamme d'un coupé et d'un break (station wagon), les ventes montent à 98 412 voitures.

La face de la Mercury 1939 est plus sobre que celle de la Lincoln. La calandre 1940 sera très élargie et abaissée.

Le 2 février 1942, le gouvernement américain réquisitionne toutes les voitures de tourisme en stock. Une semaine plus tard, leur production est interdite aux États-Unis.

MG

En 1921, le constructeur William Richard Morris engage Cecil Kimber comme chef des ventes, dans une entreprise personnelle distincte de Morris Motors, les Morris Garages (MG) d'Oxford. Un an après, Cecil Kimber est nommé directeur général et, pour promouvoir les automobiles Morris dont il doit développer les ventes, il commence l'étude, puis la construction d'une « spéciale » avec laquelle il remporte le rallye Londres-Lands End Trial en 1923.

MG enregistre alors une série de commandes pour des modèles Morris préparés à la sauce MG qui commencent à sortir des ateliers d'Alfred Lane à Oxford. La Morris 14/28 est ainsi livrée en biplace, en tourer quatre

Cette « spéciale » créée par Cecil Kimber en 1923 est considérée comme l'ancêtre de toutes les MG.

places et en conduite intérieure deux places style coach dite Salonette. Jusqu'en 1927, ces voitures sont toujours identifiables comme Morris par leur radiateur arrondi, remplacé par un radiateur plat pour 1928. En 1927, sort une version plus puissante désignée 14/40. Le moteur Morris Oxford poussé donne 35 ch à 4000 tr/min. A l'automne 1927, Morris lance la Morris Six à moteur six cylindres et un arbre à cames en tête d'une cylindrée de 2468 cm^3, donnant 52 ch. Pour ce six-cylindres, Kimber conçoit un nouveau châssis destiné à la MG 18/80. Le moteur reçoit deux carburateurs et produit jusqu'à 80 ch. MG vend environ 750 voitures de cette

La première MG Midget (naine) est le type M de 1929, dérivée de la Morris Minor. Son quatre-cylindres à 1 arbre à cames en tête de 847 cm^3 donne 20 ch à 4 000 tr/min.

Kimber, créateur de MG, introduit de grosses six-cylindres de sport en 1927 sur la base du moteur Morris Six, les 18/80. En 1930, il propose la rarissime 18/100 Mk III Tigress présentée ici.

La MG K3 est destinée à la compétition internationale. C'est avec une voiture semblable que Giovanni Lurani et George Eyston remportent leur catégorie (1 100 cm^3) aux Mille Miglia 1933.

série. En 1930, une variante spéciale course, la 18/100, reçoit l'appellation Mark III Tigress. Elle n'est produite qu'à cinq exemplaires.

Comparée à la lourde Tigress, la MG Midget Type M est, comme son nom l'indique, une naine. Cette minuscule voiture de sport est née en 1929 sur la base de la Morris Minor. Son moteur à quatre cylindres à 1 ACT de 847 cm^3 donne 20 ch à 4000 tr/min. La voiture offre deux places, sous forme de roadster ou de coupé (plus rare). Les premières Midget ont une carrosserie en contreplaqué entoilé (simili cuir) avec, plus tard, une option de caisse tôlée en acier.

La MG Midget rencontre un grand succès. Jusqu'en 1932, MG en vend 3235 exemplaires. Cette Type M brille aussi en compétition, mais avec 847 cm^3, elle doit courir contre des voitures allant jusqu'à 1100 cm^3. C'est pourquoi MG propose en 1931 la Type C dite Montlhéry Midget, au moteur à compresseur réduit à 746 cm^3, poussé à 52 ch à 6500 tr/min. Toutes les Type C (44 exemplaires) ont une caisse à deux places.

Au Salon de Londres de 1931, Kimber présente deux nouveaux types, la

En 1934, MG présente le type N à six cylindres de 1 272 cm^3. Une version préparée, la NE, remporte le Tourist Trophy 1934 interdit aux voitures à compresseur.

Les MG PA et PB prennent la suite des types J en 1934. La PB (ci-dessous) reçoit un moteur de 939 cm^3 et 43 ch et une meilleure boîte de vitesses.

Type D, une version quatre places de la Type M livrable en tourer ou en conduite intérieure, et l'intéressante Type F Magna à moteur six cylindres. Cette dernière est proposée en décapotable deux ou quatre places et en coupé quatre places. En deux ans, 1 250 Type F sont vendues.

A l'été 1932, MG introduit sur le nouveau Type J un style de carrosserie qui vivra jusque dans les années 1950. La Midget Type J est immédiatement reconnaissable à son long capot, ses portes échancrées et son arrière tronqué, terminé par le réservoir d'essence vertical portant la roue de secours retenue par des sangles en feuillard d'acier. Elle est propulsée par une version améliorée du moteur 847 cm^3 du Type M qui donne dorénavant 36 ch à 5 500 tr/min. Les acheteurs ont le choix entre quatre modèles. La J1 offre quatre places en version décapotable ou fermée. La J2 est un roadster deux places exclusivement. La J3 est identique à la J2, mais avec compresseur et destinée à la route et la J4 est réservée à la compétition. Son moteur spécial à compresseur délivre 72 ch à 6000 tr/min. Au printemps 1933, en même temps que la J4, un autre type nouveau est présenté, la Type K Magnette. Cette série Magnette existe sur la base de plusieurs châssis. La version roadster biplace est sur châssis court. Le châssis à grand empattement reçoit une caisse fermée ou un tourer, tous deux à quatre places. Le moteur six cylindres est disponible en trois cylindrées de 1 087 cm^3 à 1 286 cm^3. La version K3 est destinée à la compétition, propulsée par un moteur de 1 087 cm^3 à compresseur de 120 ch à 6500 tr/min. En 1933, ces modèles sont complétés par l'introduction du successeur du Type F Magna, la MG Type L. Le fiable six-cylindres de base est encore utilisé mais, si la cylindrée a été réduite à 1 087 cm^3 au lieu de 1 171,

La MG type L est une six-cylindres sport-tourisme de 1 087 cm^3. Ses 41 ch la rendent peu apte à la compétition, mais c'est la base des types K.

Le beau Airline Coupé profilé de Carbodies apparaît en 1934 sur châssis PA.

le groupe donne 41 ch à 5 500 tr/min. D'ailleurs, le même groupe de base équipe la Magnette Type K. La Type L version sport décapotable est la plus diffusée, contrairement aux versions Saloon et Continental Coupé vendus à 100 exemplaires seulement. En 1934, la Magnette Type L fait place à la Type N plus raffinée et la Type J à la Type P à moteur à trois paliers. Cette dernière déclinée successivement en PA et PB est un grand succès avec 2 500 exemplaires vendus en deux ans. Ce type bénéficie de nombreuses améliorations. Le châssis a été renforcé et les freins agrandis, mais le moteur de 847 cm³ de la PA ne donne que 36 ch. En 1935, la version PB reçoit un moteur porté à 939 cm³ donnant 43 ch avec davantage de couple.

En juillet 1935, William Morris, devenu Lord Nuffield en 1934, cède les firmes MG Car Company et Wolseley Motor Ltd. à Morris Company Ltd. Par décision du directeur général de l'époque, Leonard Lord, la MG Type SA est lancée en 1936. Cette grande et luxueuse MG est disponible en conduite intérieure et cabriolet quatre places. La plupart sont vendues en châssis roulant et carrossées à l'extérieur. Ces voitures ne sont pas rapides. Le moteur à six cylindres de 2 288 cm³, capacité portée ensuite à 2 322 cm³, n'a plus d'arbre à cames en tête, mais de banals culbuteurs. Ce sont de pures voitures de tourisme très bien équipées pour le confort de leurs passagers, avec des freins à commande hydraulique et une boîte de vitesses synchronisée sur les derniers modèles. Environ 800 MG SA sont vendues jusqu'en 1939.

En juillet 1936, une nouvelle Midget, la TA, est mise en vente, avec un moteur à culbuteurs de 1 292 cm³ qui donne 50 ch, des freins hydrauliques et des dimensions plus généreuses. Moins sportive que la P, elle déplaît aux puristes. En mai 1939, la TA fait place à la TB dotée d'un moteur différent, plus moderne, de 1 250 cm³ et 54 ch à 5 200 tr/min. Peu produite avant la guerre, la TB est l'ancêtre directe de la TC de 1945. La TA et la TB sont carrossées comme les roadsters précédents. En 1937, une version plus petite de la SA, la VA, est introduite, à empattement de 275 cm au lieu de 312. Le moteur à quatre

Contrôlée par Morris depuis 1935, MG propose à partir de 1936 des MG plus cossues, les luxueuses SA, WA et WA en quatre et six-cylindres, sans prétentions sportives.

cylindres de 1 548 cm³ donne 55 ch à 5 500 tr/min. Au total, 2 407 exemplaires de VA sont produits.
Enfin, elle donne lieu à une version agrandie, la WA, avec un six-cylindres de 2 562 cm³ de 95 ch à 4 400 tr/min. En 1939, les lignes de montage s'arrêtent chez MG, qui produit et répare des matériels militaires.

Le radiateur de la Millot placé à l'arrière dénonce son caractère d'engin à moteur auto-déplaçable conçu pour effectuer divers travaux comme le sciage ou le battage.

Millot

Les frères Millot construisent leur première automobile en 1896, à Gray, en Haute-Saône, en fait plus engin automobile que voiture. Ils réalisent des moteurs pour travaux industriels ou agricoles, déplaçables sur les chantiers par leurs propres moyens. Leur volant est près des places arrière. Le radiateur est à l'arrière, au plus près du moteur un ou deux cylindres lui-même placé à proximité de l'essieu arrière moteur qu'il entraîne par une lourde chaîne. Un lourd volant emmagasine l'énergie cinétique nécessaire

Ce curieux vis-à-vis Millot de 1899 est une ancienne scie à bois mécanique automobile, fabriquée à Gray en Haute-Saône.

Les frères Millot fabriquèrent très peu d'automobiles véritables sur la base de leur banc de scie auto-mobile. Noter le frein de type hippomobile, appliqué sur les bandages en caoutchouc.

pour passer les pics de résistance dans les travaux, le sciage de bûches notamment. En 1901, la caisse vis-à-vis est parfois remplacée par une carrosserie 2+2 plus moderne. Le nombre d'engins fabriqués est inconnu et probablement faible. La firme cesse toute production en 1902.

Minerva

La marque belge la plus importante, Minerva, est fondée par Sylvain De Jong. Ce jeune Hollandais a tout

Cette grande Minerva type AK de 1928 est carrossée en Cabriolet de Ville. Son moteur est un six-cylindres sans soupapes.

juste vingt ans quand il s'établit à Anvers comme négociant et réparateur de cycles. Très vite, il devient constructeur de bicyclettes à son tour. Il expérimente un moteur De Dion-Bouton sur un bicycle, avant de lancer une production de motocycles. Ces deux-roues sont vendus sous la marque Minerva, déesse de la sagesse et protectrice des arts. En 1900, Sylvain et son frères Jacques construisent leur première automobile.

Au cours des premières années, seuls quelques prototypes sont construits et l'essentiel de l'activité est fourni par les bicyclettes et les motos. A partir de 1904, l'usine produit de plus en plus d'automobiles. Des moteurs à deux ou quatre cylindres sont installés sur des châssis en bois. Les carrosseries sont vastes en général, mais la marque produit aussi une petite voiture, la Minervette, dotée d'un châssis en tube d'acier et d'un bicylindre de 5 ch. Les châssis en bois sont remplacés par des châssis en tôle d'acier et, après 1905, une transmission à cardans remplace les chaînes. Outre la Minervette, De Jong produit de grosses voitures de luxe dont certains types ont des moteurs de plus de six litres. Ces voitures de qualité peuvent rivaliser avec les Rolls-Royce ou les coûteuses Mercedes. Comme les autres constructeurs de l'époque, l'usine Minerva construit des types course. Malheureuses au Kaiserpreis (non qualifiées), des Minerva remportent le Circuit des Ardennes 1907. Quatre voitures type Kaiserpreis y sont engagées, confiées à Moore-Brabazon (futur Lord Brabazon of Tara et ministre de l'Aéronautique britannique), Fritz Koolhoven (futur fabricant d'avions hollandais), Kenelm Lee Guinness et Warwick Wright, importateur britannique de la marque. Ils terminent respectivement aux trois premières places et à la sixième. En 1908, de Jong adopte le moteur sans soupapes

L'emblème officiel de Minerva est une tête de la déesse Minerve, sculptée au début des années 1920 par Pierre de Soete. Il orne ici une quatre-cylindres de 1925.

Une petite Minerva « coursifiée » d'un millésime inconnu probablement sur base 14 HP 1914.

à fourreaux coulissants développé par l'Américain Charles Y. Knight.
Ces moteurs offrent un silence de fonctionnement incomparable, mais consomment beaucoup d'huile en émettant un nuage de fumée bleue caractéristique à l'échappement. Malgré cet inconvénient, les sans-soupapes seront utilisés jusqu'en 1937. De petits quatre-cylindres sont produits comme, par exemple, le type AG de 1922 (1 980 cm^3) jusqu'à des voitures à six cylindres à moteurs 5 954 cm^3 comme la prestigieuse AK de 1928, version raffinée de la 30 CV de 1919. Le constructeur ne craint même pas de construire des huit-cylindres en ligne sans soupapes comme, par exemple, le type AL de fin 1929 à 1938, d'une

En 1913, année de production de cette 26 CV quatre cylindres de 4,2 litres, Minerva produit près de 3 000 voitures, majoritairement exportées pour les plus puissantes.

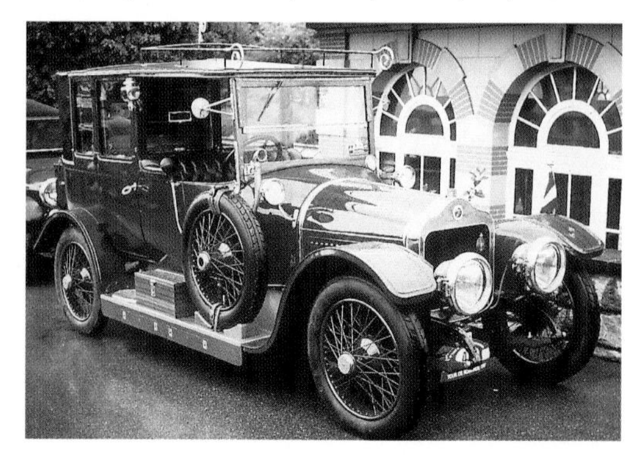

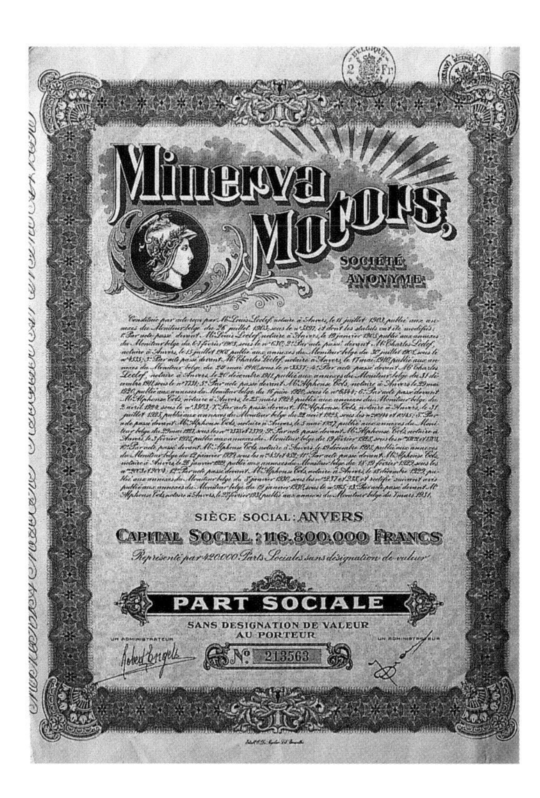
Minerva Motors
Société Anonyme

Siège social : Anvers
Capital social : 116.800.000 Francs
Représenté par 420.000 Parts Sociales sans désignation de valeur

PART SOCIALE
SANS DESIGNATION DE VALEUR
AU PORTEUR
UN ADMINISTRATEUR
UN ADMINISTRATEUR
N° 213563

cylindrée de 6615 cm³ et le type AP (1929-1938) de 4 litres.
En 1928, Sylvain de Jong meurt à l'issue d'une longue maladie. Son frère Jacques assume la direction de la firme qui, à l'époque, emploie quelque 7000 personnes alors que l'Europe est envahie de voitures américaines bon marché. Non seulement Minerva décline à l'exportation, mais aussi sur son marché intérieur. La marque tente de renverser la tendance avec des types moins chers comme l'AR 3000 en 1932 à six-cylindres sans soupapes de 2970 cm³. En 1935, il est suivi par la M4 dotée d'un quatre-cylindres sans soupapes de 1980 cm³, développé depuis 1922, donc apte à être produit économiquement. Mais ce moteur est démodé et la voiture est un échec qui met Minerva en faillite. Le patron de l'usine belge Impéria, Matthieu van Roggen, reprend les actifs restants en 1935 et produit quelques modèles de tourisme jusqu'en 1938, en mettant l'accent sur les camions. Après 1945, quelques prototypes sont développés, mais aucune production n'est lancée, à l'exception de l'assemblage de véhicules tout-terrain jusqu'en 1956.

Mitchell

Henry Mitchell et William T. Lewis construisent leur première voiture en 1903. Ce sont d'abord de simples runabouts biplaces à moteurs bicylindres refroidis par eau. Le refroidissement par air est proposé en option en 1905. En 1906, sont lancés quelques modèles à quatre cylindres suivis en 1910 par le type S à six cylindres, de 50 ch. Après 1916, la firme de Racine, Wisconsin, ne produit plus de quatre-cylindres. L'expérimentation d'un huit-cylindres en V ne se révèle pas concluante et la marque se consacre uniquement aux six-cylindres. Dans les années 1920, la concurrence entre les constructeurs américains tourne à la guerre des prix et Mitchell ne vend plus que 100 voitures en 1923. C'est la faillite et l'usine Mitchell est rachetée par Nash.

En 1914, Mitchell vend des modèles quatre et six cylindres de 29 à 44 ch. Cette Big Six a un empattement de 366 cm.

Morgan

Le jeune H. F. S. Morgan construit ses premiers cyclecars à trois roues avant la guerre de 1914. Le concept est moderne à l'époque, mais personne n'aurait pu imaginer que certains organes de la Morgan seraient encore construits, pratiquement sans modification, au début du XXIe siècle pour des voitures, comme elles l'ont toujours été, assemblées à la main.
H. S. F. Morgan a transmis l'entreprise à son fils Peter qui l'a, à son tour, transmise à son fils Charles. Actuellement, environ 450 Morgan sont construites annuellement et le délai d'attente pour un véhicule neuf est de plus d'un an. Les types à trois roues sont construits jusqu'en 1952. Ces tricycles avaient deux roues à l'avant, en avant desquelles est placé un gros moteur à deux cylindres en V. Les trois-roues ont beaucoup d'avantages à l'époque. Par exemple, leur conducteur peut n'avoir qu'un permis moto. En outre, leur fiscalité est faible et leur entretien facile. Les premiers sont équipés d'un bicylindre en V refroidi par air de 1 000 puis 1 100 cm^3. Les plus puissants sont à culbuteurs et

Une Morgan à trois roues peut être aussi une voiture de grand tourisme.

En 1935, Morgan présente une voiture à quatre roues dotée d'un radiateur plat d'où son surnom de Flat Rad. Le moteur est d'abord un Coventry-Climax semi-culbuté.

Un trois-roues Morgan offre un confort spartiate qui le rapproche de la moto.

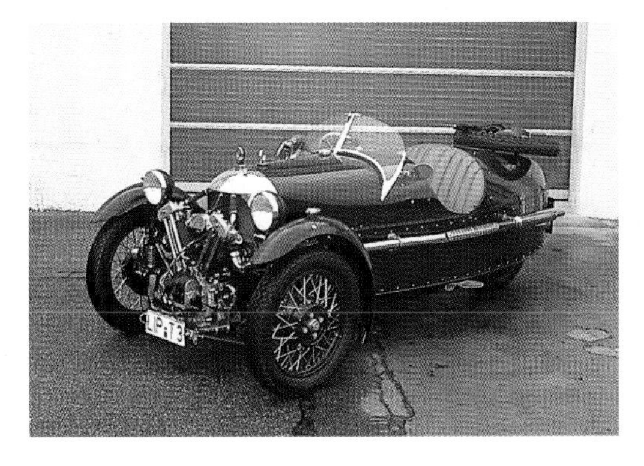

Cette Morgan trois roues semble être équipée d'une boîte de vitesse classique. L'accélérateur est au volant.

refroidis par eau. Au début des années 1930, Morgan propose un moteur Ford à soupapes latérales et une boîte de vitesses classique. Leurs roues avant sont indépendantes, par suspensions télescopiques qui améliorent leur tenue de route. La transmission finale est toujours à chaîne.
En 1936, Morgan propose un type à quatre roues. Appelé 4/4, il reçoit un moteur Coventry Climax à soupapes en tête de 1 122 cm³ donnant 34 ch. Les derniers modèles avant 1940 peuvent aussi recevoir un moteur Standard à soupapes en tête de 1 267 cm³.

Les Morgan dotés d'un moteur JAP culbuté sont parmi les plus performants. Leur vitesse dépasse 120 km/h.

Morris

En 1912, William Morris (qui deviendra Lord Nuffield) vend les premières automobiles portant son nom. Le groupe Nuffield deviendra l'un des plus importants constructeurs britanniques. Dans les années 1940, la firme produit plus de la moitié des voitures construites en Grande-Bretagne. Le premier type est appelé Morris Oxford et son radiateur arrondi lui vaut très vite le surnom de Bullnose (nez de taureau). La Morris reçoit d'abord un moteur White & Poppe, puis la Cowley moins chère un moteur américain Continental, enfin, après 1920, un moteur fabriqué par la branche anglaise d'Hotchkiss sur le modèle du moteur Conti-

Morris Oxford 1913, l'un des premiers succès commerciaux. Il résulte d'un assemblage d'organes achetés à l'extérieur.

Les premières Morris Oxford sont équipées d'un moteur White & Poppe de 1 087 cm³. Les modèles Bullnose d'après 1918 sont munis d'un moteur quatre cylindres fabriqué par la firme Hotchkiss anglaise.

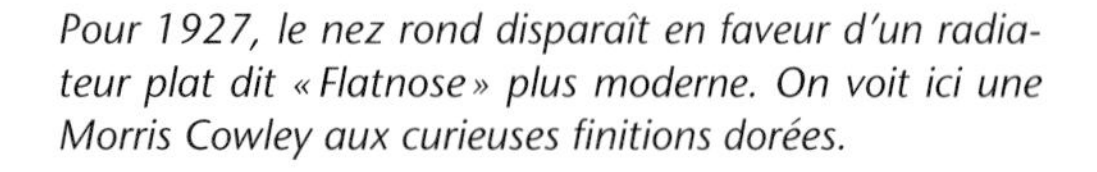

Pour 1927, le nez rond disparaît en faveur d'un radiateur plat dit « Flatnose » plus moderne. On voit ici une Morris Cowley aux curieuses finitions dorées.

nental que la société américaine cesse de produire. La production des Oxford et des Cow-ley fait de Morris le premier constructeur britannique en 1924. À l'automne 1927, la Morris Six est lancée sous le nom d'Isis, avec un moteur à six cylindres de 2 468 cm³ à arbre à cames en tête. Entre 1930 et 1935, rééquipée d'un moteur à soupapes latérales, elle est vendue sous le nom Oxford. La gamme comprend aussi des petits modèles comme la Minor, disponible de 1929 à 1931 avec un quatre-cylindres à 1 ACT de 847 cm³. En 1931, la nouvelle Minor à moins de 100 livres connaît le suc-

La grande Morris apparaît en 1929 sous la forme de l'Isis, une six-cylindres de 2,5 litres à moteur Wolseley à arbre à cames en tête.

Une Morris Oxford datant de 1926 a certainement servi de base à cette voiture de course, qui aurait été réalisée dès 1926.

La Morris Eight série 1 de 1935 (ici en décapotable quatre places) connaît un tel succès qu'elle sera remise en fabrication en 1946.

cès jusqu'en 1934. Morris produit aussi quelques modèles plus confidentiels comme la Morris Major, à partir de 1931 et la Fifteen Six de 1935. Mais les plus fortes ventes sont assurées par les Eight de 1933 et les Ten et Twelve de 1934 et 1937.

Mors

Dans les années 1850, l'entreprise parisienne Mors aborde la fabrication de fils et d'équipements électriques.

En 1880, les fils du fondateur, Louis et Émile Mors, prennent la direction de l'entreprise. En 1887, un jeune ingénieur des Arts et Métiers récemment engagé, Henri Brasier, né en 1864, est chargé de la conception d'une voiture à vapeur à trois roues. En 1892, Louis Mors achète l'une des premières Panhard et Levassor avec laquelle les frères Mors prennent part à la course Paris-Bordeaux-Paris. Dès lors, ils décident de devenir constructeurs automobiles.

En 1896, Brasier conçoit une voiture semblable à la Benz et, l'année suivante, un type à moteur V4 doté de l'allumage électrique par batterie et d'une dynamo, solution naturellement privilégiée par une firme d'électriciens. En 1898, la Société d'Électricité et des Automobiles Mors est fondée au capital de deux millions de francs. Cette même année, les deux cents employés environ de la firme produisent dix voitures par mois. Parallèlement, Brasier étudie et construit des voitures de course de

Mors produit avant 1914 une trop large gamme de voitures de tourisme, dont cette quatre-cylindres 10/12 HP de 1912. La firme est dirigée à l'époque par André Citroën.

En 1908, Mors prépare deux voitures de course de 12,8 litres pour le GP de l'ACF. Pilotée par Jenatzy, une Mors finit à la seizième place.

plus de 10 litres de cylindrée et de 60 HP. Ces voitures apportent une gloire mondiale à la marque après la victoire dans la course Paris-Berlin de 1901. Parallèlement, la marque produit des modèles de tourisme quatre cylindres en V ou en ligne, de 6 à 24 HP. Dans les bonnes années 1901-1903, le chiffre d'affaires de la branche automobiles atteint 4 millions de francs. Les voitures au catalogue sont des créations de l'ingénieur Brasier, mais il a quitté Mors en 1901 pour s'associer avec Georges Richard. En 1903, une Mors profilée de 70 HP, dite Dauphin, remporte la première et seule étape Paris-Bordeaux de la course Paris-Madrid. Mors emploie alors 1000 personnes et sort 325 voitures par an. La marque crée des filiales de vente à New York et à Londres, mais le manque de résultats entraîne leur fermeture en 1904. Dès lors, la situation de Mors s'aggrave et la direction tente une fuite en avant en multipliant les modèles d'une gamme déjà pléthorique. Par relations personnelles, André Citroën est nommé directeur en 1907. Il rationalise la production et les ventes remontent à 319 voitures en 1908 et 647 en 1910. Après le départ de Brasier, à l'exception du succès relatif à Bordeaux en 1903, le service des courses est mis en sommeil. Une ultime tentative est effectuée en 1908 avec des voitures de Grand Prix de 12,8 litres. A Dieppe, les Mors terminent loin de la Mercedes gagnante. Mors ne courra plus. André Citroën maintient la marque à flot et adopte le moteur sans soupapes Minerva. La Grande Guerre relève le chiffre d'affaires. En 1919, une société nouvelle Mors relance des modèles de 1914 modernisés, mais sans grand succès. Elle cesse de produire fin 1925 et la branche automobile de Mors disparaît en 1926.

NAG

L'Allemand Emil Rathenau est le fondateur et le directeur général de la très connue firme AEG. À ses débuts, cette entreprise fabrique des matériels électriques, mais Rathenau s'intéresse fortement à l'automobile en 1901. Il rachète la firme d'automobiles du professeur Klingenberg, l'Allgemeinen Automobil Gesellschaft, pour s'épargner les coûts d'étude et de développement d'un type nouveau. Klingenberg a déjà construit sa première automobile en 1899. Rathenau va la commercialiser sous la marque NAG (Neue Automobil Gesellschaft) jusqu'en 1902. Cette année-là, la firme lance son propre premier type, dont le moteur est installé à l'avant au lieu d'être sur l'essieu arrière. NAG produit alors une belle gamme de modèles de 10 à 55 HP. Le type le plus cher est présenté comme *« la voiture pour la femme et l'homme du monde qui ont déjà tout »*. L'usine de Berlin construit aussi des types de course qui se mesurent aux Fiat, Mercedes et Opel. En 1924, une NAG quatre places remporte les 24 Heures de Monza en parcourant 2 583 km à 107, 6 km/h de moyenne. À l'époque, NAG emploie plus de 5 000 personnes dans l'une des plus modernes usines d'automobiles d'Allemagne. Mais la direction va commettre quelques erreurs stratégiques en introduisant sur le marché des modèles difficiles à vendre et en rachetant des firmes déficitaires comme Protos, Presto, Voran et Dux. Malgré cette reprise, ces marques font faillite et la réputation de NAG en subit les conséquences. La marque produit aussi de grosses V8 de 4,5 litres en 1932 et en dérive une version à traction avant à quatre roues indépendantes et freins hydrauliques avec châssis à tube central, mais son prix en limite la diffusion. La petite traction avant Voran à moteur flat four de 1,5 litre n'a pas de succès non plus. Après la crise de 1930, la direction décide d'arrêter la production de types de tourisme en 1934 en poursuivant celles des véhicules industriels.

Les crevaisons, fréquentes avant la Seconde Guerre Mondiale souvent en raison des clous laissés par les chevaux, imposent deux roues de secours.

Une nouvelle gamme NAG apparaît pour 1931 avec de luxueuses six-cylindres et V8 218 et 219 à boîte de vitesses silencieuses et freins hydrauliques. Les V8 de 4,5 litres délivrent 100 ch.

Napier

La firme Napier a déjà un long passé industriel dans l'armement et la mécanique depuis près d'un siècle, quand elle aborde la production automobile sous l'impulsion de Montague Stanley Napier en 1899. Le premier type de 8 HP est inspiré par la Panhard-Phénix, mais dès 1901, Napier présente une monstrueuse quatre-cylindres dont le moteur de 17 litres développe plus de 100 ch. En 1902, l'associé de Napier, Selwyn Francis Edge, remporte la deuxième coupe Gordon-Bennett sur l'étape Paris-Innsbrück de la course Paris-Vienne. La voiture est dotée d'un quatre-cylindres de 6,6 litres et 45 ch. Edge couvre les 566 km en 11 heures 53 minutes, à la moyenne de 51,3 km/h. Par ailleurs, Napier établit de nombreux records de vitesse. En 1905, une Napier pilotée par Clifford Earp parcourt le mile et le kilomètre lancés sur le front de mer de Blackpool à la vitesse de 168,48 km/h et 167,24 km/h. En 1907, Selwyn Edge établit le record des 24 heures sur la piste de Brooklands à la moyenne de 106 km/h environ, en usant 24 pneus pendant sa tentative. Napier introduit de nombreuses innovations. En 1904, elle est la première à produire couramment un six-cylindres en ligne. Ce moteur équipe des voitures de course, mais aussi des modèles de tourisme de grande qualité, qui rivalisent avec les Rolls-Royce à partir de 1906. Après la Grande Guerre, la firme présente un modèle de tourisme six cylindres de 6,2 litres et 1 ACT, équipé de freins avant à partir de 1924. Mais cette innovation n'attire pas beaucoup de clients chez Napier qui ne vend que 187 voitures en 1924. La firme, spécialisée dans les moteurs d'avions, arrête la production automobile en 1925. Elle échoue en 1931 dans sa tentative de rachat de Bentley.

La production totale de Napier (1900-1924) s'élève au total à 4 258 voitures dont cette 12 HP de 1904.

Une Napier 60 HP de 9,6 litres semblable établit en 1907 un record sur 24 heures à 105,5 km/h de moyenne, qui tiendra 18 ans.

Nash

Charles Warren Nash (1864-1948) naît dans une ferme de l'Illinois. Le petit Charles, âgé de six ans, est aban-

donné par ses parents divorcés et confié à une famille d'accueil pour laquelle il doit travailler jusqu'à l'âge de 21 ans. Mais il s'échappe à 12 ans. Après divers métiers, il trouve un emploi, dans les années 1890, dans une fabrique d'automobiles où il garnit des coussins de siège en battant des records de productivité. En 1906, il est devenu vice-président de la firme ! En 1910, Nash est nommé directeur de la division Buick.

À l'époque, la marque accumule les pertes, mais, dès 1911, les bénéfices s'élèvent à 800 000 dollars avant d'atteindre plus de 12 millions en 1914. En 1912, Nash devient président de General Motors, mais, en désaccord avec le fondateur Durant, il démissionne pour réaliser son ambition : créer sa propre marque. En 1916, il rachète la société Jeffery qui fabriquera la première Nash en 1918.

Cette Nash 460 coûtait 1 345 dollars en 1929 avec un six-cylindres à culbuteurs de 78 ch. Le cabriolet 441 est un 2/4 places (avec spider).

Le spider impose souvent la malle et le porte-malle. Les roues en bois sont standard.

Nash vend déjà 31 008 camions et voitures de tourisme dès 1919. La première Nash a un six-cylindres à soupapes en tête de 55 ch. En septembre 1920, elle est complétée par une quatre-cylindres à soupapes en tête coûtant 1 985 dollars en coupé.

La planche de bord des Nash 1929 est finie façon faux bois. C'est l'époque des petits instruments de style baroque.

En 1930, apparaît le premier type à moteur huit-cylindres en ligne. La gamme a alors trois types de base : la série 450 Single Six, la série 480 Twin-Ignition Six et la série 490 Twin-Ignition Eight. L'expression « Twin Ignition » signifie que les moteurs ont un double allumage par deux jeux de bougies. Ces trois séries sont disponibles sous 31 types de carrosserie différents du coupé deux portes à la limousine sept places. En 1935, les Nash sont traitées dans un style aérodynamique dit Aeroform moins radical que celui des Chrysler.

La Nash 498 Dual Cowl Phaeton sept places est propulsée par un huit-cylindres en ligne double allumage de 100 ch. L'empattement mesure 338 cm.

La Nash 970 huit cylindres de 1932 à 995 dollars est une bonne affaire et Nash surmonte la crise économique en faisant des bénéfices, comme General Motors.

En 1934, Nash produit 28 664 voitures sous les marques Nash et La Fayette. Tous les moteurs sont à culbuteurs.

NSU

La marque NSU, fabrique de bicyclettes, est aussi vieille que l'automobile. Le châssis du quadricycle Stahlrad de Maybach et Daimler exposé à Paris en 1889 est sorti de ses ateliers. NSU a en effet l'expérience du travail des tubes fins et elle construit les premières Daimler. Outre les bicyclettes, elle en arrive très tôt à la production de motocycles dont elle devient le plus gros producteur européen.
En 1905, NSU acquiert les droits de fabrication de la marque automobile belge Pipe et introduit son propre type en 1906. Jusqu'à la Grande Guerre, elle produit principalement des automobiles dotées de petits moteurs à quatre cylindres. La NSU 8/24 PS (24 ch) de 1912 reste le type de base pendant environ quinze ans. Après

La NSU 8/24 PS, ici en phaéton 1912, est le modèle de base. Le moteur à quatre cylindres de 2 110 cm³ délivre 30 ch à 2 100 tr/min.

NSU construisit des modèles de compétition à partir de la 5/25/40 à moteur 1 500 suralimenté par un compresseur Roots. Ces voitures atteignaient 125/130 km/h.

1918, les types de sport et de course se font remarquer par leurs performances. La célèbre 5/25/40 PS est propulsée par un quatre-cylindres à soupapes latérales de 1 232 cm³ à compresseur embrayable qui donne jusqu'à 40 ch. Ne pesant que 510 kg, sa vitesse maximale est d'environ 125 km/h. Le modèle de course de 1926, la NSU 6/60, est aussi remarquable, avec son six-cylindres à compresseur de 1 476 cm³ donnant 60 ch à 4 000 tr/min. La 6/60, avec une vitesse maximale de 175 km/h, remporte la catégorie 1 500 au Grand Prix d'Allemagne 1926.
En 1929, NSU se réinstalle dans une usine à Heilbronn, mais sa mauvaise

À partir de 1929, NSU-Fiat assure le montage des Fiat vendues sur le marché allemand dont la 500 (Topolino), ici sous la forme du cabriolet produit par Weinberg.

situation financière entraîne le rachat par Fiat. Des modèles NSU sont vendus comme NSU-Fiat. La 1 000 est produite de 1934 à 1938. Elle est suivie par les 1 100 et 1 500 d'origine Fiat, très peu différentes du modèle italien. La NSU-Fiat 500 connaît en Allemagne un succès presque identique à celui de la Fiat 500 Topolino en Italie. Le carrossier Weinsberg produit un très joli roadster sur son châssis.

Publicité NSU du début des années 1920.

Oakland

L'Oakland All-American Six de 1929 est la dernière six-cylindres de la marque. La malle était normalement protégée de la poussière et des gravillons par une housse.

Après avoir conçu avec Leland le bicyclindre de la première Cadillac, l'ingénieur Alanson Brush fonde une petite entreprise de mécanique à Detroit. Il conçoit un autre moteur bicylindre pour Edward Murphy, qui possède une entreprise de chariots et s'intéresse à l'automobile. Ainsi naît en 1907 l'Oakland Motor Car Company, dont le siège est situé Oakland Avenue à Pontiac, Michigan. Les premiers types sont bien conçus, mais le faible volume des ventes incite Edward Murphy à intégrer le groupe General Motors.

Grâce aux nouvelles ressources disponibles, un nouveau et meilleur moteur est proposé. Une nouvelle quatre-cylindres apparaît en 1910 et les ventes passent de 700/800 voitures à plus de 2000 en 1910. En 1915, le volume des ventes atteint même 12000 voitures environ. Cette année-là, la gamme comporte plusieurs types de prix très différents. Le type 37 possède un quatre-cylindres, le type 49 un six-cylindres et le type 50 un huit-cylindres en ligne. En 1926, La direction de General Motors crée la Pontiac, fabriquée par la division Oakland. Le prix de la Pontiac est inférieur à celui de l'Oakland et cette nouvelle marque se vend si bien qu'elle entame le marché de l'Oakland.

En 1930, General Motors tente de sauver cette marque en présentant la 101, dotée d'un V8 économique. Mais ce type nouveau est un échec commercial : en 1926, Oakland vend 56909 voitures, mais le nombre tombe à 8672 en 1931.

General Motors abandonne la division Oakland en 1932 au profit de la Pontiac Motor Company.

L'Oakland Six 1928 échange son exhausteur d'essence pour une pompe mécanique. Mais la marque-sœur, Pontiac, prend le dessus.

À 1 075 dollars, une Oakland Six coûte environ le prix de deux Ford Model A. En 1929, les Oakland sont redessinées, mais la production s'effondre à 22866 unités.

Oldsmobile

Oldsmobile est la plus ancienne marque américaine. Le 21 août 1997, la société célèbre ses cent ans. Oldsmobile a été fondée par Ransom Eli Olds le 21 août 1897. Son modèle Oldsmobile Curved Dash est l'une des voitures les plus diffusées aux États-Unis entre 1900 et 1904. Malgré la destruction totale de l'usine par un incendie en 1901, Olds vend 2 100 voitures en 1902 et 5 000 en 1904, année de son départ de sa firme. Il crée une nouvelle marque, Reo.

Jusqu'en 1905, Oldsmobile n'utilise que des moteurs monocylindres. Le type B reçoit un bicylindre et, en 1906, un moteur quatre cylindres est ajouté à la gamme. Il est installé sur le type S, voiture que l'usine présente comme « la meilleure chose sur quatre roues ». Ce modèle rencontre un grand succès; il s'est vendu à 1 400 exemplaires dès la première année.

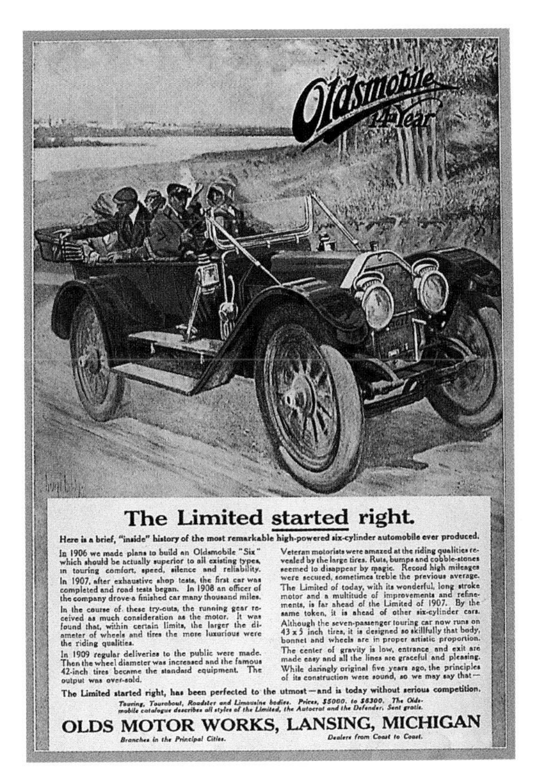

L'Oldsmobile S est disponible en roadster deux ou trois places ou en torpédo six places. En 1905, la firme commence l'étude d'un six-cylindres qui n'apparaît qu'en 1908 sur l'Oldsmobile type Z. Il s'agit d'une grande et coûteuse voiture, à empattement de 3,30 m, vendue 4 500 dollars en Amérique. Des modèles moins chers et plus petits sont aussi pro-

L'Oldsmobile Curved Dash monocylindre née en 1901 est un succès jusqu'en 1905. Sa simplicité et sa rusticité ont influencé Henry Ford dans la conception de la Model T.

Cabriolet deux places avec spider Oldsmobile Six 1935 affiché à 800 dollars seulement. Une nouvelle culasse porte la puissance à 90 ch.

Cette Oldsmobile modèle 37A à six cylindres de 1920 est produite à 14 073 exemplaires. Les type B sont les modèles fermés.

L'Oldsmobile série L 1935 est une huit-cylindres à soupapes latérales de 100 ch. Ce Business Coupé est produit à environ 1 200 exemplaires.

duits, comme le type X de 2,69 m d'empattement au prix de 2000 dollars. Le haut de gamme absolu est la puissante Limited de 1910. Cette gigantesque voiture est propulsée par un six-cylindres de 11,5 litres donnant 60 ch. Ce type est disponible en roadster, en torpédo sept places ou en limousine. À des prix fixés entre 4600 et 5400 dollars, les ventes sont rares. En 1908, William Crapo Durant fonde General Motors Company. Une de ses meilleures idées sera de racheter Oldsmobile. Il ne paie pas cher la marque : 17000 dollars en espèces et 3 millions de dollars en actions. Les ventes dépassent 10000 unités en 1916 et 22000 en 1917.

La calandre à mailles fines révèle une Oldsmobile Eight 1937 alors que la six-cylindres a une calandre à barrettes horizontales espacées.

Une torpédo Oldsmobile du début des années 1920 doit avoir une calandre vernie noir.

Pour 1940, Oldsmobile propose en option une innovation appelée à un certain avenir, une boîte de vitesses automatique appelée HydraMatic. L'année suivante, la moitié des Oldsmobile sont commandées avec cette option. Chez GM, Oldsmobile sera souvent la marque pionnière sur le plan technique.

Mais la demande varie énormément : en 1919, Oldsmobile vend 33 425 voitures, plus les camions, mais 19 157 seulement en 1921, année de crise. L'année 1929 est un sommet avec un volume de ventes de 97 395 unités, mais 1930 se solde par 49 994 ventes et 1932, par seulement 17 500 exemplaires. La production remonte ensuite pour culminer à 230 703 voitures en 1941, dernière année pleine avant la guerre, qui voit aussi la sortie de la deux millionième Oldsmobile.

En février 1942, les munitions et les moteurs remplacent les voitures dans les usines, comme chez tous les constructeurs.

O.M.

La société anonyme Officine Meccaniche, devenue après 1928 O.M. Fabbrica Bresciana di Automobili, est fondée à Milan en 1899, mais sa première voiture ne sort qu'en 1918, après le rachat en 1917 de la firme Züst. Ce premier type S305 est donc une Brixia-Züst 25/35 à moteur quatre cylindres latéral de 4,7 litres conçue avant 1914. Les premiers types

Affiche vantant les qualités de montagnarde de l'OM 6-65 Sport.

La première édition des Mille Miglia, en 1927, est remportée par une OM 665 S à moteur six cylindres de deux litres, devant deux autres voitures identiques. On voit ici une OM Superba au départ des Mille Miglia 1997. La Superba, fiable et rapide, est la version de production de la 665.

conçus par O.M. sont des quatre-cylindres de 1 496 cm^3 et des six-cylindres de 1 991 cm^3. Ce moteur devient le groupe de base de l'OM Superba de 1923, année où toutes les OM reçoivent des freins avant. La marque construit beaucoup de voitures de sport et de course équipées en option d'un compresseur Roots. L'usine entretient même sa propre équipe de compétition et prend les quatrième et cinquième places aux 24 Heures du Mans 1925.

Lors des premières Mille Miglia en 1927, considérée comme une épreuve « impossible », l'OM de Minoïa et Morandi s'impose devant deux autres OM 665S à six-cylindres deux litres. Les 1 618 km sont parcourus en 21 heures 4 minutes à la moyenne de 77, 238 km/h. En 1928, Alfa Romeo gagne. En 1928 et 1929, O.M. doit se contenter de la deuxième place. Pour la saison de Grands Prix 1927, l'usine O.M. construit une huit-cylindres en ligne à 2 ACT de 1 477 cm^3. Malgré une vitesse de pointe de 195 km/h, cette voiture ne rempote aucun succès. O.M. ne construit pas uniquement des types de sport et de course. Des modèles de tourisme sont proposés comme les 465 (quatre cylindres et 65 mm d'alésage), 467 et 469. En 1921, cette dernière reçoit un bon

Une OM 665 S MM six-cylindres deux litres à compresseur au départ des Mille Miglia historiques 1991.

moteur latéral de 1 496 cm^3 qui en assure le succès. Ces voitures sont disponibles sous de nombreuses carrosseries différentes, généralement construites par O.M. La 665 dite Superba est présente au catalogue jusqu'en 1930. Son moteur délivre de 45 à 85 ch selon la préparation.
En 1928, O.M. de Milan (branche ferroviaire) crée la société O.M. Fabbrica Bresciana Automobili consacrée à la production automobile (autos et camions). La dernière OM de tourisme sort en 1930. En 1933, O.M. est rachetée par Fiat, mais la marque conserve son autonomie.

Opel

Nombreuses sont les marques automobiles créées par des frères. On peut citer Maserati, Studebaker, Dodge, Duesenberg, Chevrolet, Renault, Bucciali, Packard, Peugeot, Jensen et Opel. Les frères Opel, fils d'Adam, fondateur de l'entreprise, sont cinq. Ils commencent par fabriquer des bicyclettes et des machines à coudre, puis en 1898 des automobiles. Le premier type est appelé Opel-Patent-Motorwagen Système Lutzmann,

Avec l'Opel-Patent-Motorwagen System Lutzmann, les frères Opel abordent la construction automobile en 1898. Cette voiture est équipée d'un monocylindre, puis d'un bicylindre.

Opel construit des voitures pour courir les Grands Prix de l'ACF en 1908, 1913 (4 litres) et 1914 (4,5 litres). La voiture ci-dessous est celle du GP 1913 (abandon) avec un moteur à 1 ACT.

parce qu'il est fabriqué sous licence d'après les études de Friedrich Lutzmann. L'Opel est équipée d'un moteur monocylindrique installé à l'arrière, vite remplacé par un bicylindre. Avec ce moteur, la voiturette atteint 45 km/h, vitesse suffisante pour remporter la course de côte d'Heidelberg en 1899. Mais les frères Opel ne sont pas satisfaits et, en 1901, ils choisissent un type Darracq importé, puis fabriqué sous licence et carrossé chez Opel à Rüsselsheim. Dès 1902, les frères Opel ont acquis assez d'expérience pour construire

Cette Opel Olympia de 1935 est une « Cabrio-Limousine ». La version fermée apparaît l'année suivante.

leur propre type, l'Opel 10/12 PS (12 ch). Cette Opel 10/12 est dotée d'un moteur avant à deux cylindres entraînant les roues arrière par un arbre à cardans. L'Opel-Darracq étant encore produite, la gamme est très étoffée et les versions se multiplient. En 1905, le premier modèle à quatre cylindres, la 35/40, apparaît, avec un moteur de 6 880 cm^3 délivrant 40 ch à 1 300 tr/min, pour une vitesse de pointe de 70 km/h. Mais Opel ne fabrique pas que des voitures chères, bien au contraire. En 1908, la millième Opel sort d'usine. La marque possède sa propre équipe de course car ses dirigeants ont bien conscience des retombées publicitaires d'une

Cette Opel Laubfrosch (Grenouille) de 1924, semblable à la 5 HP Citroën, est la voiture allemande la plus vendue. Citroën fit un procès en contrefaçon à Opel.

L'Opel Super Six de 1937 bénéficie d'un nouveau moteur six cylindres à soupapes en tête de 2 473 cm^3 donnant 55 ch à 3 600 tr/min, à une vitesse maximale de 115 km/h.

L'Opel Kapitän, qui succède à la Super Six fin 1938, possède le même moteur de 2,5 litres, dans une monocoque à roues avant indépendantes. La Kapitän coûte deux fois le prix d'une Olympia.

Le haut de gamme Opel en 1937 est l'Admiral, sur châssis séparé, muni d'un moteur six-cylindres d'origine Chevrolet de 3 626 cm³ et 75 ch à 3 200 tr/min, moteur qui équipe aussi le camion Blitz.

victoire en compétition, quelle qu'elle soit. Des types spéciaux sont développés pour l'écurie maison comme en 1910 une voiture de course à quatre-cylindres à soupapes en tête de 7,3 litres donnant 100 ch ou des 4,5-litres pour le GP de l'ACF 1914. Pendant la Grande Guerre, la production des types de tourisme est arrêtée. Les usines Opel produisent des camions et des moteurs d'avions. Les Opel de tourisme sortent à nouveau dès 1919 et, en 1923, la production atteint 25 voitures par jour. En 1924, l'Opel 4 PS est présentée sous une livrée vert clair qui lui vaut le surnom de Laubfrosch (grenouille). Copie de la Citroën 5 HP, elle connaît un immense succès. En 1927, Opel emploie plus de 7 500 personnes et sort plus de 100 voitures par jour. À l'hiver 1928, les frères Opel cèdent l'entreprise à General Motors. Les modèles ultérieurs affichent nettement l'influence américaine.

Dès 1921, Opel avait été la première marque allemande à proposer un huit-cylindres en ligne. Mais quand elle tente en 1929 de revenir sur le marché du luxe avec la Regent, General Motors met son veto. Si un Allemand veut acheter une voiture de cette classe, il doit se tourner vers Cadillac. En 1931, un petit six-cylindres est développé à Detroit et destiné spécifiquement à l'Opel 1,8 litre. En 1935, l'Opel P4 dotée d'un quatre-cylindres latéral de 1 074 cm³ devient la plus vendue des voitures allemandes jusqu'en 1938. D'autres modèles réussis comme le Kadett et l'Olympia prennent le relais, cette dernière étant la première monocoque de la marque. Des modèles de luxe, comme la Kapitän et l'Admiral de 1938, de style américain, complètent l'offre d'Opel juste avant la guerre.

Une affiche Opel de 1911 au graphisme d'avant-garde.

Packard

Quelques dates-clés de l'histoire de la marque :

Packard rivalise avec les marques américaines les plus luxueuses comme Pierce-Arrow, Cadillac, Peerless et Lincoln. Ces voitures sont d'une qualité exceptionnelle, mais, par rapport à d'autres, très chères. La marque n'a jamais proposé de modèles relativement bon marché avant 1935, après la crise. En bon adepte des solutions éprouvées, Packard cultive davantage la qualité de construction que l'audace technique.

Après 1945, Packard rencontrera quelques problèmes financiers liés au rachat de la marque Studebaker, au lourd passif.

1903 Tom Fetch réalise la première traversée automobile des États-Unis de San Francisco à New York avec une Model F monocylindre de 12 ch en 61 jours.

1904 Une version course du Model K nommée Gray Wolf bat des records de vitesse sur 1 et 5 miles.

1912 Packard présente le Model 48, sa première six-cylindres de grand luxe délivrant 74 ch.

1915 Le 1er juin, Packard introduit le premier moteur V12 de série appelé Twin Six.

1917 Packard fournit le premier moteur V12 aéronautique au gouvernement américain.

1924 Premier huit-cylindres en ligne de Packard et adoption généralisée des freins avant.

Championne du grand luxe américain, Packard abandonne les six-cylindres en 1929. Ce grand phaéton série 840 de 1931 est équipé d'un moteur de 6,3 litres donnant 120 ch à 3 200 tr/min.

Cette Packard Convertible Victoria cinq places 1938 est propulsée par un moteur V12 de 7,7 litres et 175 ch. Elle pèse 2 400 kg.

L'année 1924 apporte les premières huit-cylindres Packard, dites Single Eight, ainsi que les freins sur les quatre roues. Ce Runabout 2/4 places coûte 3 850 dollars soit 11 Ford T.

En 1921, Packard produit environ 8 800 voitures. Ici, une Single Six de 52 ch.

En 1956, la production cesse chez Packard qui utilise désormais les usines Studebaker, mais pour peu de temps. Le 13 juillet, les lignes de montage sont arrêtées et une grande marque historique disparaît.

L'aventure commence en 1899 quand les frères James Ward et William Doud Packard construisent leur première automobile. Ils appellent naturellement « modèle A » leur première petite voiture découverte à moteur monocylindrique, qui évolue en 1901 et 1902.

En 1902, elle est complétée par le modèle G, unique Packard à moteur deux cylindres. Le 13 octobre 1902, la firme Ohio Automobile Company est rebaptisée Packard Motor Car Co. et elle déménage à Detroit en 1903. Les affaires sont bonnes, les voitures se vendent bien et de nouveaux modèles sont présentés régulièrement. En avril 1911, Packard lance son premier type à six cylindres, le modèle 48 millésime 1912, qui complète deux quatre-cylindres, les modèles Eighteen et Thirty.

Cette six-cylindres est offerte sous neuf types de carrosseries différents. Les chiffres montrent la confiance des clients : 1 329 unités sont vendues dès la première année. Ces voitures sont dotées de l'éclairage et du démarrage électriques. La Twin Six,

La Light Eight de 1932 est une réponse à la crise économique et une tentative d'élargissement de la clientèle de Packard. Elle bénéficie d'un style nouveau mais ne remplit pas sa mission car elle est encore trop chère.

La Packard V12 Town Car 1939 carrossée par Rollston est, à 7 000 dollars, l'une des voitures les plus chères du marché américain. Moins de 500 voitures sont construites.

En 1941, la Packard Super One Eighty succède à la douze cylindres en haut de gamme. Sur empattement long (376 cm), la 180 peut recevoir des carrosseries spéciales sur mesure.

première voiture américaine de production à moteur V12 fait sensation en 1916. C'est la seule Packard commercialisée jusqu'à l'automne 1920. Pourquoi Packard aurait-il fabriqué des voitures bon marché alors que la demande en faveur de ces modèles extrêmement chers se maintient à un niveau élevé ?
La nouvelle six-cylindres, la Single Six, apparaît en septembre 1920. La firme se tourne aussi vers le huit-cylindres en ligne qui reste exceptionnel en 1924. Dès la première année, 3 500 voitures à huit cylindres sont vendues. Leur succès accompagne leur évolution jusqu'à la crise économique. En 1934, la production tombe à 6 552 voitures.
Une gamme moins chère est lancée en 1935 avec la One-Twenty (120). En 1935, la production remonte à plus de 31 000 voitures dont 25 000 modèles 120. Grâce à cette gamme abordable, 1937 est une année-record avec plus de 90 000 voitures, chiffre rattrapé seulement en 1949.

Paige

DKW et IFA sont-elles les marques pionnières du moteur deux temps à trois cylindres ? Non, car Fred O. Paige et Andrew Bachle produisent ce type de moteur dès 1909. À l'époque, personne ne songe à se plaindre de la fumée et de l'odeur, bien pires que celles d'un moteur à quatre temps. Ce trois-cylindres tourne très bien.
C'est la raison pour laquelle Harry M. Jowett s'intéresse au projet, au point de fonder la Paige-Detroit Motorcar Company, sous la présidence et la direction effective de Fred O. Paige.
Pourtant, Jewett ne tarde pas à abandonner le moteur à deux-temps. Paige

L'élégante Paige 6-66 a aidé la marque à surmonter la crise de 1921. Ici, une torpédo 6-70 de 1923.

La Paige 6-70 Touring 1923 est bien placée dans sa catégorie, au prix de 2 195 dollars.

est renvoyé et Jewett prend la direction de la firme. Le type suivant reçoit un moteur classique à quatre cylindres plus facile à utiliser. En 1914, Paige vend 4 631 voitures et plus de 12 000 en 1916. L'année suivante, la Paige Motorcar Company, nouvelle raison sociale, présente sa première voiture à moteur six cylindres.
Les quatre-cylindres sont abandonnés. Paige produit alors de très belles voitures de haute qualité. Des modèles sport sont proposés en même temps que des limousines très officielles sous le slogan « les plus belles voitures d'Amérique ». Paige bat aussi quelques records. En 1921, une Paige Daytona Speedster bat tous les records de vitesse en catégorie tourisme de 5 à 100 miles (8 à 160 km). La même voiture bat le record sur le mile lancé

Six-cylindres Paige fourni par Continental, de 70 ch en 1923.

à 164,4 km/h. En 1927, la firme lance une huit-cylindres de 80 ch sur empattement de 334 cm susceptible de recevoir de très belles carrosseries. Le haut de gamme Paige est la limousine sept places affichée à 2 905 dollars. La même année, une Paige six cylindres coûte 1 360 dollars. Pourtant, le volume des ventes décroît. En 1926, la firme vend moins de 40 000 voitures et Jewett vend la firme Paige aux frères Graham en juin 1927. Jusqu'en 1928, les voitures sont vendues sous la marque Graham-Paige.

Panhard et Levassor

René Panhard (1841-1908) et Émile Levassor (1843-1897), ingénieurs diplômés de l'École centrale des Arts et Manufactures de Paris, dirigent la société Périn-Panhard, spécialisée dans la construction de machines à travailler le bois, le premier ayant engagé le second en 1872. En 1876, à la recherche d'un moteur plus pratique que la machine à vapeur, la maison Périn-Panhard acquiert la licence de fabrication d'un moteur à gaz Daimler.
En 1886, La firme Panhard et Levassor (nouvelle raison sociale), achète la licence d'un moteur monocylindre Daimler à essence de pétrole, à quatre temps. En 1889, Panhard et Levassor prend la licence du nouveau moteur Daimler bicylindre en V. Levassor entreprend la construction d'une voiture, terminée en janvier 1891.

En 1911, Panhard et Levassor produit encore des moteurs à soupapes comme cette 12 HP de 2,4 litres qui roule à 65 km/h. Le prix varie de 16 000 à 18 000 F en châssis.

Une Panhard 12 HP à soupapes en version sport, datant de 1914. Le passager arrière est juché sur un vrai siège spider (à pattes d'araignée).

Après avoir amélioré le moteur Daimler Phénix à deux cylindres parallèles, la société Panhard et Levassor crée son premier quatre-cylindres, puis le moteur Centaure de 1901.
Panhard et Levassor investissent beaucoup d'argent et d'efforts dans les premières courses automobiles, formule idéale de promotion à l'époque. Les victoires de Panhard et Levassor font de la marque la première du monde. Leur victoire dans Paris-Bordeaux et retour, en 1895, impose le moteur à quatre temps à essence. Mais en 1896, Levassor, âgé de 54 ans, est gravement accidenté dans la course Paris-Marseille-

Le Musée national de l'Automobile abrite cette Panhard de record à moteur huit cylindres de huit litres. En 1934, elle a parcouru 214 km dans l'heure.

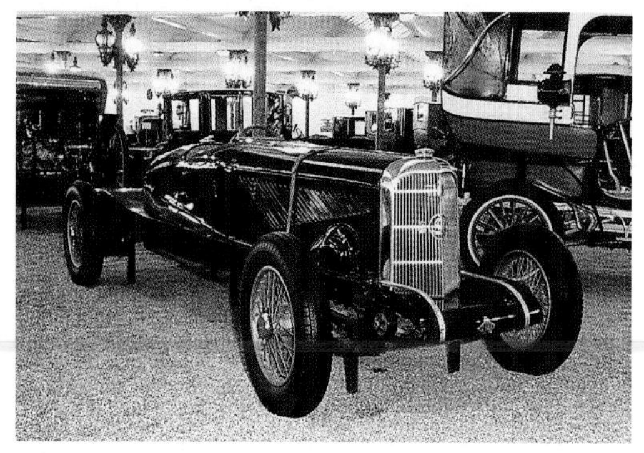

Paris. En tentant d'éviter un chien, Levassor se retourne et se blesse gravement. Il meurt en 1897 d'une embolie. La direction technique revient au commandant Krebs. Panhard produit alors, de 1902 à 1909, toute une gamme de types de tourisme et de course depuis des deux-cylindres de 8 HP jusqu'à des quatre-cylindres de 75 HP (12 litres). En course, PL engage des quatre-cylindres 13 litres de 80 ch en 1903 (1re au Circuit des Ardennes) et à la Coupe Gordon-Bennett. En 1904, la cylindrée est portée à 15 litres et la puissance à 100 ch puis 120 ch pour la Coupe Gordon-Bennett. Les plus gros moteurs sont ceux des voi-

Les lettres « SS » du logo de radiateur signifient « sans soupapes ». Cette Panhard X57 16 HP de 1929 est une six-cylindres de 3,4 litres.

Un rare coupé Dynamic de 1938 au style très original.

La Dynamic de 1936 reprend les glaces courbes dans les montants, expérimentées sur la Panoramique de 1933.

tures du Grand Prix de l'ACF 1906: 18 litres et 120 ch. Les Grands Prix suivants étant courus à la consommation, les cylindrées reviennent à des valeurs plus modestes quoique toujours élevées. Une importante évolution marque les types de tourisme. À partir de 1911, les plus gros modèles sont équipés d'un sans-soupapes, les petites cylindrées conservant des moteurs à soupapes latérales jusqu'en 1914, puis brièvement après 1918.
La gamme des sans-soupapes à partir de 1921 va de 1 200 cm³ à 5 litres (20 CV Sport, 150 km/h). Les très petits modèles sont arrêtés en 1925. Une huit-cylindres de 6,3 litres et 95 ch, la 35 CV, représente le haut de gamme Panhard de 1923 à 1930. Ces moteurs remarquablement silencieux sont gourmands en huile et produisent à l'échappement une fumée bleutée caractéristique, malgré le soin apporté à leur construction.
Dans les années 1920 et 1930, Panhard ne court pas, mais réalise plusieurs voitures de records. En 1934, par exemple, le pilote anglais George Eyston bat le record du monde de l'heure en parcourant 214,064 km. Le huit-cylindres réalésé à huit litres délivre 235 ch à 3 200 tr/min. En tourisme, Panhard présente une nouvelle génération de voitures surbaissées fin 1929: les DS et CS à six et huit cylindres sans soupapes. Elles seront produites jusqu'en 1937. En 1934, la série Panoramique reçoit un pare-brise à montants vitrés à grande visibilité. En 1936, une nouvelle génération, la Dynamic, introduit d'importantes innovations: roues avant indépendantes par barres de torsion, monocoque, direction centrale. Le pare-brise est panoramique. La série Dynamic est proposée dans trois motorisations six-cylindres sans soupapes: 2,5 litres, 2,8 litres et 3,8 litres. La plus puissante donne 105 ch à 3 600 tr/min. Ce sont les derniers types créés avant 1939 et la guerre.

La Dynamic à structure autoportante et suspension à barres de torsion est sûre et confortable. Les premières voitures ont une direction presque centrale.

Peugeot

La famille Peugeot possède et dirige des établissements industriels depuis le début du XIXe siècle. Au milieu de ce siècle, ses activités se diversifient dans l'outillage et les ustensiles et appareils domestiques, puis, à la fin du siècle, dans la bicyclette sous l'impulsion d'Armand Peugeot. La marque Les Fils de Peugeot Frères est déjà très connue.
En 1888, Armand Peugeot, qui s'intéresse à l'automobile, prend contact avec Léon Serpollet, créateur d'un tricycle à vapeur assez performant. Un de ses prototypes devient donc la Peugeot Type 1, qui reste expérimentale. En même temps, Armand Peugeot prend contact avec l'un de ses clients, Panhard et Levassor (qui lui achète des lames de scie), à propos d'un moteur à essence Daimler dont PL a la licence. Armand Peugeot commande des moteurs Daimler-Panhard bicylindres en V pour essais et crée les Types 2 et 3 en adoptant le moteur

En 1892, cette Peugeot type 4 carrossée en vis-à-vis est encore équipée du premier moteur Daimler à deux cylindres en V.

Les cousins d'Armand Peugeot produisent, sous la marque Lion Peugeot, des automobiles à moteurs monocylindres puis à deux et quatre cylindres en V à longue course.

Peugeot et Lion Peugeot fusionnent totalement en 1915. Ici une Lion Peugeot à moteur V4 1,9 litre et 20 ch de 1913, carrossée en runabout avec spider.

arrière, comme sur le vis-à-vis Type 4 où le moteur est installé sous le siège. La direction est un système à chaîne commandant le braquage des roues avant. En 1896, Armand Peugeot fonde la Société des Automobiles Peugeot, distincte des Fils de Peugeot Frères, et installe de nouvelles usines dès 1897 pour produire son propre moteur. À cette époque de pionniers, seule la course permet de se faire connaître et de se comparer aux productions concurrentes. Ainsi, Peugeot participe au concours Paris-Rouen de 1894 et à la course Paris-Bordeaux et retour, avec des Types 3 et 4. Si Levassor arrive

premier à Paris, c'est la Peugeot quatre places classée deuxième à 21, 8 km/h de moyenne qui remporte le premier prix. Dans cette course, les frères Édouard et André Michelin pilotent une Peugeot équipée pour la première fois de pneumatiques. En 1897, toutes les Peugeot en seront équipées.
La production se développe régulièrement et les ateliers doivent être agrandis. Une nouvelle usine est installée à Lille en 1898, d'où sortent 156 voitures. En 1900, Automobiles Peugeot produit plus de 500 voitures. Les cousins d'Armand Peugeot fondent une branche automobile en 1905, qui produit sous la marque Lion-Peugeot. Il s'agit de voitures légères, Armand construisant des modèles plus importants. Dès 1910, les deux firmes se regroupent dans la société des Automobiles et Cycles Peugeot, mais la marque Lion subsistera jusqu'en 1915. La gamme est très étendue, depuis la minuscule Bébé Peugeot conçue par Ettore Bugatti à moteur quatre cylindres de 855 cm³ jusqu'à la 60 HP de plus de onze litres. Pour la reprise du GP de l'ACF, prévu en 1912, Peugeot construit des machines spéciales à moteur à 2 ACT et quatre soupapes de 7,6 litres, qui battent des voitures de cylindrée double en 1912, 1913 et 1914. Elles remportent même les 500 Miles d'Indianapolis 1913 et, en version 4,5 litres type ACF 1914, les 500 Miles de 1915 et 1916.

Cette grande Peugeot type 184 produite de 1928 à 1931 est une six-cylindres sans soupapes de 3,8 litres carrossée ici en coach par Gangloff de Colmar.

La petite Quadrilette à deux places en tandem de 1919 fait place en 1922 à une biplace classique à caisse élargie. Le petit quatre-cylindres développe 10 ch à 2000 tr/min.

La Bébé Peugeot, produite de 1913 à 1916 à 3095 exemplaires, est une étude d'Ettore Bugatti. Son quatre-cylindres à soupapes bilatérales développe une dizaine de chevaux.

Deux coaches Golf sur châssis Peugeot 601, dont un découvrable type Éclipse de 1935, à toit rétractable dans le coffre. Peugeot réappliquera le principe en 2001 sur la 206 CC.

La Peugeot 302 de 1937 10 CV de 1,8 litre développant 43 ch, dont le style est calqué sur la 402 Fuseau Sochaux.

La Darl'Mat est une dérivée sportive de la 402. Les versions roadsters s'illustrent au Mans en 1937 et 1939.

En 1913, sur l'autodrome de Brooklands, une Peugeot profilée type 1912 bat le record de l'heure à 170, 5 km/h. Après 1918, les très grosses cylindrées sont abandonnées au profit d'un modèle populaire, la Quadrilette, qui succède à la Bébé en plus utilitaire. Le châssis plate-forme très étroit impose d'abord deux places en tandem. Avec une vitesse de pointe de 60 km/h, les performances sont limitées, mais suffisantes à l'époque pour une 4 CV.
Très vite, la voiture est élargie et son développement conduit à une 5 CV très réussie, produite jusqu'en 1931 sous diverses formes. Peugeot réalise aussi des 9, 10, 12, 15 et 25 CV ainsi qu'une grosse sans soupapes 6 litres, à laquelle des 18/24 CV sans soupapes succèdent en 1922, avec de brillants succès sportifs. En 1921, Peugeot produit 6327 voitures et 43 33 en 1930. Entretemps est apparue, en 1929, la 201 au succès immédiat. En 1932, avec des roues avant indépendantes, le type est proposé en huit versions de base. En 1935, la gamme comprend les 201, 301, 401 et 601. Les trois premiers types ont des moteurs à quatre cylindres de 1122, 1465 et 1701 cm³. La 601 reçoit un six-cylindres latéral de 2148 cm³. En 1936, la 402 lance un nouveau style aérodynamique repris sur la 202 de 1938. Les moteurs sont désormais à soupapes en tête. Une 402 Diesel de tourisme apparaît discrètement fin 1938.
En 1937, un concessionnaire parisien, Émile Darl'Mat, produit une version sport sur la base du châssis 302 équipé du moteur 402 poussé et de carrosseries profilées originales. En 1937, trois Darl'Mat participent aux 24 Heures du Mans, remportées par Wimille sur Bugatti 57S, et terminent aux septième, huitième et dixième places. En 1938, l'équipage de Cortanze et Contet termine cinquième et gagne la classe deux litres à 120,3 km/h de moyenne. En 1939, une Darl'Mat spéciale tourne 24 heures à Montlhéry à 139 km/h de moyenne et parcourt 144, 2 km dans l'heure. En 1946, la 202, remise en fabrication, se vend sans problème jusqu'en 1949, laissant la place à la 203.

Pic-Pic

Les ingénieurs suisses Paul Piccard et Lucien Pictet dirigent ensemble depuis 1895 la société Piccard et Pictet, spécialisée dans la conception et la fabrication de turbines hydrauliques. L'entreprise bénéficie d'une réputation mondiale. Elle est également très compétente dans la construction mécanique générale. La firme accepte en 1905 de produire des pièces pour la Société d'Automobiles à Genève (SAG), qui commence à construire sous licence une petite voiture conçue par le Genevois Marc Birkigt, émigré à Barcelone où il a fondé Hispano-Suiza. La première SAG Pic-Pic sort à l'automne 1906. Les voitures sont équipées de quatre-cylindres de 20 ou 35 ch. Cette année-là, la firme devient la SA des Ateliers Piccard, Pictet et Cie. En 1907, la gamme est composée d'une 12/16 HP, d'une 20/24 HP et d'une 40/50 HP. Au Salon de Paris 1907, SAG présente une six-cylindres 28/40 HP de 5,5 litres dont Piccard-Pictet fabrique 165 châssis de 1907 à 1910. Cette année-là, la SAG est rachetée par Piccard-Pictet et dissoute.

La Pic-Pic est née. Les types sont modernisés et la gamme s'élargit. Certains modèles sont équipés d'un moteur sans soupapes.

En 1914, Pic-Pic n'avait produit que 353 châssis dont 21 avaient été vendus au Brésil. La société est mise en liquidation en 1921. Elle est reprise par l'Atelier des Charmilles SA qui poursuit la construction des turbines.

Les modèles Piccard-Pictet 1912 perdent leurs chaînes en faveur de transmissions à cardans. Deux modèles sont au programme : une 14/18 PS et une 18/22 PS.

Cette Pic-Pic de 1919 est équipée d'un six-cylindres sans soupapes de 2,9 litres. Des roues Rudge et quatre amortisseurs hydrauliques Houdaille en font une voiture très moderne à cette époque.

Pierce-Arrow

Aux États-Unis, la marque Pierce-Arrow rivalise avec Packard, Peerless, Lincoln et Cadillac sur le marché des voitures de grand luxe. Ces types luxueux et chers sont construits avec un soin méticuleux. En 1900, la société George N. Pierce, poussée par son directeur financier Charles Clifton, aborde la construction automobile.

Propulsé par la vapeur, le prototype est un échec et la jeune firme adopte le moteur français De Dion monocylindre qu'elle copie pour équiper la Pierce Motorette produite à partir de la fin de 1901. D'autres modèles suivent et, en 1903, apparaît la première deux-cylindres de 15 ch dont 50 exemplaires sont vendus sous le nom Pierce-Arrow. Une version ultérieure,

Pierce-Arrow, qui invente et brevète les phares dans les ailes, offre en option des projecteurs détachés. Ce phaéton sport est l'une des premières réalisations du styliste Harley Earl.

La marque adopte en 1925 les freins sur les quatre roues. Ce Convertible Coupé deux places de 1928 vendu 6 375 dollars est une voiture exclusive.

à moteur quatre cylindres, est appelée Great Arrow en 1904.

Les affaires sont florissantes. En 1907, Pierce présente une six-cylindres, la Great Arrow Sixty-Five et la marque devient Pierce-Arrow. Sa construction est si soignée et ses finitions si raffinées qu'elle est bientôt considérée comme la meilleure voiture américaine.

George Pierce avait été constructeur de bicyclettes et cette activité avait longtemps représenté une importante source de revenus. En 1909, il sépare les deux branches. La Pierce-Arrow Motorcar Company est située à Buffalo, 18 Hannover Street. L'usine produit des automobiles d'une qualité exceptionnelle dont les carrosseries sont partiellement fabriquées en aluminium, métal qui sert aussi pour de nombreuses pièces méca-

En 1932, malgré la crise, Pierce-Arrow propose des huit-cylindres en ligne et des V12 de 140 ou 150 ch.

En 1929, les Pierce-Arrow sont des huit-cylindres en ligne de 125 ch pour une cylindrée de six litres, ausi souples que silencieux.

Habitacle d'une torpédo de 1932. Le sélecteur de vitesse est très accessible mais peu précis car trop long. Les essuie-glace sont à dépression.

En 1933, en réaction à la crise, Pierce-Arrow expose au Salon de New York cette Silver Arrow au profilage d'avant-garde, en vain.

niques comme les carters de vilebrequin, de boîte de vitesses et de différentiel. Dès les débuts, la direction est placée à droite et Pierce-Arrow conserve cette disposition jusqu'en 1921. Les phares des Pierce-Arrow présentent aussi une originalité: ils sont intégrés aux ailes, solution inhabituelle avant la fin des années 1930.

Cette Pierce-Arrow 840A 1934 à huit cylindres, de 6,3 litres et 135 ch, est aussi équipée de phares détachés.

Ce concept est breveté dès 1913 par l'ingénieur Herbert Dawley.
En 1918, la firme présente la Dual Valve Six qui doit son nom aux quatre soupapes par cylindre, deux admissions et deux échappements de son moteur de 8,6 litres.
Dans les années 1920, la firme doit affronter la concurrence croissante de Packard et de Cadillac et ses ventes s'effondrent. Des changements de direction compliquent encore la situation.
Pierce-Arrow présente en 1924 la série 80, dotée d'un petit six-cylindres à soupapes latérales de 4,7 litres, développant 70 ch à 2600 tr/min. Cette voiture, qui coûte moins de 3000 dollars, est vendue à plus de 16000 exemplaires. En 1928, la série 80 est remplacée par la 81, mais le succès se fait attendre. En effet, les acheteurs prêts à payer le prix d'une Dual Valve Six, entre 6000 et 8000 dollars, sont rares.

Lorsque Studebaker offre deux millions de dollars, la fusion est conclue, mais Pierce-Arrow continue à produire ses propres modèles, avec le soutien financier du repreneur. En 1929, la première Pierce-Arrow à huit cylindres offre les 115 ch de son moteur de 6 309 cm³. En 1932, suivent les types 52 et 53 avec des moteurs V12 de 7 030 et 6 525 cm³ développant respectivement 150 et 140 ch.
Pierce-Arrow recouvre la santé, mais pas Studebaker qui est mise en liquidation. Pierce-Arrow est cédée à un groupe financier de Buffalo.
En 1933, la Silver Arrow profilée fait sensation. Cette grande voiture à moteur V12 possède tous les raffinements techniques de son temps. Mais ce modèle ne sauve pas la marque. En 1934, elle vend 1 740 voitures, 787 en 1936 et 167 seulement en 1937. Vendue aux enchères en 1938, la marque ne produira plus.

Pipe

La Compagnie Belge de Constructions Automobiles est fondée par les frères Alfred et Victor Goldschmidt en 1898. Ils présentent leur première voiture en 1900 à Bruxelles sous la marque Pipe. Cette automobile à deux cylindres de 6 HP ressemble à la Panhard et Levassor. En 1901, un type de course, la 15 CV, est équipée d'un moteur à quatre cylindres. Elle se comporte honorablement en compétition, notamment à la course Paris-Berlin. Comme beaucoup de marques de l'époque, Pipe produit aussi de puissantes voitures comme une 90 CV en 1903 et une 60 CV en 1904. Cette dernière, qui court la Coupe Gordon-Bennett, est dotée d'un moteur de 13,5 litres et d'une carrosserie profilée. En 1907, Pipe vend plus de 300 voitures des types 28, 50 et 80 CV et se classe parmi les plus grands constructeurs belges. Pipe vend non seulement sur son marché, mais aussi à l'exportation, notamment en Russie. En1913, Pipe propose une gamme de quatre-cylindres de 12 à 80 CV, cette dernière étant une énorme voiture de 11 litres de cylindrée produite confidentiellement. Mais le gros de la production est assuré par les camionnettes, les camions et véhicules spéciaux (ateliers, d'incendie, porte-échelle, etc) construits pour les services officiels. Pendant la Grande Guerre, l'usine Pipe est partiellement détruite. La marque ne repart qu'en 1921 avec des camions deux tonnes, puis élargit sa gamme de véhicules industriels en abandonnant définitivement la production de voitures de tourisme. Les prototypes 3 et 9 litres de 1921 ne sont pas développés. Pipe est rachetée en 1932 par Brossel qui produit des camions Pipe jusqu'en 1950.

Pipe, l'un des principaux constructeurs belges, offre en 1912-1914 une gamme de cinq modèles à quatre cylindres.

Plymouth

En 1928, Chrysler Corporation est devenu l'un des trois grands groupes constructeurs américains, mais les marques Imperial, Dodge et Chrysler ne vendent pas de voitures vraiment populaires et économiques. Les types bon marché sont fabriqués par Ford et Chevrolet.
Cette situation change en 1928. Cette année-là, Chrysler Corporation lance de nouvelles six-cylindres et Walter Chrysler doit trouver une nouvelle marque pour désigner ses petites quatre-cylindres qui reprennent un moteur Chrysler ex-Maxwell existant. Il choisit Chrysler Plymouth, du nom du lieu, Plymouth Rock, où abordèrent les pèlerins du Mayflower en provenance d'Angleterre, qui fondèrent l'état du Massachusetts en 1629. La silhouette du navire à voiles des immigrés est choisie comme emblème de la marque.
En 1928, première année de production, Plymouth vend 53 427 voitures face à 888 050 Chevrolet et 633 594 Ford, mais ce n'est qu'un début.
En 1930, le monde entier commence à subir les effets de la dépression

Malgré la crise, la Plymouth PA 1931 est produite à plus de 100 000 exemplaires malgré la Ford Model A et la Chevrolet. Walter Chrysler a réussi son pari lancé en 1928. Son quatre-cylindres développe 56 ch.

La Plymouth PE de 1934 est équipée d'un six-cylindres de 3,8 litres. Exportée en châssis nu, cette voiture a été carrossée en Suisse par Tüscher en cabriolet quatre places.

Les Plymouth 1933 existent en deux séries: PC et PD, toutes à six cylindres. La PC, moins chère, a une grille de calandre peinte, la PD davantage de chromes.

Plymouth conduite intérieure 1937. L'exécution de la série Business est simplifiée pour réduire le prix. Pour mieux séduire les acheteurs, la série est rebaptisée Roadking.

Pour 1939, une astucieuse révision des détails de style masque la reprise de la caisse 1937-1938. Cette P8 Deluxe est ici habillée par un carrossier suisse.

Planche de bord d'une Plymouth Deluxe 1939. Le sélecteur au volant, une nouveauté cette année-là, permet trois places de front à l'avant.

économique et l'industrie automobile est particulièrement frappée. Les modèles de luxe sont difficiles à vendre dès 1930, mais Plymouth, aux modèles relativement bon marché, est moins touchée.
Si la marque vend 93 592 voitures dans l'année 1929, la production de l'année modèle 1930 tombe à 76 950 unités pour remonter à 106 896 pour l'année modèle 1931.
En 1933, la Plymouth reçoit un six-cylindres en réponse au Ford V8 bon marché. La nouvelle Plymouth est vendue sous la désignation PC mais elle a moins de succès que le type PB antérieur. Plus courte de 4 cm seulement, elle apparaît beaucoup plus petite et le public ne perçoit pas qu'elle est équipée d'un six-cylindres. Un modèle plus grand est lancé en avril 1933 sous la désignation Plymouth Six ou PD. Presque identique à la Dodge PD, les acheteurs apprécient la similitude.
En 1934, la millionième Plymouth sort d'usine. Cette année-là, les acheteurs ont le choix entre les types suivants : Plymouth Deluxe PE, PF, PFXX et Plymouth Standard PG. Tous ces modèles sont proposés sous diverses carrosseries.
En 1936, les records de vente sont battus. Cette année-là, Plymouth produit 527 177 voitures.
Surbaissées de 3 cm, les Plymouth ont une allure sportive. Deux types de base sont disponibles : les Plymouth Business et les DeLuxe, plus chères, outre les PJ intermédiaires, produites en série limitée. Toutes ces voitures ont un moteur six cylindres développant 82 ch.
En 1938, Plymouth célèbre son dixième anniversaire et, à cette occasion, la Plymouth Business est rebaptisée Roadking. Pour la première fois, le pare-brise n'est pas ouvrant. En 1939, les voitures reçoivent une toute nouvelle carrosserie qui va durer jusqu'à la Seconde Guerre mondiale. Le 9 février 1942, la dernière Plymouth d'avant guerre sort de chaîne.

Pontiac

Contrairement à Ford, Chevrolet ou Buick, la marque Pontiac ne doit pas son nom à son fondateur. C'est celui d'un célèbre chef indien. La Pontiac est construite dans l'ancienne usine

Oakland, marque qui est entrée dans le groupe General Motors dès 1909. Quand la Pontiac, moins chère, est lancée en 1926, Oakland fait toujours partie du groupe, mais les acheteurs choisissent plus souvent la nouvelle marque Pontiac. Le chiffre d'affaires d'Oakland s'effondre jusqu'à la disparition de la marque en 1931.

La première Pontiac est propulsée par un moteur six cylindres latéral. Les modèles sont vendues avec des carrosseries fermées à deux ou quatre portes. Dès 1927, plus de 135 000 voitures sont vendues et plus de 200 000 en 1928. La 500 000e Pontiac est livrée en juin 1929.

Les voitures construites en 1928 reçoivent une toute nouvelle carrosserie plus moderne, mais les roues sont toujours à rayons en bois. En 1932, la nouvelle Pontiac série 302 est ajoutée à la gamme. Extérieurement, cette voiture ressemble à l'Oakland 1931 et elle bénéficie du moteur V8 de celle-ci. Ce type ne rencontre pas un grand succès et 6 281 voitures sur un total de 36 352 sont des série 302.

En 1933, toutes les Pontiac reçoivent un huit-cylindres en ligne à la place du V8. Le radiateur en coupe-vent caractérise le nouveau style. L'empattement est limité à 292 cm. Le moteur délivre 77 ch à 3 600 tr/min, puissance suffisante pour emmener la voiture à 125 km/h.

La version la moins chère est la Sport Roadster à 585 dollars et la plus chère est la Touring Saloon cinq places à 710 dollars. En 1934, les Pontiac reçoivent une caisse plus grande et plus lourde. Le moteur développe désormais 84 ch qui portent la vitesse

La première Pontiac apparaît en mars 1926 sous la forme d'un coach à moteur six cylindres de 3 litres et 40 ch. Son prix la place entre Chevrolet et Oldsmobile.

En 1933, la Pontiac Economy Eight révèle clairement sa vocation de voiture anti-crise. Son moteur huit cylindres 3,6 litres donne 77 ch à 3 600 tr/min. Elle est produite, sous sept carrosseries différentes, à 90 198 unités.

maximale à 135 km/h, malgré le supplément de masse. Si les freins sont toujours à commande mécanique, les roues avant sont indépendantes. En 1935, les acheteurs de Pontiac ont de nouveau le choix entre des six et des huit-cylindres. Le six-cylindres de 80 ch est monté dans un châssis de 284 cm d'empattement. Le huit-cylindres de 84 ch équipe des châssis de 297 cm d'empattement. Enfin, les Pontiac bénéficient de freins hydrauliques.

En 1937, l'avant de la gamme est redessinée et l'offre est élargie. La Standard Six est disponible en trois versions différentes et la DeLuxe Six en neuf carrosseries. La Standard est dépouillée avec un seul feu arrière, un seul essuie-glace, un seul pare-soleil et seule la porte côté conducteur est équipée d'un accoudoir... Quant à la mécanique, elle est identique à celle de la DeLuxe plus chère, si bien que chauffeurs de taxi et représentants de commerce choisissent souvent la version économique. En 1940, Pontiac vend près de 250000 voitures, et l'année 1941 est encore meilleure avec 282 087 unités vendues. En 1940, Pontiac présente un nouveau modèle, la Torpédo Eight, modèle hybride entre l'Oldsmobile Ninety, la Buick Roadmaster et la Cadillac Sixty-Two. Cette même année, deux nouveaux modèles complètent l'offre en six cylindres, outre deux modèles à huit cylindres.

Les moteurs 1941 sont plus puissants. Les six-cylindres 3,9 litres donnent désormais 90 ch à 3 200 tr/min et le huit-cylindres de 4,1 litres, 103 ch à 3 500 tr/min. En 1942, les usines Pontiac se consacrent au matériel militaire et la production ne dépasse pas 15 404 voitures de tourisme.

Pour 1939, Pontiac propose deux six-cylindres et une huit-cylindres, sur la base des caisses Chevrolet complétées d'un avant style Pontiac plus cossu. Le levier au volant est une option facturée.

En 1939, Pontiac propose deux cabriolets cinq places : un six-cylindres série Deluxe à 993 dollars et un huit-cylindres à 1 046 dollars. 144 000 Pontiac 1939 ont été fabriquées.

Railton

Lorsqu'en 1933, la marque Invicta transfère ses activités à Londres, l'usine de Cobham est reprise par l'ingénieur Reid Railton. Parmi les principaux clients de Railton, on connaît surtout John Cobb, détenteur de records de vitesse absolus et rival de Campbell. Railton construit des voitures spécialement pour Cobb, comme la Napier-Railton, voiture de course unique dotée d'un moteur d'avion avec laquelle Cobb atteint 229,5 km/h sur la piste de Brooklands. Railton a donc déjà beaucoup d'expérience en matière de voitures de sport et de course.
Lorsqu'il décide de devenir constructeur sous son propre nom, il sait ce qu'il veut. Les premiers types à carrosserie quatre places sont construits sur la base d'un châssis Terraplane ou Hudson. Railton remplace les suspensions trop souples par des suspensions de voiture de sport. En 1933, le huit-cylindres en ligne de 4 litres donne 95 ch à 3 600 tr/min. La voiture atteint 150 km/h.
Lorsque le type de base est amélioré par le constructeur américain, Railton adopte le nouveau châssis. Par exemple, en 1934, la cylindrée atteint 4 168 cm^3 et la puissance 113 ch à 3 800 tr/min. En 1937, Hudson présente un type à six cylindres. Cette version sert de base à la Railton Light Sports propulsée par un moteur de 2,7 litres et 76 ch à 3 800 tr/min. En 1938, les clients peuvent opter pour un moteur de 3, 5 litres et 114 ch.
En 1939, Railton propose la Baby Railton sur une base de Standard Nine 10 HP, mais cette voiture a peu

L'ingénieur Reid Railton associe un châssis et un moteur américain d'origine Hudson et une carrosserie de style européen.

de succès. Au total, Railton a fabriqué un peu plus de 1 400 voitures. Juste avant le déclenchement de la guerre, en 1939, il cède sa marque à un concessionnaire Hudson de Londres.

Rally

Les petites voitures de sport Rally, construites à Colombes près de Paris entre 1921 et 1933, sont d'une qualité exceptionnelle qui explique pourquoi cette petite firme a vécu plus longtemps que bien d'autres issues de l'industrie du cyclecar.
La première Rally est en effet une automobile de type cyclecar propulsée par un bicylindre Harley-Davidson.
Dès 1922, les voiturettes peuvent être équipées au choix d'un moteur Ruby, SCAP, Chapuis-Dornier ou Cime à quatre cylindres. Ces petits moteurs à soupapes en tête ont des cylindrées respectives de 989, 1 098 et 1 170 cm³. Rally construit ensuite des voitures de sport plus étoffées, certaines équipées d'un moteur à compresseur.
Vers la fin, la marque adopte les moteurs Salmson à 2 ACT types S4 (1 300 cm³) et S4C (1 500 cm³) puissants et fiables. Rally présente aussi un type doté d'un huit-cylindres en ligne SCAP de 1 500 cm³ qui reste à l'état de prototype.

Les premières Rally sont issues du concept cyclecar. Après des moteurs bicylindres Harley-Davidson, les Rally reçoivent des 1 100 cm³ Scap, Ruby ou Chapuis-Dornier. Les premières Rally à radiateur ogival sont rarissimes.

Avec un moteur 1 100 cm³, l'élégante Rally type ABC de 1928 atteint 110 km/h et davantage en version suralimentée. Les modèles 1931 et suivants reçoivent un moteur Salmson à 2 ACT.

Rambler

Thomas B. Jeffery est, comme beaucoup d'autres pionniers, constructeur de bicyclettes avant de se lancer dans l'automobile. Jeffery, émigré anglais, construit sa première voiture en 1897 à Chicago. Ce modèle possède un moteur monocylindre qui entraîne les roues arrière par des chaînes. À la fin du XIXe siècle, Thomas Jeffery et son fils Charles s'installent à Kenosha où ils se consacrent à la production automobile. En 1902, la firme a déjà produit plus de 1 500 runabouts sous la marque Rambler. La Rambler devient un modèle populaire aux États-Unis. L'année 1905 apporte le premier type à moteur deux cylindres. En 1909, la dernière Rambler bicylindre sort de l'usine Jeffery. En 1910, le client a le choix entre deux moteurs à quatre cylindres de 34 ou 45 ch. Mais ces voitures ne sont pas d'un prix abordable. L'un des premiers clients est le président américain William Howard Taft. À cette époque, les constructeurs accordent peu de garantie, mais Jeffery a tellement confiance dans ses fabrications qu'il offre à ses acheteurs une garantie de 10 000 kilomètres.
Thomas Jeffery décède d'une crise cardiaque le 2 avril 1910, alors qu'il est en vacances en Italie. Son fils Charles reprend l'affaire. En hommage à son père, il rebaptise Jeffery les Rambler produites à partir de 1914.

En Europe, la Rambler du début du siècle est quasiment inconnue. Cette unique Rambler type C de 1902 est conservée dans un musée danois, à Aalholm. Le moteur monocylindre de 4 ch est placé sous le siège. 1 500 voitures sont produites dès 1902, première année de production.

Renault

Louis est l'enfant terrible de la famille Renault. Ses frères Marcel et Fernand suivent de bonnes études et s'intègrent aux affaires familiales alors que le jeune Louis supporte mal le lycée. Il s'intéresse davantage aux machines et à la technique qu'à ses livres d'études. Avant son service militaire, Louis bricole chez ses parents,

La première voiturette Renault est le type A issu du prototype de 1898. Son moteur est un De Dion de 1,75 ch.

En 1907, Renault est fermement établi dans l'industrie. Ce modèle XB est une solide routière dotée d'un moteur à quatre cylindres de trois litres donnant 20 ch à 1 200 tr/min.

commerçants aisés dans le textile, entre chez Delaunay-Belleville et suit des cours d'ouvrier d'art à l'armée. Revenu chez Delaunay-Belleville comme dessinateur industriel, il s'offre un tricycle De Dion qu'il ne tarde pas à démonter pour le modifier

Vainqueur du premier Grand Prix de l'ACF avec une quatre-cylindres de 13 litres et 90 ch, Renault marque le pas ensuite. Ici, une réplique de la voiture des 24 Heures de New York sur la base d'une 35 HP de tourisme.

profondément : nouveau châssis à quatre roues, installation du moteur à l'avant avec une boîte de vitesses à prise directe, système qu'il protège par un brevet en 1898, et transmission par arbre à cardans. Le succès de sa voiturette suscite des commandes qui le poussent à devenir constructeur dès 1899 avec le concours financier de ses frères dont il est alors l'employé. Il crée même très tôt (1898) une conduite intérieure, sans doute la première du monde.

Fin 1900, Louis Renault a déjà vendu plus de 200 voiturettes. Son frère Marcel collabore avec lui, tandis que Fernand, l'aîné, dirige les affaires de la famille.

Marcel et Louis pilotent en course dès 1900 et Marcel gagne Paris-Vienne en 1902. L'année suivante,

La Renault NN ou 6 CV est le modèle de base de 1925 à 1929. Solide, mais lourde pour son moteur de 950 cm³, elle atteint 60 km/h.

En 1921, le style des Renault est conforme à celui de 1914, avec une brisure entre capot et radiateur sur les 6 CV comme sur les 10 CV. La ligne continue commence en 1922.

Marcel trouve la mort dans la course Paris-Madrid, arrêtée à Bordeaux. À cette époque, la France est le plus grand pays constructeur d'automobiles du monde avec une production totale estimée à 30 000 voitures. En 1903, Renault seul en construit 948 avec environ 600 employés. Dix ans plus tard, l'effectif employé atteint 15 200 personnes et le volume de production dépasse 10 000 voitures. Renault produit une gamme étendue allant de bicylindres de 8 CV à des six-cylindres de 50 CV. En 1905, la firme produit 1 500 taxis deux cylindres pour des compagnies parisiennes et londoniennes. En 1908, la mort prématurée de Fernand Renault

Une voiture identique remporta la course Paris-Vienne 1902 pilotée par Marcel Renault. Classée en Voiture légère, elle était équipée d'un quatre-cylindres expérimental donnant 25 ch.

En 1928, cédant à la mode, Renault présente la Monasix Monastella, une petite six-cylindres de 1 500 cm³ sur la base du châssis NN. Le rapport puissance-poids est défavorable aux performances.

La Juvaquatre modèle 1938 est la première Renault à châssis plate-forme et caisse soudée. Elle réapparaîtra après 1945.

fait de Louis le seul propriétaire de l'entreprise. Pendant la Première Guerre mondiale, Renault produit des camions, des voitures d'état-major, des moteurs d'avions, des chars d'assaut et des munitions. Les petits taxis Renault entrent dans l'histoire en aidant à remporter la bataille dite de la Marne. Le 25 septembre 1914, les troupes allemandes sont à 30 km de Paris. Pour appuyer la contre-attaque partant du sud, 12 000 hommes sont déplacés de Paris vers l'est, sur le flanc droit allemand. La moitié d'entre eux est transportée pendant la nuit par plusieurs centaines de taxis dont une majorité de Renault. Après la guerre, Renault prend le contrôle de plusieurs fournisseurs (aciers fins, glaces, bois) et les intègre à son groupe industriel.

En 1922, la firme est rebaptisée Société Anonyme des Usines Renault, société dont Louis Renault possède 98 % des parts.

Le constructeur propose encore une gamme large de 6 à 40 CV. Les grosses 40 CV peuvent rivaliser avec les Hispano ou les Voisin. Les 6 et 10 CV sont les types les plus diffusés.

Après 1928, le radiateur passe à l'avant du moteur. L'évolution technique est lente, mais les voitures sont bien construites et les prix modérés. Dans les années 1930, Renault produit des quatre, des six et des huit-cylindres de 1 300 cm³ à 7,4 litres. Fin 1937, Renault introduit la Juvaquatre à carrosserie soudée sur une

Affiche datant de la période 1905-1906. Le style frontal des Renault est fixée jusqu'en 1922.

Le style 1936 est inspiré de celui des Grand Sport 1935. Ici un coupé Primaquatre 1936 à moteur 85 développant environ 50 ch.

plate-forme emboutie et des roues avant indépendantes. En 1940, les usines Renault emploient 40 000 personnes et construit des avions et des chars, outre les voitures et les camions.

Cette Reo modèle 1912 est carrossée en runabout deux places sport. Son prix était d'environ 1 000 dollars. Son moteur quatre cylindres développait 30 à 35 ch.

Reo

En 1904, Ransom Eli Olds entre en conflit avec ses commanditaires qui veulent supprimer l'Oldsmobile Curved Dash et développer des types plus luxueux. Olds, qui n'est pas d'accord, quitte la firme portant son nom. Il fonde alors sa propre firme, la Reo Motor Car Company. Contrairement à la petite Curved Dash, la nouvelle Reo reçoit une carrosserie à cinq places. Ces voitures à moteur deux cylindres sont bien accueillies.

En 1907, trois ans après la fondation de la firme, Reo prend la troisième place des constructeurs américains derrière Ford et Buick. Lorsque Ford lance la Model T, Olds contre-attaque en 1909 avec un nouveau modèle à

La réputée Reo Flying Cloud Master de 1929 à châssis long a un empattement de 307 cm. Son six-cylindres de 4,4 litres développait 80 ch.

moteur quatre cylindres, une direction à gauche et une transmission par arbre. En 1908, Reo produit son premier camion et la firme se développe pendant la Grande Guerre grâce à ses camions militaires. Le premier moteur à six cylindres apparaît en 1916: ce Reo M donne 45 ch. Les Reo ont une apparence très conventionnelle jusqu'à l'apparition de la Flying Cloud en 1927. Cette voiture aux lignes modernes est équipée d'un puissant six-cylindres de 73 ch. Cinq styles de carrosserie sont proposés. Tous les châssis ont des freins hydrauliques. Une version économique est proposée sous le nom de Wolverine.

L'année 1931 est celle du lancement de la plus belle Reo, la Royale, dont le long capot cache un huit-cylindres en ligne de 125 ch. Les empattements vont de 332 à 386 cm. À partir de 1933, ce modèle peut être équipé en option d'une boîte automatique. Les carrosseries sont très élégantes, mais en ces années de crise, la demande pour ces coûteuses voitures reste limitée. La production totale tombe à 3 623 voitures. En 1936, le conseil de direction décide l'arrêt de la production des voitures de tourisme au profit des seuls camions. Olds est opposé à cette décision, et il doit encore quitter sa firme. Il meurt en 1950.

Riley

La firme Riley débute comme beaucoup d'autres quand William Riley crée une usine de cycles à Coventry en 1888. Lorsque ses cinq fils, Victor, Stanley, Allan, Percy et Cecil, sont en âge de l'aider à diriger l'entreprise, le père décide de se lancer dans la construction automobile. Au début, Percy Riley conçoit un tricycle avec deux roues à l'avant et un siège pas-

Issue de la Riley Nine, la Brooklands, très surbaissée, reprend son performant moteur de 1 087 cm³.

Planche de bord de la Riley Sprite. On remarque sous le volant le sélecteur de la boîte Wilson pré-sélective.

sager sur l'essieu avant. Cette première automobile reçoit un moteur monocylindre de 517 cm³. Sur les types ultérieurs, le moteur V2 est installé sur la roue arrière. Riley tente l'aventure du sans-soupapes avec un quatre-cylindres maison, mais abandonne la formule. Avant la Première Guerre mondiale, Riley ne construit que des voiturettes, puis après 1920, il aborde le marché des voitures de sport avec la Nine et ses dérivés et avec des berlines sport dotées d'un beau moteur à deux arbres à cames en haut du bloc-cylindres. Dans les années 1930, les roadsters sport 1 100 et 1 500 cm³ sont très appréciés et des pilotes comme George Eyston, Sammy Davis et Raymond Mays accumulent les succès au volant des Riley type Brooklands, Imp, MPH ou Sprite à quatre ou six-cylindres. Parallèlement, Riley propose des berlines sport à moteurs moins poussés, mais très performants.

Les Monaco, Falcon, Mentone, Stelvio et Kestrel sont élégamment carrossées, dotées de finitions très luxueuses et, en option, de boîtes présélectives. En 1937, la firme connaît des problèmes de trésorerie. La marque est cédée

La berline Riley Nine Monaco 1933 à moteur 1 100 cm³ pouvait recevoir en option une boîte de vitesses présélective et un embrayage centrifuge automatique, permettant une conduite sportive.

à William Morris en 1938. Victor et Percy Riley conservent leur poste de direction, mais Percy meurt en 1941 âgé seulement de 58 ans. Son père meurt trois ans, après à l'âge de 93 ans. Riley aurait pu fêter son centième anniversaire si British Leyland n'avait pas supprimé la marque en 1969.

Roamer

La marque Roamer est fondée en 1916 par Albert Barley. La firme de Kalamazoo prend symboliquement le nom d'un célèbre pur sang de course qui gagne fréquemment à cette époque. La première Roamer est dévoilée en 1916 à Chicago. C'est une voiture relativement bon marché malgré sa ressemblance frappante avec une Rolls-Royce. Le pare-brise est déjà incliné et les roues sont à rayons en fil d'acier. Cette voiture se vend à plus de 2000 exemplaires par an, mais la guerre limite la production. Une Roamer figure au Salon de New York de 1917 avec une carrosserie de roadster en aluminium poli. Tous les moteurs Roamer à quatre, six ou huit cylindres sont fournis par Continental ou Rochester-Duesenberg. Le modèle le plus apprécié est une six-cylindres de 5 litres. De 1927 à 1930, tous les types sont équipés d'un moteur à huit cylindres en ligne Continental.

La Roamer est dotée d'un radiateur copié sur la Rolls-Royce. Le modèle 4-75 est équipé d'un quatre-cylindres Rochester-Duesenberg de 75 ch.

Röhr

Les conceptions de Hans Gustav Röhr sont remarquables par leurs innovations techniques. Le châssis est fait de tôles d'acier soudées, les essieux arrière sont à demi-arbres oscillants, le siège arrière est placé en avant de l'essieu et non pas au-dessus. Trois types différents seulement sont fabri-

La carrosserie allemande Autenrieth a réalisé en 1933 ce cabriolet quatre places sur châssis Röhr type F.

La Röhr Junior a été produite à 1 700 exemplaires. Son style d'avant-garde en limite la diffusion.

Parallèlement à la Junior, Röhr produit une huit-cylindres à culbuteurs. La Röhr type R (1928-1930) est équipée d'un moteur de 50 ch.

qués sous sa direction. Entre 1927 et 1928, il produit environ 100 voitures type R 8/40. En 1928, ce modèle reçoit un 2 246 cm³ plus puissant. Jusqu'en 1939, un millier environ de voitures de ce type sont construites et près de 350 type RA, version finale équipée d'un moteur huit cylindres en ligne de 2 496 cm³. La firme ne fait pratiquement pas de bénéfices. En 1930, Röhr doit la céder. Les repreneurs présentent un nouveau modèle de 3,2 litres, la Röhr type F de 1933. A partir de 1934, la version FK de cette voiture est aussi disponible avec un compresseur. Au total, environ 270 types F sont vendus. La firme a davantage de succès avec la Junior, une Tatra 30 construite sous licence. Cette voiture a un petit moteur quatre cylindres opposés à plat de 1 485 cm³ d'origine tchèque.

Rolls-Royce

À vrai dire, Charles Stewart Rolls (1877-1910) et Henry Royce (1863-1933) n'ont pas grand-chose en commun. Rolls est un jeune aristocrate, héritier d'une très riche famille et amateur de techniques modernes. Il

passe davantage de temps à conduire des autos et à piloter des ballons puis des avions qu'à ses affaires de vente de voitures (il est agent de Panhard en Angleterre). Royce, au contraire, a travaillé dur toute sa vie. Il est le cinquième enfant d'un meunier pauvre mort prématurément. Le très jeune Henry Royce doit vendre des journaux dès l'âge de dix ans. Il suit des cours du soir, apprend les mathématiques et les sciences, travaille dans des entreprises d'électricité et finit par fonder une firme de matériels électriques (grues et treuils) très prospère à Manchester.

Pour se détendre, il achète un jour une petite voiture française d'occasion dont le fonctionnement lui paraît perfectible. Il décide alors de créer sa propre voiture. Au printemps 1904, propulsée par un moteur à deux cylindres, elle fait sa première sortie de l'usine Royce. Par une relation commune, Rolls et Royce se rencontrent cette année-là à Manchester. Rolls estime intéressante la voiture de Royce et convainc ce dernier de la produire, lui-même se chargeant de la commercialiser.

La 10 HP est décrite comme la 2-cylindres la plus silencieuse du monde.

Les premiers modèles mis sur le marché sont des deux-cylindres Rolls-Royce de deux litres. Les ventes ne s'élèvent qu'à 19 unités entre 1904 et 1906. La trois-cylindres trois litres, plus puissante, n'est pas non plus un succès avec six exemplaires vendus entre 1905 et 1906. Le modèle suivant, une 30 HP (1905-1906) est plus demandé : 45 exemplaires de cette première six-cylindres de six litres trouvent preneurs. Royce fabrique également un modèle expérimental à moteur V8 de 3,5 litres, la Legalimit, qui

Entre 1920 et 1926, Rolls-Royce assemble des voitures aux États-Unis, à Springfield. Les organes mécaniques de base sont importés, les accessoires et les carrosseries sont d'origine américaine, comme sur ce Roadster Piccadilly.

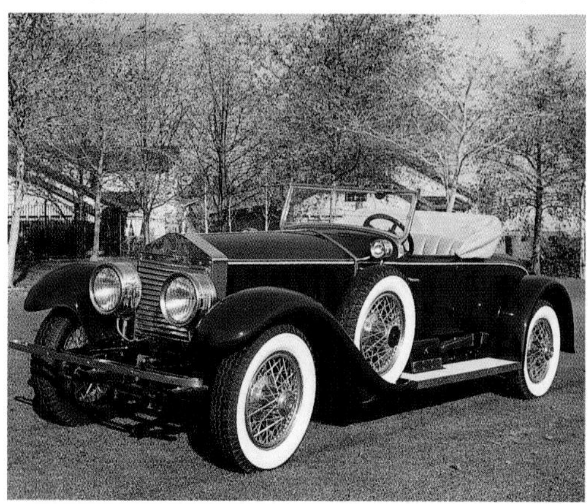

La Rolls-Royce Twenty est créée en 1922 pour attirer une clientèle sans chauffeur. Ici un coupé décapotable de 1927.

L'usine désigne la 40/50 HP Silver Ghost (ici, un modèle spécial de 1911) « The Best Car in the World ». La Silver Ghost reçoit plusieurs types de transmissions et de suspensions.

ne sort qu'à trois exemplaires. En 1907, enfin, Royce, présente son premier chef-d'œuvre.

Ce type fameux est appelé 40/50 HP ou Silver Ghost (Fantôme d'argent) du nom d'une voiture spéciale de démonstration utilisée par l'usine pour des raids promotionnels dont la carrosserie est en aluminium poli et les accessoires nickelés. Environ 6220 40/50 HP voient le jour. La Silver Ghost est propulsée par un six-cylindres à soupapes latérales de 7036 cm³ porté à 7428 cm³ dès 1910. Après 1918, devant la nécessité de proposer

La Phantom II Continental est la version presque sportive de ce modèle exceptionnel. Ici une torpédo tous-temps carrossé par Barker en 1933.

Rolls-Royce ne vend avant 1939 que des voitures en châssis nus qu'elle peut éventuellement faire carrosser pour ses clients. Ici, un roadster très sportif réalisé par Barker en 1928 sur châssis Phantom I.

Le moteur six cylindres de la Phantom II a une cylindrée de 7,7 litres pour une puissance jamais révélée.

un type plus abordable, Royce (Rolls s'est tué en avion en 1910) crée la Twenty ou 20 HP dotée d'un six-cylindres à culbuteurs de 3 127 cm^3. Au total, 2 890 unités de la « petite » Rolls sont produites.

La Silver Ghost, démodée, fait place en 1926 à la New Phantom, appelée rétrospectivement Phantom I, Cette voiture est plus puissante que la 40/50 précédente avec une cylindrée portée à7 668 cm^3 et des soupapes en tête. Après une production de 2 250 exemplaires, elle fait place à la Phantom II. Cette voiture bénéficie d'un tout nouveau châssis. Jusqu'en 1935, Rolls-Royce n'en produit que 1 767 unités.

Le beau moteur V12 de la Phantom III n'était pas sans poser quelques problèmes. Ici, un très élégant cabriolet quatre places par Gurney Nutting.

Le dernier modèle apparu avant 1939 est la Wraith, carrossée ici en Sedanca Coupé par Gurney Nutting. L'arrière n'est pas décapotable.

La dernière Phantom d'avant 1939 est la Phantom III présentée en 1936. Cette voiture est équipée d'un moteur V12 de 7 340 cm^3 d'une fiabilité relative. Son prix très élevé limite sa diffusion à 715 exemplaires avant 1940. Mais la marque a, depuis la Twenty, une gamme « bon marché ». En 1929, la Twenty fait place à la 20/25 dotée d'un six-cylindres de 3 669 cm^3. Ce moteur est encore agrandi avec la 25/30 de 1936 portée à 4 257 cm^3. Ce type n'est produit que pendant deux ans pour un total de 1 200 exemplaires. Le dernier modèle d'avant guerre est la Wraith équipée du moteur 25/30, mais avec un châssis et une carrosserie très modernisés.

Rosengart

Jules Salomon, créateur de la Le Zèbre et de la Citroën type A est devenu ingénieur-conseil indépendant. Il est consulté en 1928 par Lucien Rosengart (1881-1976) désireux de devenir constructeur à part entière. La première automobile née de cette coopération est la Rosengart LR2, en fait

une Austin Seven construite sous licence, avec quelques modifications pour l'adapter au marché français. La LR2, très courte et très bon marché, est lancée fin 1928 et rencontre un succès immédiat avant de donner lieu à des versions plus étoffées. La Rosengart LR4 apparaît en 1931 avec un châssis légèrement allongé qui autorise des carrosseries 2+2. Un châssis encore plus long, le LR44, reçoit des caisses encore plus confortables. Le moteur est toujours le quatre-cylindres de 747 cm^3.

La Rosengart LR2 est une copie sous licence de l'Austin Seven, y compris avec le moteur de 747 cm^3 de 15 ch.

Rosengart Supertraction 539 de 1939 à mécanique Citroën, aussi moderne qu'élégante. En 1947, un modèle à moteur V8 Mercury ne dépassa pas le stade du prototype.

Des versions fourgonnettes sont aussi proposées. Ces voitures sont très appréciées en période de crise économique pour leur bon rapport qualité-prix. Elles effectuent des raids d'endurance restés célèbres. La six-cylindres de 1 100 cm^3 n'a pas le même succès. En 1932, Rosengart achète les droits de fabrication de la traction avant Adler Trumpf conçue par Gustav Röhr. Cette voiture est produite à Paris sous la désignation LR500 ou Supertraction. Elle est dotée d'un moteur quatre cylindres à

Comme l'Austin, la Rosengart a donné lieu à des dérivés sport réalisés par des amateurs. Son endurant petit quatre-cylindres pouvait être poussé et même suralimenté.

soupapes latérales de 1 650 cm³ donnant 38 ch. La LR505 en est une version plus longue. Comme Adler, Rosengart en propose une version à propulsion produite à un très faible nombre d'exemplaires. Les types dérivés de la LR4 (LR4N2) se vendent toujours après un restylage en 1938. Leur fabrication se poursuit jusqu'à fin 1939. Au printemps 1939, Rosengart propose la Super-traction II ou LR539 à mécanique de Citroën 11 CV traction avant, greffée sur un châssis d'origine Adler modifié et habillé d'une carrosserie moderne très élégante.

La Rosengart LR4 est une LR2 à empattement allongé, de quatre places. Cette évolution élargit beaucoup sa clientèle.

La Rosengart LR4N2 de 1938-1939 reçoit un nouveau style qui perpétue son succès commercial. Elle n'a pas de concurrente à l'époque.

Planche de bord économique de la LR4N2.

Rover

James Starley dirige la Rover Cycle Company à Coventry, qui lance la première bicyclette dite Safety (de sécurité, contrairement au grand-bi) en 1888. La firme fabrique aussi du matériel agricole. En 1899, Rover présente un tricycle à moteur De Dion commercialisé en 1903 et n'aborde la production automobile qu'en 1904. Cette petite deux places est propulsée par un monocylindre de 1 327 cm³ (8 HP) refroidi par eau. La première Rover coûte 200 livres alors qu'un

Rover aborde la construction automobile en 1904. Dès l'année suivante, le programme prévoit de petites deux-cylindres et de grosses quatre-cylindres à moteur monobloc.

Un cabriolet Rover 14 de 1934.

En 1937, les Rover sont redessinées, y compris la Ten ici en version 1939. Luxueusement finies, les Rover sont des voitures chères.

ouvrier en gagne une par semaine. En 1905, un modèle de 6 HP est vendu moins cher. La raison sociale devient Rover Company quand la firme lance deux nouveaux types, la 16/20 HP et la 10/12 HP à quatre cylindres. 1912 apporte la Rover 12 quatre cylindres de 2,3 litres conçue par Owen Clegg qui préconise le modèle unique.
Le succès commercial lui donne raison. Après 1918, Rover relance la 12, mais ajoute la Eight (8) équipée d'un bicylindre de 998 cm^3 refroidi par air. Bon marché, cette voiturette rencontre un succès certain : 17000 exemplaires en sont vendus jusqu'à l'arrêt de la production en 1925.

En 1924, la Rover 14/15 est distinguée par le Royal Automobile Club pour ses « caractéristiques exceptionnelles », mais le public ne suit pas, même avec une augmentation de cylindrée. Outre les types de tourisme, la firme produit aussi des modèles de sport. En 1907, une 16/20 trois litres a gagné le Tourist Trophy de l'Île de Man, mais tous les concurrents sauf deux ont abandonné sur panne d'essence !
En 1928, la nouvelle Light Six à culbuteurs va influencer les types produits dans les années 1930 avec des cylindrées différentes.
Pour surmonter la crise économique, la direction est confiée en 1932 aux frères Spencer et Maurice Wilks et à Frank Ward qui commencent par réduire la gamme. Les voitures sont principalement des familiales moyennes de qualité.
En 1934, les type suivants figurent au catalogue : la Family Ten (1,4 litre) et la Twelve (1,5 litre) ainsi que la Fourteen et la Speed Fourteen à six cylindres, la Speed Sixteen (2 litres) et la Speed Twenty (2,6 litres).
Les prix vont de 238 à 505 livres. En 1937, tous les types sont modernisés. Ils seront remis en fabrication en 1946 et produits jusqu'en 1948.

La Rover Twelve de 1939 est équipée d'un quatre-cylindres de 1 500 cm^3. Confortable et luxueusement finie, cette voiture coûte alors 300 livres soit presque trois fois le prix d'une petite Ford.

Salmson

Pendant la Première Guerre mondiale, la Société des Moteurs Salmson gagne beaucoup d'argent en fabriquant des moteurs d'avions, des avions, des magnétos, etc. La firme a tellement d'expérience dans le domaine des fabrications mécaniques qu'elle envisage de se reconvertir dans l'automobile dès l'année 1919. Salmson va s'orienter vers les cyclecars et les voiturettes de sport. L'usine de la rue du Point du Jour à Billancourt acquiert la licence de fabrication du cyclecar anglais GN. En 1921, après une production estimée à 1 600 GN, Salmson lance sa propre voiturette dûe à l'ingénieur Émile Petit. Son moteur de 1 087 cm^3 quatre cylindres est à soupapes en tête commandées par un basculeur unique. La voiturette biplace d'environ 500 kg atteint 85 km/h. Son succès immédiat est soutenu par une version sport GS à deux arbres à cames en tête qui développe 33 ch et propulse la voiture à plus de 110 km/h. Salmson accumule les succès dans la catégorie 1 100 cm^3 (Bol d'Or, 200 Miles de Brooklands, Coupe Biennale aux 24 Heures du Mans, Targa Florio, sans compter d'innombrables courses de côte). Le modèle GSC est à compresseur et double allumage prend l'appellation San Sebas-tian après une victoire en Espagne en 1925. Parallèlement aux voitures sport et course, Salmson produit des voiturettes de tourisme types AL et VAL ainsi qu'une 10 CV, le type D, à moteur double arbre de 1 200 cm^3. Lorsque sa rivale Amilcar lance une six-cylindres de

La Salmson S4 1 300 cm^3 à 2 ACT apparue en 1929 est carrossée ici en biplace sport-course.

Salmson propose pour 1922 son cyclecar quatre cylindres 1 097 cm^3 AL22 qui évolue en voiturette (VAL) dès 1923. Son moteur monoculbuteur donne 18 ch.

La Salmson GS (Grand Sport) à moteur 1 100 cm^3 à 2 ACT atteint 120 km/h avec 33 ch (sans compresseur). Elle est souvent carrossée en aluminium.

La S4-61 10 CV du Salon 1938 est une voiture raffinée avec un moteur brillant, à 2 ACT. Ici, un coupé usine de 1939.

Après 1946, les Salmson S4-61 (10 CV) et S4-E (13 ch) sont redessinées avec des projecteurs encastrés. La 10 CV à moteur 1,7 litre atteint 120 km/h et la 13 CV, 135 km/h.

1 100 cm³, Salmson réplique avec une huit-cylindres de même cylindrée à deux ACT et deux compresseurs qui délivre 100 ch, capable de dépasser 200 km/h. Salmson ne développe pas ce type trop coûteux, ferme son service des course et lance pour 1929 un type de tourisme plus étoffé, doté d'un nouveau moteur à 2 ACT très brillant. La S4 1929 a un moteur de 1,3 litres et 30 ch, atteint 90 km/h lourdement carrossée et consomme 9 litres aux 100 km grâce à l'excellent rendement de son moteur. Pour 1933, la cylindrée est portée à 1,5 litre sur la S4C (40 ch), à 1,6 litre (50 ch) sur la S4D de 1935 à roues avant indépendantes et boîte Cotal électromagnétique. Produites en nombre limité, les Salmson sont assez chères et la firme vit surtout des productions aéronautiques. À la S4 DA (1,7 litre) de 1937, succède fin 1938 la S4-E de 13 CV à moteur double arbre de 2,3 litres (85 ch), une voiture de tourisme luxueuse à tendance sportive sur un nouveau châssis. Les deux gammes comprennent des berlines, des coupés et des cabriolets quatre places. Salmson propose aussi la S4-61, une 10 CV moderne plus économique, mais néanmoins performante malgré de luxueuses carrosseries. Ces deux types seront remis en fabrication après 1945.

SCAP

Après la Grande Guerre, SCAP (Société de Constructions Automobiles de Paris) produit brièvement une quatre-cylindres 2,4 litres, la type L de 12 CV, puis des moteurs pour le compte de constructeurs ou d'assembleurs de voitures de petites cylindrées, principalement de petits quatre- cylindres de 900 à 1 100 cm³ parfois équipés d'un compresseur. En 1926, la marque relance des voitures à quatre cylindres

La firme française SCAP, constructeur de moteurs fournis à de nombreuses marques sportives, a construit aussi quelques voitures (ici, à gauche devant une Bugatti).

de 1 100 et 1 200 cm³ de 6, 7 et 8 CV. Les types 6 et 7 CV sont plus sportifs que la 8 CV à vocation tourisme. En 1927, SCAP présente un type sport huit cylindres en ligne à culbuteurs donnant 40 ch et poussé à 50 ch sur les voitures engagées (sans succès) aux 24 Heures du Mans 1927. Des versions 1,5 litre, 2 litres et 2,2 litres de ce moteur sont vendues à d'autres constructeurs provinciaux. Au début des années 1930, SCAP, victime de la crise, doit cesser ses activités.

Schacht

Gustav A. Schacht, constructeur américain de buggies depuis longtemps, construit sa première automobile en 1904. Il s'agit bien entendu d'un buggy, type de voiture légère à grandes roues justifié par l'état des routes américaines au début du siècle dans les zones rurales. Les essieux risquent ainsi moins l'enlisement. La première Schacht est équipée d'un bicylindre refroidi par eau de 10 ch suivie de modèles plus étoffés, toujours à hautes roues. La première voiture à roues normales apparaît en 1910. En 1913, après une production d'environ 8 000 voitures, la société devient la Schacht Motor Truck Company et se consacre à la production de camions.

Constructeur de buggies à chevaux, Schacht les motorise en 1904. Ce modèle de 1909 est un deux-cylindres 2,4 litres.

Scheibler

Fritz Scheibler fait partie des nombreux pionniers allemands de l'automobile, mais au lieu de copier les types français et d'utiliser des moteurs Daimler ou Benz, Scheibler construit tout lui-même. La première Scheibler sort de l'usine d'Aix-la-Chapelle en 1901. Elle remporte une médaille d'or à l'exposition de Francfort. Le moteur bicylindre monté à l'avant entraîne les roues arrière par des chaînes. En 1903, la firme présente plusieurs types nouveaux à moteurs 5 et 12 HP. Un an après, les premiers modèles importants sont lancés avec des moteurs à quatre cylindres de 24 et 35 HP. Ces groupes plus généreux n'équipent pas

La Scheibler allemande de 1904 est dotée d'un quatre-cylindres et d'une transmission par chaînes. La marque ne produit que des camions après 1907.

L'étrange Scott Sociable apparaît en 1921. Cet exemplaire appartient au Musée de Mulhouse - collection Schlumpf.

seulement des voitures de tourisme, mais aussi une gamme de camions Scheibler. La dernière voiture de tourisme sort d'usine en 1907, les véhicules commerciaux étant alors bien plus rentables.

Scott

Le Britannique Alfred Scott possède deux marques. Scott Engineering Co. Ltd construit d'excellentes motos à moteur deux temps refroidi par eau et Scott Autocar Co. Ltd des tricycles appelés Scott Sociable. Ces trois-roues sont très innovants techniquement et leur concepteur en protège par brevets 54 points constitutifs. L'engin se singularise par une seule roue avant placée dans l'alignement de la roue arrière droite, seule motrice. Les roues arrière sont portées par un essieu rigide. Cette voiturette Sociable à deux places est propulsée par un moteur à deux cylindres deux temps refroidi par eau de 578 cm^3. Étudié d'abord pour des utilisations militaires, ce tricycle est fourni à partir de 1921 à d'anciens soldats britanniques grands invalides de guerre. Sa production se poursuit jusqu'en 1925.

Sears

L'usine d'automobile Sears Motor Buggy, à Chicago, produit entre 1908 et 1911 de petites voitures vendues par correspondance sur catalogue par la firme spécialisée Sears, Roebuck and Co. Ces voiturettes sont très bon

La Sears était vendue par correspondance sur catalogue.

marché et leurs grandes roues sont prévues pour les campagnes américaines dépourvues de bonnes routes. La Sears est équipée d'un moteur bicylindre de 14 ch, de roues en bois de grand diamètre et de bandages en caoutchouc plein. Mais la clientèle ne veut plus de direction à barre franche, ni d'une vitesse maximale de 40 km/h et la production est arrêtée après environ 3 500 exemplaires.

Sénéchal

Lorsque Robert Sénéchal commence à produire des voiturettes de sport à Courbevoie, il est déjà connu comme pilote de course professionnel. La première Sénéchal B4 est un cyclecar à deux places à moteur Ruby quatre cylindres de 750 cm^3 à soupapes latérales ou, plus tard, à culbuteurs. Ruby est une firme spécialisée dans la production de moteurs vendus à plusieurs petites marques sportives.
Très rapidement, Sénéchal propose des types plus étoffés dits Grand Sport équipés de moteurs plus généreux de 970 cm^3 en 1922 puis de 1 100 cm^3 (1923). Ces voitures conviennent bien aux amateurs de courses.

Construites par Chenard et Walcker pour Robert Sénéchal, les Sénéchal, issues du concept du cyclecar, évoluent vers la voiturette et la voiture moyenne comme cette quatre-cylindres à moteur Chenard de 1926.

Une Sénéchal remporte le Grand Prix de Boulogne 1924 (dans sa catégorie Voiturettes) et le Bol d'Or en 1924, 1925 et 1926. En 1925, la gamme est composée de trois types de base : la Voiturette, la Sport et la Grand Sport avec des moteurs au choix de 970 ou 1 100 cm^3. Cette année-là, la firme Chenard et Walcker qui construit déjà les voitures pour le compte de Sénéchal, rachète la marque.
Les modèles sont ensuite équipés de moteurs Chenard et Walcker 1,5 litre à soupapes latérales, mais ils ont perdu tout caractère sportif. Leur production est arrêtée en 1929.

SHW

Trois voitures seulement ont été produites sous la marque SHW (Schawäbische Hütten Werke AG) de Boblingen près de Stuttgart. En 1923, Wunibald Kamm, connu plus tard pour ses travaux sur l'aérodynamique, travaille comme ingénieur chez Mercedes. Il rêve de produire une voiture bon marché, susceptible d'être

La SHW à moteur flat-twin à traction avant est due au professeur Kamm, futur théoricien de l'aérodynamique. Il expérimente la construction monocoque.

La SHW est dotée d'un moteur flat twin à deux temps et allumage par magnéto.

Les marchepieds caissonnés devaient rigidifier la caisse.

acquise par tous. Mercedes n'est pas intéressée par ce concept et Kamm doit trouver un autre constructeur. SHW relève le défi et construit trois prototypes. La carrosserie autoporteuse est en aluminium. Un moteur à deux cylindres opposés à plat entraîne les roues avant à suspensions indépendantes. Le montage de la mécanique sur blocs de caoutchouc et les caissons latéraux servant de coffres entre les ailes avant et arrière sont des idées nouvelles. Ces caissons servent avant tout à rigidifier la caisse.

Un seul prototype a survécu à la guerre 1939-1945. Cet exemplaire superbement restauré est exposé au Deutsche Museum de Munich.

Siata

Giorgio Ambrosini (1890-1974) a consacré la majeure partie de sa vie à l'automobile. Ambrosini est né en Italie, à Fano. Encore enfant, il arrive à Turin, ou il crée la Siata en 1926. La Società Italiana Auto-Transformazioni-Accessori se spécialise dans la mise au point et l'amélioration des moteurs Fiat, mais ces moteurs sont également installés dans de petits châssis de voitures de sport vendues sous sa marque. La spécialité Siata est la Fiat 508 Balilla

Siata se spécialise avant 1939 dans la transformation des Fiat comme les 508S Coppa d'oro.

Siata a également amélioré la Fiat 500 Topolino. Cette « spéciale » aérodynamique date de 1938. Ce type de voiture était généralement préparé pour les Mille Miglia.

dont le moteur de 995 cm³ est réalésé à 1 057 cm³. La Fiat 500 Topolino passe de 13 à 30 ch après avoir subi le traitement Siata. Cette version biplace Siata atteint 120 km/h. La firme vend aussi des ensembles d'amélioration dont une tubulure d'admission spéciale à deux carburateurs. Siata fabrique aussi des culasses à soupapes en tête pour moteurs Fiat latéraux. Ambrosini essaie toutes les solutions. Il monte un compresseur Roots à la demande et transforme des boîtes de vitesses à trois rapports en « quatre rapports ». Ambrosini démontre lui-même la qualité de ses équipements en prenant part à de nombreuses épreuves sportives dont les Mille Miglia 1935. Lors de cette course, son copilote n'est autre que le futur célèbre carrossier Nuccio Bertone.

Cette machine de course est construite sur une base Fiat 508 de 1933.

Sima-Violet

Dans la liste des voitures à l'esthétique bizarre, la Sima-Violet est bien placée... Les cyclecars français ou étrangers sont rarement bien dessinés, mais la Sima-Violet n'est pas dessinée du tout, le fonctionnel primant sur l'apparence. La petite firme de Courbevoie produit ces petites voitures dues à l'ingénieur Marcel Violet, spécialiste du deux-temps, de 1923 à 1929. Elles sont propulsées par un bicylindre opposé à plat refroidi par air et se révèlent très rapides en course après préparation. Ces cyclecars très allégés ne sont rien de plus qu'un petit châssis portant un moteur, un siège et une demi-carrosserie plus proche d'une moto carénée que d'une automobile. Le moteur de 500 cm³ donne 11 ch en version de série. En 1927, un prototype Sima-Violet prend la troisième place du Grand Prix de Boulogne en catégorie 1 500 derrière deux Bugatti. Cette voiture spéciale

Le cyclecar Sima-Violet apparu en 1924 offrait en compétition un bon rapport puissance-performance.

L'ingénieur Violet était un spécialiste du moteur deux-temps. Ce bicylindre est à double allumage par deux magnétos.

est propulsée par un quatre-cylindres opposé à plat à deux temps et compresseur Cozette qui restera au stade expérimental.

Simca

Les premières voitures sont vendues comme des 6 CV Simca-Fiat. Ce coupé de 1936 est surnommé Comète en raison du dessin des habillages de capot.

Simca été fondée en France pour assembler la Fiat 508 Balilla. Ici, un modèle 1936.

Teodoro Enrico Bartolomeo Pigozzi fonde en France la Société Industrielle de Mécanique et Carrosserie Automobile fin 1934. Le patron de Fiat, Giovanni Agnelli, qui souhaite produire la Fiat 508 Balilla sous licence en France, fournit à Pigozzi le financement nécessaire, après une expérience de montage chez les carrossiers Kelsch et Manessius. La nouvelle firme àcquiert fin 1934 l'usine Donnet avec tous ses outillages. Après la Balilla à moteur 995 cm^3, Simca monte l'Ardita 2000 à moteur deux litres. L'usine augmente son volume de production avec la Fiat 500 Topolino appelée en France Simca Cinq. En 1936, Simca en produit 7282 unités et 12925 en 1937. La Cinq est accompagnée par la Simca Huit en 1937 sur la base de la Fiat 1100 Nuova Balilla. La production se

Simca produit ensuite la Topolino ou Fiat 500 sous l'appellation Simca 5, jusqu'en 1939.

poursuit en 1940, 1941 et 1942 avant de cesser pratiquement pour reprendre en 1946 :

	Simca Cinq	*Simca Huit*
1936	7282	
1937	12925	318
1938	1419	46739
1939	1215	17680
1940	3604	1911
1941	3328	3766
1942	632	2217
1943	19	122
1944	23	180
1945	47	65
1946	3411	4832

Il existe des Simca de compétition dues à un préparateur de génie, Amédée Gordini. Pour démontrer leur potentiel et leur fiabilité, les Simca-Gordini Cinq et Huit participent au Bol d'Or (victoire en 1935), aux 24 Heures du Mans en gagnant leur catégorie à plusieurs reprises (1937, 1938 et 1939), aux Rallyes de Monte-Carlo 1938 et 1939 et en battant des records (48 heures et 5000 km) à Montlhéry où un Simca Cinq Gordini de 570 cm^3 tourne à 103,16 km/h de moyenne pendant 48 heures.

Simson

La fabrique d'armes de Suhl en Thuringe (Allemagne) construit sa première automobile en 1911, mais la production ne démarre vraiment qu'après la Première Guerre mondiale quand la demande d'armes se réduit considérablement. Les modèles d'avant guerre sont des projets propres à la marque. Les moteurs et les transmissions sont aussi fabriqués par Simson. Les voitures sont équipées d'un quatre-

Les Simson-Supra 1925 sont des engins sportifs et performants à moteur deux litres à 1 ou à 2 ACT et 8 ou 16 soupapes. Simson était une fabrique d'armes de Suhl en Thuringe.

cylindres de 1559, 2595 ou 3538 cm^3. En 1924, la marque Simson devient Simson-Supra. La première voiture de cette nouvelle marque et un type sport doté d'un moteur quatre cylindres de 1970 cm^3 à un arbre à cames en tête et quatre soupapes par cylindre. Le moteur donne 50 ch à 4000 tr/min en version normale et jusqu'à 80 ch en version course. Le type de tourisme a un empattement de trois mètres et une vitesse maximale de 120 km/h. Le type de course est plus court et atteint 140 km/h. En 1925, Simson-Supra présente un modèle à moteur six-cylindres de 3120 cm^3 à 1 ACT. Ce moteur donne 60 ch à 2800 tr/min qui l'entraînent à 100 km/h.
Entre 1931 et 1934, le client peut choisir un modèle huit cylindres en ligne de 4673 cm^3. Cette Simson Supra s'attaque directement au marché de Mercedes et de Horch. Malgré son poids, elle atteint 120 km/h. Mais l'arrivée d'Hitler au pouvoir entraîne de grosses difficultés pour les responsables de Simson-Supra. En 1934, la firme est expropriée par les nazis et l'usine revient aussitôt à la production d'armements.

Singer

George Singer produit d'abord des bicyclettes et des motos. En 1905, il présente ses deux premières automobiles. La première est une deux-places de 8 HP (15 ch réels)à moteur deux cylindres horizontaux refroidi par eau de 100 mm d'alésage et de course dont les bielles mesurent près d'un mètre de long ! Les cylindres sont à l'avant et l'arbre à cames est en tête. La Singer 12 HP est plus puissante et la carrosserie est plus spacieuse. Avant 1914, Singer construit une curieuse gamme de treize types différents. Le plus diffusé est la Ten (10 HP) de 1912. Spécifiquement construite pour l'armée pendant la guerre, elle est largement utilisée en France, en Égypte et en Italie. En 1919, elle est suivie par un type sport, sur le châssis Ten, disponible aussi, à partir de 1921, en version compétition avec un moteur de 33 ch. En 1922, la Ten reçoit aussi un deux-litres à six cylindres. En 1923, la Ten est équipée d'un moteur à arbre à cames en tête au lieu des soupapes latérales. Ces modèles sont disponibles avec diverses carrosseries ouvertes ou fermées. En 1927, une petite voiture, la Junior, est présentée avec un quatre-cylindres à arbre à cames en tête de 848 cm³. La Ten 1,3 litre devient la Senior. En 1932, le client peut choisir entre huit types différents, quatre quatre-cylindres et quatre six-cylindres. L'un des modèles les plus célèbres est la Nine (9 HP) de 1933 qui vient concurrencer les MG Midget. Après qu'une Nine ait terminé à la treizième place aux 24 Heures du Mans 1933 et à la septième en 1934, le modèle est appelé Singer Le Mans. Si en 1935, toutes les Singer ont un moteur à arbre à cames en tête, la plupart des modèles vendus sont des voitures de tourisme.

Dans les années 1930, les Singer ont un quatre-cylindres à 1 arbre à cames en tête. Ici une Ten d'avant 1939.

Les Singer Nine se sont illustrées au Mans en 1933, 1934 et surtout 1938 en remportant la catégorie 750 à 1 100 cm³.

Les Singer Nine sont appelées Singer Le Mans à partir de 1935.

Sizaire et Naudin

Maurice et Georges Sizaire conçoivent leur première « voiturette » en 1905. Sur un châssis en bois armé, le moteur est un monocylindre de 6 HP, mais les innovations concernent l'essieu avant à ressort transversal et roues indépendantes par coulisses verticales et la boîte de vitesses intégrée au pont arrière qui offre trois rapports finaux différents. Les frères Sizaire s'associent à Louis Naudin en vue de produire des voiturettes sous la marque Sizaire et Naudin. Les conceptions de Sizaire sont très rationnelles. Sa première voiture de production ne comprend que 420 pièces différentes… si l'on ne compte pas les rayons en bois des roues. En 1903, Renault dessine 413 pièces pour un train avant expérimental à suspension télescopique. Contrairement à beaucoup de petits constructeurs, Sizaire et Naudin fabrique presque toutes ses pièces dont la carrosserie, le carburateur et le radiateur.

La Sizaire et Naudin 8/9 CV à moteur monocylindre 1,5 litre domine la Coupe des Voiturettes de 1906 à 1908.

La petite firme investit beaucoup dans la compétition et les patrons prennent le volant eux-mêmes. Les courses réservées aux voiturettes rapportent beaucoup de publicité et les Sizaire et Naudin s'y montrent brillantes avec plusieurs victoires importantes. En 1906, l'usine parisienne emploie déjà 50 personnes et produit plus de 100 voiturettes. En 1913, Maurice et Georges Sizaire, en désaccord avec leurs associés, quittent la firme qui diversifie et propose des voitures à quatre cylindres plus importantes. Maurice Sizaire fonde alors Sizaire-Berwick avec un associé britannique, pour produire de grosses quatre-cylindres quatre litres dont le radiateur copie celui de la Rolls-Royce. La fabrication, à Courbevoie avant 1914, est réalisée en Angleterre après 1919. La marque Sizaire et Naudin disparaît en 1921, Sizaire-Berwick en 1927. Entretemps, la nouvelle marque Sizaire Frères a produit une deux-litres très moderne à quatre roues indépendantes.

Skoda

ŠKODA

À la fin de la Grande Guerre, la Tchécoslovaquie est créé à partir de régions de l'ex-empire austro-hongrois. L'important groupe industriel Skoda, qui devient tchécoslovaque, est l'équivalent de Schneider (groupe associé en 1919) en France ou de Krupp en Allemagne. Les principales productions portent sur les aciers à blindage, les armes lourdes et les locomotives. Un département automobile est créé en 1923 pour la production de camions, suivie de l'achat de la licence de fabri-

Skoda, de Pilsen en Tchécoslovaquie, produit sous licence l'Hispano-Suiza H6 à partir de 1925 et rachète la marque Laurin et Klement.

La première Skoda de 1925 est une Laurin et Klement quatre cylindres de 1 800 cm³. Cette torpédo pèse près de 1 500 kg.

cation de la voiture Hispano-Suiza dont la production débute en 1925. Les Skoda-Hispano sont carrossées en Tchécoslovaquie et la première voiture sortie de l'usine de Pilsen est livrée au président Thomas Masaryk.

Après avoir produit une cinquantaine d'Hispano, Skoda rachète la firme Laurin et Klement en 1925. Cette société pionnière produit des automobiles depuis 1905. Après la reprise par Skoda, les voitures portent provisoirement la marque Laurin-Klement-Skoda. Ce sont en fait des Laurin et Klement type 110.

Les premières vraies Skoda sortent fin 1928 par exemple la 860, une grosse huit-cylindres de 3 880 cm³ de 70 ch ou la Skoda 645, une six-cylindres de 2 490 cm³ et 45 ch dotée de freins hydrauliques. L'année 1933 est celle du lancement de la Skoda 420, pro-

La Skoda type 120 de 1925 est une deux-litres héritée de Laurin et Klement. Avec 30 ch, elle atteint 80 km/h.

pulsée par un quatre-cylindres de 995 cm^3 et 20 ch. Le châssis de la voiture est constitué par un unique tube central en double U soudé, semblable à celui des Tatra de Hans Ledwinka. Les roues arrière sont indépendantes, pas les roues avant. La Skoda 420 Popular apparaît en 1934 avec un 1 100 cm^3 de 30 ch. La gamme comprend aussi la Rapid à quatre cylindres de 1 380 cm^3 et la plus puissante Superb à six cylindres de 2 480 cm^3 et 55 ch. La 420 Rapid plus puissante apparaît en 1934.
Le lancement en 1936 de la Favorit 1,8 litre est une autre date importante pour Skoda. La production des Popular, Rapid et Favorit est interrompue par la guerre de 1939. Dans une Tchécoslovaquie annexée par l'Allemagne nazie, Skoda doit produire pour les Allemands. Le dernier jour du conflit, un bombardement allemand rase en partie l'usine qui peut néanmoins reprendre ses activités dès fin 1945.

Slaby-Beringer

Pendant la Première Guerre mondiale, le Dr Rudolf Slaby est ingénieur dans l'industrie aéronautique allemande. Après la guerre, Slaby doit se reconvertir et produit une petite voiture monoplace à moteur électrique et caisse en contreplaqué autoportante, destinée initialement aux invalides de guerre. Mais elle est trop chère. En 1921, Slaby rencontre Beringer, un ingénieur qui le convainc de transformer sa voiturette en biplace. Elle devient la Slaby-Beringer équipée d'un monocylindre DKW. Mais elle se vend très difficilement. L'affaire est vite en faillite et Jörgen Skafte Rasmussen, fondateur de DKW, la rachète avec l'usine de Berlin qui produira des DKW.

La Slaby-Beringer de 1921 à monocylindre DKW a été une voiture électrique pour invalides de guerre.

SLM

En 1871, Charles Brown fonde en Suisse, à Winterthur, les Schweizerichen Lokomotiv und Maschinenfabrik ou SLM (Ateliers suisses de locomotives). Brown a déjà beaucoup d'expérience dans les machines à vapeur quand il construit son premier tricycle à vapeur en 1886.
La chaudière possède six brûleurs, mais il faut une demi-heure pour monter en pression et mettre en marche le véhicule, qui ne dépasse pas

La SLM (Ateliers fédéraux suisses de locomotives) construit en 1886 cette voiture à vapeur biplace de 550 kg.

Cette SPA 25/40 HP de 1921 a été la première automobile carrossée par Giovanni Bertone, père de Nuccio. Auparavant, Giovanni Bertone n'avait produit que des voitures hippomobiles.

la vitesse de... 10 km/h. SLM ne fabriquera qu'un seul véhicule expérimental puis s'intéressera uniquement aux camions à vapeur.

SPA

En 1906, la firme italienne Società Ligure Piemontese Automobili (SPA) produit sa première automobile, qui est conçue et construite par le patron de l'entreprise, Matteo Ceirano.
La première SPA est propulsée par un gros moteur à quatre cylindres à soupapes latérales. Si la marque est d'abord célèbre pour ses très coûteux modèles de luxe, elle produit aussi des types de sport qui s'illustrent dans des épreuves routières à longue distance très fréquentes à l'époque. En 1908, une SPA termine troisième de la Targa Florio et, en 1909, le pilote Ciuppo remporte l'épreuve.
Les bons résultats en course se traduisent par de bons chiffres de vente. En 1912, le client a le choix entre des quatre et des six-cylindres de 2,6 à 11,3 litres. Plus de 500 voitures sont construites cette année-là. Pendant la Première Guerre mondiale, la production des types de tourisme est arrêtée et la première SPA d'après guerre sort en 1919.
La gamme est réduite à une quatre-cylindres de 2,7 litres et une six-cylindres de 4,4 litres en différentes versions. L'un des types les plus réussis est la SPA 24S de 1923 équipée d'une version double arbre de ce moteur 4,4 litres avec quatre soupapes par cylindre. Avec des pistons en aluminium, deux carburateurs et un double allumage, la puissance atteint 90 ch.
La carrosserie Bertone crée sa première caisse automobile sur ce châssis. Mais ce modèle raffiné et trop coûteux ne sauve pas la marque de la liquidation. En 1927, SPA entre dans le groupe Fiat et la production des types de tourisme est arrêtée.

SPAG

Les artisans constructeurs A. Simille et G. Péquignot (dont les initiales dans le désordre ont donné le nom de la marque), n'ont pas produit beaucoup de fin 1926 à 1928, malgré la qualité de leurs petites voitures de 6 ou 7 CV. La petite firme, située quai d'Asnières au nord de Paris, ne construit pas ses moteurs, mais monte des quatre-cylindres Ruby de 1 100 cm³ ou des SCAP de 1 500 cm³. Comme les autres petites marques issues de l'industrie du cyclecar, SPAG propose deux gammes : des types sport allégés et des types tourisme plus lourdement carrossés. La production est très limitée et il semble qu'il ne subsiste qu'une seule voiture.

Cette SPAG sport de 1926 pouvait être équipée de moteurs 1 100 cm³ Ruby, SCAP ou Chapuis-Dornier.

Speidel

Cette Speidel suisse est équipée d'un moteur Müller et Vogel de 737 cm³.

Paul Speidel fait partie des constructeurs plus enthousiastes qu'efficaces. En 1915, il présente sa première voiturette à Genève. Cette petite biplace possède un moteur Chapuis-Dornier de 8 HP. Dans le premier modèle, le conducteur et le passager sont côte à côte, mais dans le second de 1916, ils sont assis en tandem. En 1920, la firme emploie environ dix personnes qui ne construiront pas plus d'une douzaine de voitures en tout. En 1922, Speidel apparaît au départ du Grand Prix de Suisse au volant de sa propre voiture. Mais la voiture ne finit pas la course, car elle prend feu après quelques tours. Elle a pourtant été sauvée et cette voiture est exposée au Musée des Transports de Lucerne, en Suisse.

Spyker

Les frères Spijker, constructeurs de voitures hippomobiles, se lancent dans l'automobile en 1900. Ci-dessous un coupé hippomobile de 1898 et une Spyker C4-30/40 HP de 1922 à moteur Maybach.

La Spyker 14/18 HP double phaéton de 1906 possède un quatre-cylindres de 2,5 litres.

En avril 1998, le Musée national de l'Automobile de Raamsdonksveer aux Pays-Bas a présenté une collection unique de voitures Spyker, marque créée en 1900. Dix voitures ont été réunies, une sorte de performance quand on sait le très faible volume de production et le petit nombre de survivantes. Le carrosse royal hollandais est très connu, mais peu de gens savent qu'il a été construit en 1898 par Hendrik-Jan et Jacobus Spijker. En 1900, les deux frères construisent leur première automobile dans leur nouvelle usine d'Amsterdam. Malgré une très faible cadence de fabrication, la marque acquiert vite une renommée certaine. L'un des modèles les plus célèbres est la voiture de course construite pour la course Paris-Madrid de 1903. C'est la première voiture à moteur six-cylindres et quatre roues motrices.

Cette Spyker 60 HP six cylindres de 1903 est à quatre roues motrices. Elle atteint 100 km/h. Une petite série de 40 HP à quatre roues motrices sera produite.

La Spyker 30/40 1922 utilise un moteur Maybach de 5,7 litres à double allumage. Le châssis est d'origine française. La production cesse fin 1925.

Une petite série de quatre-cylindres à traction intégrale sera produite ainsi que des voitures à deux et quatre cylindres plus classiques.
L'usine de Trompenburg ne produit pas que des automobiles, mais aussi 110 aéroplanes et plus de 200 moteurs aéronautiques.
Après une production estimée à 1 500 unités, l'après-guerre apporte un type modernisé fait d'un châssis français et d'un moteur Maybach. Mais la firme doit déposer son bilan le 26 mai 1926.

Standard

Cette firme anglaise est fondée en 1903 à Coventry par Reginald Walter Maudslay à qui l'architecte du Tower Bridge, Sir John Wolfe Barry, confie 3 000 livres sterling pour lui fabriquer une automobile. Ce capital sert à créer la Standard Motor Company Ltd. Le

Cette Standard Nine Stratford de 1926 est dotée d'une carrosserie transformable fabriquée par Stratford. Les modèles prenaient le nom du carrossier.

premier modèle possède un moteur monocylindre de 6 HP, une boîte à 3 rapports et des roues arrière motrices. Les types de production reçoivent une boîte à quatre vitesses, puis des deux, trois et quatre-cylindres. En 1905, Standard présente la 18/20 HP, première six-cylindres britannique bon marché, à soupapes latérales. Maudslay termine onzième du Tourist Trophy 1905 sur une 18/20 3,6 litres de 20 ch, pour la seule fois où la marque prend part à une compétition internationale. En 1906, Standard emploie déjà 101 personnes. La firme construit divers types à moteurs quatre et six cylindres

Sportsman Coupé 1926 sur un châssis de Standard Nine.

refroidis par eau et expérimente le refroidissement par air sans l'adopter. En 1913, Standard présente un modèle bon marché, le type S, à quatre-cylindres de 1087 cm³. Les directeurs croient tellement à cette voiture qu'ils l'accompagnent d'une garantie de trois ans, très appréciée par les acquéreurs. Avant la Grande Guerre, Standard en vend environ 1295. Pendant le conflit, l'usine produit des avions de guerre.
La première Standard type S sort d'usine en 1919. Le moteur a été réalésé à 1328 cm³. En 1921, la SLS peut recevoir une carrosserie à quatre places et la version à soupapes en tête est nommée SLO. Des modèles nouveaux apparaissent en 1927, comme la Nine 6V, une voiture légère à six cylindres. Il en existe une version plus économique à quatre cylindres. Leur succès est considérable grâce à leurs prix, maintenus très serrés.
En 1928, la cylindrée de la Nine est portée de 1159 à 1287 cm³. Près de 9000 exemplaires sont vendus entre 1928 et 1930. En pleine crise, Standard bat des records de vente et les délais de livraison s'allongent. En 1932, la gamme comprend la Little Nine, la Big Nine, la Sixteen et la Twenty et les voitures sont perfectionnées au cours des années suivantes : boîte synchronisée, châssis renforcé, roue libre...
Les Flying Standard aérodynamiques de 1936 sont proposées en 12 HP (quatre cylindres 1608 cm³), 16 HP (six cylindres 2143 cm³) et 20 HP (six cylindres 2663 cm³). Un éphémère type à moteur V8 2,7 litres apparaît en 1937, sans grand succès (200 exemplaires). Deux ans plus tard, la production dépasse 40000 voitures.
Standard fournit aussi des châssis à la jeune SS Cars Company, future Jaguar, et rachète Triumph en 1944.

Stellite

La société Electric & Ordnance Accessories Co. Ltd, filiale de Wolseley implantée à Ward End à Birmingham, produit en 1913 une voiture bon marché appelée Stellite, produite de 1913 à 1919 avec une brève interruption pendant la guerre. La Stellite n'est pas chère, mais sa construction est faible. Le châssis est en bois et la boîte n'offre que deux rapports. Le moteur est un quatre-cylindres de 1100 cm³. Après 1918, la firme propose un type amélioré avec boîte à trois rapports, mais le succès n'est pas au rendez-vous et la production cesse dès 1919.

La Stellite (ici un modèle 1914) est construite sur un châssis en bois armé par une filiale de Wolseley.

Stephens

La Moline Plow Company est une importante firme produisant du matériel agricole implantée à Freeport, dans l'Illinois. Elle fabrique aussi des buggies, chariots et charrettes hippomobiles. Lorsque les ventes de ces véhicules commencent à décliner sérieusement, Moline constate une

demande croissante en faveur des automobiles. En 1915, Moline crée une branche automobile de marque Stephens Motors, du nom du fondateur de la firme Moline. Au début de 1916, quelques prototypes roulent déjà. La première voiture de production est livrée à la fin de l'année. Les premières voitures ont un quatre-cylindres Continental. En 1917, la

La Stephens Salient Six (1916-1924) à six-cylindres à culbuteurs. La torpédo deux places 1920 coûte 1 975 dollars.

firme présente un nouveau modèle à moteur six-cylindres à soupapes en tête Root & Vandervoort, firme de moteurs rachetée dès 1920 par Moline. Au début des années 1920, une grave crise agricole fait chuter les ventes de Moline. La marque Stephens est séparée du reste du groupe mais malgré une baisse des prix des voitures et des changements de style, Stephens cesse la production d'automobiles en 1924 après environ 25 000 unités produites.

Steyr

La fabrique d'armements de Steyr en Autriche orientale produit des bicyclettes dès la fin du XIXe siècle. Pendant la Grande Guerre, elle emploie 14 000 personnes. Elle produit quotidiennement des milliers d'armes (fusils, pis-

Cette Steyr six-cylindres de 1926 est équipée d'un moteur à 1 ACT de 4 litres dérivé d'un type étudié par Ledwinka. Elle atteint 140 km/h.

tolets et mitrailleuses) ainsi que des moteurs d'avions. À la fin de la guerre, Steyr a fabriqué 300 325 fusils, 234 919 pistolets et 40 524 mitrailleuses. En 1918, toute production d'armes de guerre est arrêtée. La direction de Steyr choisit de reconvertir l'activité dans la production automobile. Le célèbre ingénieur Hans Ledwinka, engagé dès 1917, conçoit et construit la première Steyr de 1920, la Six, au six-cylindres de 3 325 cm³. Ledwinka rejoint Tatra en 1921, mais il laisse derrière lui tant de projets et d'études que Steyr a du travail pour des années. Le deuxième modèle, la Steyr IV, a un quatre-cylindres de 1,8 litre à soupapes latérales. Cette voiture est produite en 1924 et 1925. C'est la seule quatre-cylindres Steyr avant 1932. Tous les modèles ultérieurs ont un six ou un huit-cylindres, le plus souvent à 1 arbre à cames en tête. Une série de beaux modèles voient le jour sous la direction technique du Dr Ferdinand Porsche, dont le modèle Austria de 1929. Le long capot cache un huit-cylindres en ligne de 5,3 litres, mais ce type n'est pas mis en production. Au total, Steyr produit 28 types différents avant la guerre. L'un des plus diffusés est la

Steyr 220 de 1937, dernier modèle produit avant la guerre.

La Steyr 220 est dotée d'un six-cylindres de 2 260 cm³ et 55 ch à 3 800 tr/min. Elle atteint 120 km/h. Son moteur en alliage léger est une étude Porsche de 1929. La 220 est produite jusqu'en 1941.

Steyr 50 de 1936 qui ressemble beaucoup à la future Volkswagen. Environ 13 000 exemplaires sont construits entre 1936 et 1940. Autre type réussi, la Steyr 220 possède un six-cylindres à soupapes en tête de 2 260 cm³. Au total, Steyr produit près de 35 000 voitures de 1920 à 1940.

Stoewer

La société Stoewer de Stettin construit sa première automobile en 1898. Auparavant, la firme produisait des bicyclettes et des motocycles.
Stoewer Père possède la firme, mais ses fils Bernhard et Emil sont responsables des automobiles. Les premières

La Stoewer LT4 est produite en 1910 et 1911 à 600 exemplaires. Le quatre-cylindres de 1 500 cm³ développe 16 ch à 1 400 tr/min.

Stoewer sont propulsées par des deux-cylindres, mais dès 1902, la marque propose l'un des premiers quatre-cylindres allemands, qui se révèle solide et fiable. Bernhard Stoewer conduit une de ses voitures de Stettin, à la frontière polonaise (de l'époque) jusqu'à Paris et retour par des routes qui n'en ont que le nom, sans assistance ni ravitaillement sur la plus grande partie du parcours.

En 1906, Stoewer produit la première six-cylindres allemande dotée d'un 8821 cm³. En 1911, ce moteur équipe la Stoewer P6. Jusqu'aux années 1920, la majeure partie de la production est équipée de quatre-cylindres. La plupart sont des groupes à soupapes latérales, seuls la F4 (1912-1916) et la R 180 (1935) ont des soupapes en tête. Stoewer produit aussi quelques belles huit-cylindres en ligne ainsi que la

La Stoewer D3 produite de 1919 à 1923 fait partie de la série D déclinée en plusieurs modèles.

Greif à traction avant en 1934. Dans les années 1930, la crise impose des voitures moins chères comme la Greif Junior (licence Tatra), la Sedina et l'Arkona. Jusqu'en 1940, Stoewer produit environ 25 000 voitures de

Une Stoewer R140 (1932-1934) quatre cylindres 1,4 litre.

La Stoewer Gigant (géante) est une huit-cylindres de quatre litres. Cette limousine de 505 cm de long coûtait 13 300 reichsmarks. Ce modèle luxueux ne survivra pas à la crise mondiale.

La Stoewer Gigant est produite de 1928 à 1931 en versions 3,6 litres (G14) et 4 litres (G15) présentée ici.

tourisme. Produisant pour l'armée allemande, l'usine est sévèrement bombardée pendant la Seconde Guerre mondiale, au point de n'être pas totalement reconstruite.

Studebaker

La marque Studebaker disparaît du marché en 1966. Elle est alors la plus vieille entreprise de « voitures » du monde, ce qui intéresse plus les historiens que les actionnaires ! En 1852, les frères Henry et Clem Studebaker (descendant du fondateur de l'entreprise, arrivé en Amérique en 1736) quittent la Californie où ils ont fait fortune dans la construction des chariots des pionniers de l'Ouest. Ils installent une autre usine de chariots à South Bend dans l'Indiana et fournissent l'armée nordiste pendant la guerre de Sécession.
En 1902, Studebaker produit une première voiture électrique vendue à 1 841 exemplaires. Il faut attendre 1912 pour voir le début de la production d'une voiture à essence. Les directeurs de Studebaker ont acquis

La Studebaker Light Six 1920 est redessinée d'une manière moderne pour son époque. Son moteur est un 3,4 litres développant 40 ch. Les voitures sont normalement livrées peintes en noir, calandre comprise.

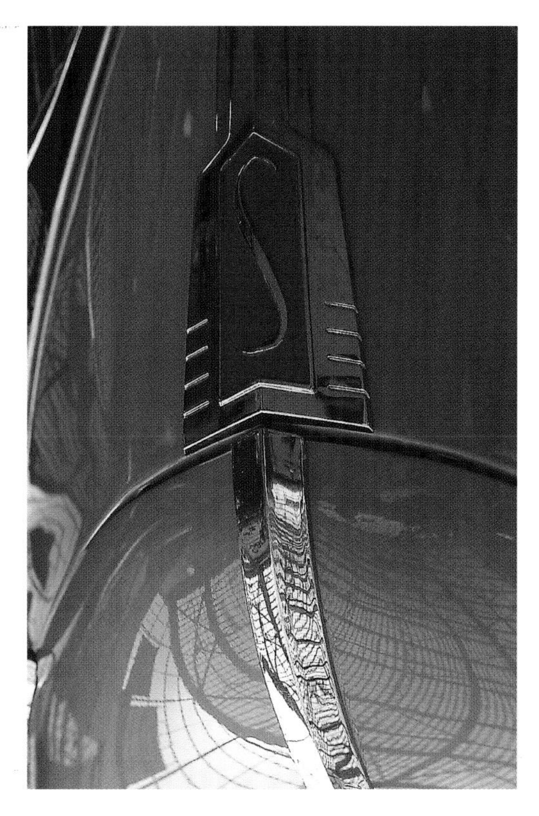

En 1928, les Studebaker Regal Coupé (2/4 places) sont très appréciées, en six comme en huit cylindres.

entretemps quelque expérience en produisant la Garford-Studebaker en 1904, puis des voitures conçues par Everett-Metzger-Flanders (EMF) rachetée par Studebaker en 1911.
En 1913, la gamme comprend trois modèles différents, deux quatre-cylindres et une six-cylindres. En 1920, la firme cesse la construction de chariots hippomobiles et se concentre sur la production automobile. Cette conversion se traduit par une hausse de l'activité, avec un chiffre d'affaires de plus de 100 millions de dollars. Le dernier modèle à quatre cylindres

Le programme 1929 comprend les six-cylindres Dictator et Commander Six et les huit-cylindres Commander Eight et President. Les puissances vont de 67 à 80 ch pour des cylindrées voisines.

sort en 1919. À partir du millésime 1920, toutes les Studebaker sont des six-cylindres. Fin 1926, Studebaker crée l'Erskine, destinée à l'exportation avec un moteur six cylindres de

Studebaker profite du nouveau règlement et prépare des voitures spéciales pour courir officiellement les 500 Miles d'Indianapolis en 1932 avec un certain succès (troisième).

Un nouveau dessin de l'avant caractérise les Studebaker de 1935 : calandre étroite et inclinée et ouïes de capot horizontales.

Les cabriolets 2/4 places 1935 sont encore équipés d'un spider. Les malles ajoutées sont plus appréciées par les collectionneurs modernes que par les utilisateurs de l'époque.

Un cabriolet cinq places Studebaker President 1939 à moteur huit cylindres de 110 ch.

Planche de bord d'une Studebaker 1935.

petite cylindrée. Studebaker est devenu un très grand constructeur: en 1925, la firme sort plus de 100 000 voitures. En 1928, elle emploie environ 21 000 personnes et tient le cinquième rang des constructeurs américains. Les affaires sont florissantes (157 millions de dollars de ventes), mais le directeur Albert Erskine, en poste depuis 1915, commet quelques erreurs stratégiques.
L'Erskine se vend mal et le rachat de Pierce-Arrow aggrave encore la situation. Le lancement des huit-cylindres President coûte cher. La crise économique frappe Studebaker dont les profits fondent comme les ventes. En 1932, la firme frôle la faillite et Erskine se suicide en 1933. Une nouvelle direction rationalise la gamme, modernise les châssis et entreprend des campagnes de publicité qui se révèlent payantes. En 1939, la Champion, une six-cylindres de 2,7 litres, replace Studebaker au huitième rang des marques avant qu'elle se consacre aux fabrications militaires en 1942.

Stutz

Harry C. Stutz naît le 12 septembre 1876. En 1903, il arrive à Indianapolis où il crée des automobiles de course dans un petit garage de Capital Avenue. La firme s'appelle Stutz Autoparts Company, puis Stutz Car Company of America en 1913. Outre des voitures de compétition qui se révèlent brillantes, Stutz construit des modèles de sport et de grosses voitures de tourisme. Elle connaît une grande noto-

La Stutz Bearcat est un châssis, un capot et deux sièges baquets précédant un réservoir d'essence. Ici, un modèle de 1912, époque de l'apogée de ces runabouts sportifs.

Une Stutz 1927 carrossé en coupé deux places à moteur Vertical Eight de 92 ch.

riété avec la Bearcat, un runabout biplace sans capote doté d'un quatre ou d'un six-cylindres (plus rare). Cette voiture de sport n'a pratiquement pas de carrosserie, mais ses performances en font un succès commercial en dépit de son prix élevé.

La première Bearcat de 1912 a un moteur quatre cylindres d'environ 5 puis 6,5 litres donnant 60 ch à des régimes très lents. Certaines (rares) Stutz de course de 1915 reçoivent des moteurs à 1 ACT et quatre soupapes par cylindre plus performants. En 1915, la Stutz Bulldog connaît aussi le succès. L'usine est devenue trop petite et Stutz émet des actions sur le marché boursier.

Alan A. Ryan prend le contrôle de Stutz en 1916. Harry Stutz quitte la firme en 1919 pour fonder HCS.

En 1922, la société Stutz est en faillite. Reprise par un magnat de l'acier, la firme produit une nouvelle six-cylindres en 1923, mais supprime la Bearcat. La gamme comprend des quatre et six-cylindres et les carrosseries vont du roadster biplace à la limousine sept places.

Une nouvelle direction prend les rênes en 1925. Un nouveau huit-cylindres en ligne, la Stutz AA Vertical Eight, apparaît en 1926. Le beau moteur de 4,7 litres est dû à l'ingénieur belge Paul Bastien, ancien collaborateur de la firme belge Métallurgique. Des versions sportives sont lancées sous l'ap-

La Stutz Black Hawk est la variante sportive de la Stutz AA. Celle-ci date de 1927.

Cette Stutz Black Hawk de 1929 est bien loin visuellement de son modèle de base, mais ses performances routières sont étonnantes.

pellation Black Hawk (en deux mots). En 1928, une Black Hawk termine deuxième des 24 Heures du Mans derrière une Bentley. Une version moins chère de la Vertical Eight est lancée en 1929 sous le nom de Blackhawk (en un seul mot).

La firme subit les effets de la crise car les Stutz ont toujours été des voitures chères et les clients capables de les acquérir se raréfient. En 1931, une petite six-cylindres est ajoutée à la gamme avec un moteur de 4 litres à 1 ACT. Confrontée à la concurrence des Cadillac, Packard et Lincoln qui s'engagent dans la surenchère des multicylindres, Stutz fait évoluer son huit en ligne en 1932 en le coiffant d'une culasse à 2 ACT et quatre soupapes par cylindre. Ce moteur équipe la Stutz DV32 (Dual valve pour doubles soupapes). En dépit de ce raffinement technique et d'un vaste choix de carrosseries (jusqu'à 30 styles différents), les ventes tombent à 1 500 voitures par an au début des années 1930 et à... 6 en 1934. La fabrication est arrêtée en 1935. La société Stutz est déclarée en faillite en 1937 et liquidée en 1939.

Moteur Stutz DV (double valve) soit 32 soupapes, deux ACT et quatre carburateurs, pour 156 ch.

Sunbeam

A la fin du XIXe siècle, John Marston construit des bicyclettes réputées sous la marque Sunbeam, comme beaucoup d'autres industriels anglais. En 1899, il construit sa première automobile et en 1901, un deuxième prototype. Ces deux véhicules ont un moteur monocylindre et une boîte à deux rapports. Un troisième type est présenté à l'automne 1901 avec un moteur De Dion-Bouton de 2,75 ch

Cette Stutz DV32, construite en 1933, est carrossée en somptueux phaéton double pare-brise.

Sunbeam Grand Prix 1922 de la formule deux litres. Son quatre-cylindres de 1 988 cm^3 délivre 88 ch. La six-cylindres de 1923 gagnera le GP de l'ACF.

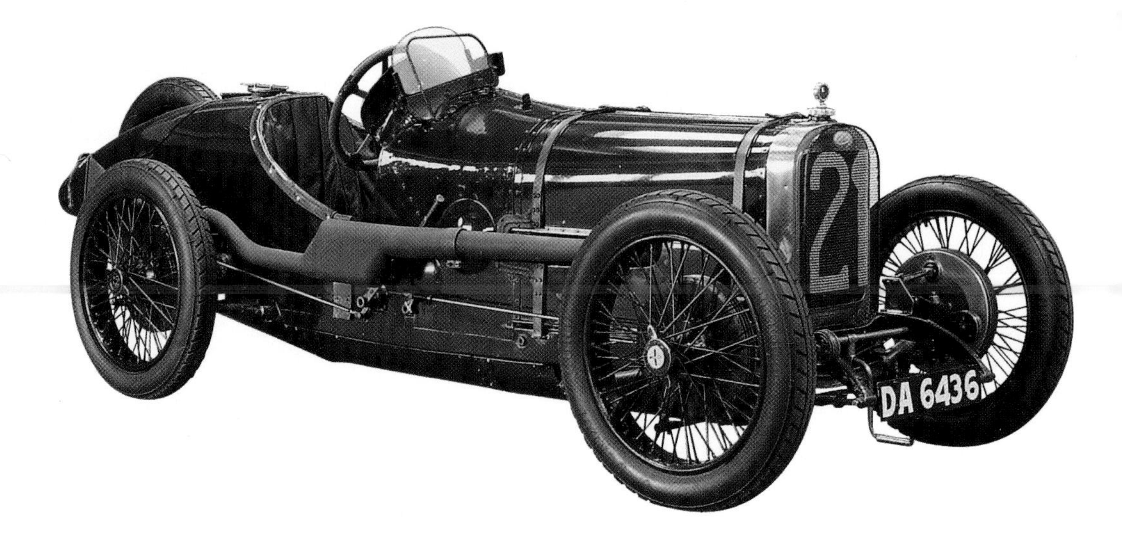

et des roues en losange. Une petite série de voitures est construite et, jusqu'en 1904, vendue sous la marque Sunbeam Mabley.

En 1903, apparaît une 12 HP à moteur quatre cylindres de 2,4 litres. Ce modèle possède une caractéristique particulière : les chaînes de transmission tournent dans un bain d'huile pour les protéger de la poussière de la route.

En 1909, l'ingénieur français Louis Coatalen prend le poste d'ingénieur en chef. Ses créations apparaissent en 1912 sous la forme de la 14/18 et de la 12/16 HP livrables avec transmission par chaînes ou par arbre à cardans. Ces voitures possèdent un moteur à quatre cylindres de respectivement 3 402 et 2 412 cm^3.

La 12/16 reste en production jusqu'en 1921 avec des versions sportives. Son moteur de trois litres sert de base aux groupes de course qui équipent les voitures gagnantes de la Coupe de l'Auto 1912 à Dieppe. En 1914, les Sunbeam Grand Prix 4,5 litres à deux ACT se montrent très performantes et sont envoyées aux États-Unis où elles courent à Indianapolis (quatrième en 1916). Pendant la Première Guerre mondiale, Sunbeam construit surtout des moteurs d'avions.

En 1920, Sunbeam fusionne avec Talbot-Darracq. Au sein du nouveau groupe multinational, Sunbeam est chargée des voitures de course et la marque produit de belles huit-cylindres en ligne de trois litres de cylindrée

Sunbeam du record du monde de 1927 de Sir Henry Segrave qui atteint 327, 981 km/h.

à 2 ACT, 32 soupapes et quatre carburateurs, d'une puissance de 108 ch à 4 000 tr/min, qui atteint une vitesse de 175 km/h à Indianapolis (cinquième en 1921). En 1923, Sunbeam gagne le GP de l'ACF à Tours avec une six-cylindres deux-litres à 2 ACT, réplique des Fiat Grand Prix 1922.

À partir de 1922, Sunbeam produit en série des voitures de tourisme, principalement des 14 et 16 HP avec quelques variantes sportives. Les moteurs reçoivent des soupapes en tête à la place des soupapes latérales.

En 1925, une belle six-cylindres de trois litres de tourisme-sport est ajoutée à la gamme, mais son prix limite sa diffusion.

Parallèlement, Sunbeam se fait une spécialité de puissantes voitures de record à base de moteurs d'avions. Dès 1926, Henry Segrave atteint 245 km/h avec une Sunbeam Tiger à moteur V12 de quatre litres. L'année suivante, Louis Coatalen conçoit une voiture spéciale de record destinée à dépasser les 200 miles à l'heure (320 km/h). Cette voiture a deux moteurs, l'un à l'avant, l'autre à l'arrière. Ces deux moteurs V12 donnent une cylindrée totale de 22 litres et délivrent environ 1 000 ch. En 1926, Sunbeam introduit deux types à moteurs huit cylindres de 4,8 et 5,4 litres, mais ces voitures sont trop chères pour attirer beaucoup d'acheteurs. En 1927, tous les modèles ont des freins avant et la production des quatre-cylindres est arrêtée.

La gamme comprend trois six-cylindres, la 16 HP de deux litres, la 20 HP de 2,9 litres et la 25 HP de 3,6 litres. Ces modèles sont produits jusqu'en 1933. Ils sont complétés par la Speed Twenty à moteur six-cylindres trois litres créée en 1925. Ces Sunbeam doivent lutter contre les Talbot-London du même groupe, notamment les 90 et les 105 très performantes.

La Sunbeam Dawn est lancée en 1934 avec un quatre-cylindres de 1 627 cm^3 à bloc en aluminium et compresseur et boîte présélective en option.

Mais le groupe STD, qui connaît des difficultés financières en 1935, est racheté par les frères Rootes. Quelques Sunbeam seront encore produites sous la nouvelle direction, mais les Sunbeam-Talbot de 1939 sont surtout des Talbot anglaises sous un aspect différent. Une vraie Sunbeam ne réapparaîtra qu'en 1953.

Sunbeam de record de 1922 à moteur d'avion V12 de 350 ch. Pilotée par K. Lee Guiness à Brooklands, elle atteint 215 km/h.

Talbot

L'histoire des marques Talbot, française et anglaise, est très compliquée. Ces firmes, tantôt unies, tantôt séparées, trouvent leurs racines dans celles fondées à Paris par Adolphe Clément et Alexandre Darracq.
La première, Clément et Cie, aborde l'automobile à la fin du siècle et cède en 1903 des licences de fabrication à des investisseurs anglais, en créant la Clément-Talbot Ltd à Londres, avec le comte de Shrewsbury and Talbot.
La seconde, fondée par Darracq, fabrique des tricycles et des quadricycles entre 1898 et 1901, avant de créer de véritables automobiles à partir de 1901.

Talbot (London) type AG 14/15 de 1930 à moteur quatre-cylindres de 1 600 cm³, construite en Angleterre.

Cette Talbot 14/65 est produite dans l'usine londonienne de Barlby Road à North Kensington.

La production de Darracq se développe fortement jusqu'à la Grande Guerre et, en 1913, Darracq (né en 1855 et sans héritier) cède ses actions à un groupe qui contrôle déjà sa branche britannique. En 1919, ces investisseurs rachètent aussi Clément-Talbot Ltd et fondent la société Clément-Talbot-Darracq Ltd.
Il y aura donc d'une part les Clément-Talbot ou Talbot-London en Angleterre et les Talbot-Darracq à Suresnes en France. En 1920, ces investisseurs rachètent aussi Sunbeam et créent le groupe STD. Succédant aux dernières Darracq 1914, les Talbot françaises sont alors produites sous la direction d'Owen Clegg (arrivé en 1913) à partir

La Talbot 75 (London) est un modèle très apprécié pour son silence et son confort.

La firme anglaise Talbot, en difficulté, est rachetée par les frères Rootes et la nouvelle Talbot Ten de 1935 est à la base une Hillman Minx rebaptisée. Les vraies et coûteuses Talbot London sont supprimées de la gamme. Les Talbot françaises sont vendues sous la marque Darracq en Angleterre.

La firme française Talbot, rachetée par Lago en 1934, produit des voitures sportives à partir de 1935. Cette Talbot Lago T150C de 1938 est l'un de ses modèles les plus performants.

Habitacle de la Talbot-Lago 1938 avec le levier de présélection de la boîte Wilson sous le volant.

de 1920. Elles comprennent une 24 HP à moteur V8 de 4,6 litres, puis une série de 10 HP de 1,5 puis 1,6 litre, lancées au Salon 1921.
Une DS 2,2 litres (12 HP) apparaît en 1923 et une DD plus moderne en 1926, avec un type DD Sport. Parallèlement, Talbot française fait courir avec succès des « voiturettes » 1 500 cm³ d'origine anglaise, puis une voiture de Grand Prix formule 1 500 qui doit s'incliner devant les Delage.
À partir du Salon 1925, Talbot-Suresnes propose des six-cylindres de 2,5 litres portées à 2,7 litres puis 3 litres. En 1928, une nouvelle famille de six-cylindres débute avec la M67 de deux litres suivie pour 1929 des K74 et P75 de respectivement 2,5 et 3 litres, qui évoluent en M75 et MF75 à roues avant indépendantes en 1933.
En 1922, Owen Clegg présente une huit-cylindres en ligne, la Pacific de 3,9 litres et 98 ch, suivie en 1933 de l'Atlantic, plus abordable (3,3 litres et 88 ch). Ces voitures reçoivent aussi des roues avant indépendantes.
Les effets de la crise économique obligent le groupe anglais STD à se séparer de la Talbot française, reprise en 1934 par Anthony Lago, le créateur des Talbot-Lago.
Parallèlement, la branche Clément-Talbot (London) produit des modèles propres au marché anglais dans les années 1920, sous la direction de l'ingénieur suisse Georges Roesch : la six-

La Talbot-Lago T23 est une six-cylindres à culbuteurs de quatre litres et 110 ch, prévue pour le grand tourisme.

Sur le châssis Talbot T150 SS, Figoni et Falaschi créent cette forme dite « goutte d'eau » qui fait sensation à l'époque.

cylindres 14/45 de tourisme (1,6 litre) qui évolue vers une version sport portée à 2,3 litres, le type 75 et le type 90 encore plus poussé. Les 105 (1931) et les 110 (1935) sont des versions tourisme très raffinées, au silence proverbial.
En 1935, le groupe STD est racheté par les frères Rootes qui suppriment les modèles chers.
La Talbot Ten est une Hillman Minx rhabillée en Talbot. Si la branche anglaise abandonne les modèles de luxe, Lago à Suresnes crée pour 1935 des modèles très sportifs, comme les T150 de 3 et 4 litres à culasse hémisphérique, et les T110 (ex MF75) et T120 (nouveau trois-litres Lago).
Ces moteurs équipent des châssis de longueurs différentes qui donnent lieu aux versions Baby, Major et Master. Des types plus modestes voient le jour pour 1936, tels la T11 Cadette (six cylindres deux litres) et T15 Cadette et Baby. Pour les sportifs, Lago propose les types Lago Spécial et Lago SS, dotés de moteurs T 150 C spéciaux, capables de dépasser 200 km/h. Certaines de ces voitures, construites pour la compétition, reçoivent des carrosseries à l'aérodynamisme poussé et participent aux Grands Prix formule sport, aux 24 Heures du Mans et aux grands rallyes internationaux.

Tamplin

Au lendemain de la Grande Guerre, la demande d'automobiles est très forte, tant pour les modèles de grand luxe que pour les voitures très bon marché type cyclecar. Une multitude de petites firmes apparaissent en France comme en Angleterre, souvent pour disparaître après quelques mois d'activité. En Grande-Bretagne, Carden, ancien capitaine, conçoit la Tamplin. Sur les premiers modèles, les deux occupants sont assis en tandem, mais cette disposition est modifiée en 1922. Ce cyclecar roule sur quatre roues et son moteur est un JAP de moto de 8 HP. Les roues avant sont indépendantes et la carrosserie est en contreplaqué. La production démarre bien, mais la concurrence de l'Austin Seven est rude et la Tamplin est trop sommaire. En 1927, la firme Tamplin Motors de Cheam, Surrey, doit fermer ses portes après une production estimée à 2000 exemplaires.

Ce cyclecar Tamplin « élémentaire » est créé en 1919 à partir d'un moteur JAP en V et d'une transmission par chaîne et courroie. Il a, à l'époque, gagné une course contre un train...

Le Tamplin à deux places en tandem comme la Bédélia française, est amélioré en 1922, avec une carrosserie élargie. La production restera limitée.

Tatra

Ignace Schustala crée en 1850 à Nesselsdorf, ville de Bohême devenue Koprivnice après 1919, une petite fabrique de voitures hippomobiles, la Nesselsdorfer Wagenbau Fabrik Gesellschaft. Dans les années 1890, sous une nouvelle direction, l'entreprise se spécialise dans la fabrication de luxueuses voitures de chemin de fer. Son directeur achète une automobile et, en 1897, oriente la production vers ce nouveau moyen de locomotion.

La Nesselsdorf Praësident voit le jour en 1897. C'est la première automobile produite en Europe centrale. En 1900, la firme construit ses premiers moteurs et, en 1906, apparaît un quatre-cylindres de 3 306 cm^3 à un arbre à cames en tête. Ce modèle moderne, signé Jan Ledwinka, est nommé Nesselsdorfer type S 20/30. En 1910, une version six-cylindres de 50 ch est présentée. En 1914, les voitures peuvent recevoir des freins avant. En 1916, Ledwinka quitte la firme pour Steyr. Quand il revient en 1921, la société Nesselsdorfer est devenue tchèque et s'appelle Tatra-Werke.

Le premier type dessiné par Ledwinka est la Tatra 11. Le châssis est un gros tube central de 110 mm de diamètre. A l'avant, ce tube est directement boulonné au carter en aluminium du moteur de 1 056 cm^3 à deux cylindres opposés à plat, refroidi par air. Les roues arrière sont reliées au châssis par des demi-essieux oscillants. Les quatre roues sont indépendantes. Le type 12 est obtenu par réalésage du moteur et il bénéficie de freins avant.

La Tatra 70 est une voiture de grand luxe capable de rivaliser avec les Mercedes et les Horch. Son six-cylindres de 3,4 litres à arbre à cames en tête délivre 65 ch. 50 exemplaires sont produits en 1931-1932. Son prix la réserve aux services gouvernementaux et à de rares particuliers.

En 1938, la Tatra 57B est une 57A modernisée. Leurs moteurs sont refroidis par air.

Le type 52 de Tatra, produit entre 1930 et 1938 à 1 687 exemplaires, est doté d'un moteur 1,9 litre flat-four latéral refroidi par air à l'avant.

La Tatra 57A (1936-1938) est doté d'un quatre-cylindres à plat refroidi par air de 1 155 cmv qui l'emmène à 90 km/h. Elle est produite de 1936 à 1938.

La Tatra 77 de 1934 fait à l'époque l'effet d'une bombe par ses formes aérodynamiques et son aileron stabilisateur sur le capot arrière. Son moteur est refroidi par air.

La Tatra 77 de l'ingénieur Ledwinka intègre en 1934 les meilleures études aérodynamiques effectuées en soufflerie. Cette voiture est révolutionnaire, mais elle ne fait pas école.

Le moteur V8 de la 77 est un trois-litres porté à 3,4 litres sur la 77A de 1935. Les puissances développées sont respectivement de 60 et 70 ch.

25 000 Tatra types 11 et 12 sont vendues. Après 1926, Tatra propose des modèles de 2 et 2,3 litres à six cylindres en ligne et arbre à cames en tête conventionnels. En 1930, la gamme comprend même un V12. Des quatre-cylindres à plat sortent à partir de 1928. Dans cette série, les types Tatra 57 et ses successeurs 57A et 57B sont propulsés par des moteurs à plat de 1 155 cm³ (type A) et 1 256 cm³ (type B). Ledwinka frappe un grand coup en 1934 avec la Tatra 77 profilée, à V8 refroidi par air de 3,4 litres en position arrière. Ce type est à la base de tous les modèles Tatra construits jusqu'à la fin du XXe siècle.

La dernière Tatra à moteur arrière d'avant guerre est le type 87 (construit jusqu'en 1950). Son moteur de 2 980 cm³ et 75 ch l'emmène à 160 km/h. Son comportement routier est très survireur en raison du poids sur l'arrière.

Tempo

Le premier Tempo est fabriqué à Hambourg en 1927. L'engin ressemble à un triporteur de livraison avec une roue arrière et deux roues avant. La roue motrice est entraînée par un moteur de moto de 200 cm^3. En 1933, un nouveau type, dit Pony, est présenté avec deux roues arrière et une roue avant. Le conducteur n'est plus exposé aux intempéries. Si le véhicule est à traction avant (type Tempo-Front T6), son moteur est toujours un groupe de moto Ilo de 200 cm^3. Le Tempo, conçu avant tout pour la livraison (type Combi), peut recevoir toutes sortes de carrosseries spécialisées, même de tourisme.
Le dix millième Tempo est produit en 1934. A cette époque, la firme a commencé la construction de quatre-roues. Elle fournit ensuite des véhicules spé-

Le moteur du tricycle Tempo est monté au-dessus de la roue avant.

Les passagers arrière de la Tempo doivent s'installer par la porte arrière.

L'engin n'est pas spécialement rapide, mais une vitesse de 60/65 km/h en fait un utilitaire apprécié car très économique.

ciaux tout-terrain à deux moteurs et quatre roues motrices à la Wehrmacht. Les trois-roues assurent l'essentiel du chiffre d'affaires. Tempo produit aussi quelques modèles à moteur deux cylindres de 600 cm^3.

Terraplane

Le 21 juillet 1932, l'usine Hudson de Detroit dévoile une nouvelle série d'automobiles, sous la forme d'un modèle de la série Essex, la Terraplane. Une grande manifestation promotionnelle a été organisée avec le pionnier de l'aviation Orville Wright

Créée en 1932 comme nouveau modèle d'Essex du groupe Hudson, la Terraplane est proposée en 40 modèles dont 14 huit-cylindres dès l'année suivante.

et l'aviatrice Amelia Earhart qui vient de traverser l'Atlantique. Ces deux parrains de la nouvelle Terraplane reçoivent les voitures n° 1 et n° 2. Tous les concessionnaires Hudson ont été invités pour y prendre livraison de leur voiture de démonstration et deux mille Terraplane paradent en ville. Peu de temps auparavant, Ford a fait les gros titres avec sa nouvelle V8 populaire et Hudson doit faire au moins autant de bruit en publicité de lancement.

La Terraplane est initialement un modèle de la gamme Essex, vendue sous la marque Essex-Terraplane. Ce nouveau type est légèrement moins cher que la nouvelle Ford et son moteur six-cylindres délivre 5 ch de plus que le V8 concurrent. En 1933 et pour ce seul millésime, la voiture peut recevoir en option un huit-cylindres en ligne Hudson.

C'est le dernier modèle vendu sous la marque Essex-Terraplane. Le nom Essex disparaît ensuite totalement. Il faut en effet maintenir une nette différence entre la coûteuse Hudson et la Terraplane plus abordable. Pour cette dernière, l'acheteur doit se contenter d'un six-cylindres. Mais la marque est déjà si appréciée qu'elle fait de l'ombre à Hudson. En 1938, Hudson décide donc d'adopter la marque Hudson-

En 1934, la Terraplane n'est plus offerte sous la marque Essex et son style est modernisé. 54 804 exemplaires sont livrés cette année-là.

Cette Terraplane 1934 a été probablement carrossée en Europe en cabriolet quatre places.

La planche de bord de la Terraplane 1934 est d'une grande sobriété.La planche de bord de la Terraplane 1934 est d'une grande sobriété.

Terraplane pour toutes les productions du groupe, avant d'éclipser Terraplane en 1939, théoriquement pour le bien d'Hudson. En 1936, le groupe vendait 123 266 modèles des deux gammes Hudson et Terraplane, puis 111 342 Hudson-Terraplane en 1937 et 51 078 en 1938. En 1939, 82 161 Hudson seulement trouveront preneur.

Thury-Nussberger

Les Suisses M. Thury et R. Nussberger construisent leur premier tricycle en 1878. À cette époque, ils sont encore tous deux étudiants à la Société Genevoise d'Instruments de Précision à Genève. Ce tricycle, propulsé par un moteur à vapeur, offre quatre places dos-à-dos. La machine chauffée au charbon est à deux cylindres. La réserve d'eau atteint 80 litres.
À la pression maximale, la machine délivre 12 ch à 350 tr/min. Ce tricycle n'a pas de boîte de vitesses et les roues arrière sont entraînées par chaînes. La vitesse maximale atteint 50 km/h.

Cette Thury-Nissberger a été presque totalement détruite par le feu en 1914. Récemment restaurée, elle est visible au Musée des Transports de Lucerne, en Suisse.

Toyota

Les constructeurs d'automobiles ont souvent commencé par produire des cycles et des motos. Le Japonais Sakichi Toyoda (avec un d) fabrique, lui, des machines pour l'industrie textile. Un an avant sa disparition, Toyoda cède ses brevets pour l'équivalent de 100 000 livres. Son fils, Kiichiro, utilise une partie de ce capital pour produire, entre autres, sa première automobile. En septembre 1934, Toyoda développe son propre moteur qui ressemble beaucoup au six-cylindres Chevrolet. En mai 1935, la première Toyoda type A-1 quitte l'usine. La carrosserie est une copie de la Chrysler Airflow 1934. Si Toyoda avait su que cette voiture allait à l'échec commercial, il aurait choisi un autre modèle... Cette conduite intérieure de 1 500 kg offre cinq places mais n'a pas de succès. La première année, trois exemplaires seulement trouvent preneur. En 1936, Chrysler propose un nou-

Toyota présente sa première six-cylindres A-1, copiée sur la Chrysler Airflow, en 1935.

La six-cylindres Toyota A-B de 1939 existe aussi en cabriolet quatre places (probablement une version militaire).

veau style pour l'Airflow et le fabricant japonais le copie aussi. Le nouveau type est nommé AA. Le châssis et les organes mécaniques sont « empruntés » à Chevrolet. Une version décapotable type AB est présentée en 1937. La famille Toyoda fonde alors Toyota Motor (avec un t). En 1938, la Toyota AC est présentée, suivie en 1939 par la Toyota AE plus petite. Ce dernier type est équipé d'un 2258 cm^3 au lieu de 3389. Mais la préparation de la guerre déclenche une forte demande de camions. Toyota bénéficie de cette tendance en produisant 20000 camions et 2000 modèles de tourisme jusqu'en 1942.

Tribelhorn

À la fin du XIXe siècle, la question du choix de l'énergie de propulsion des automobiles n'est toujours pas tranchée: essence, vapeur ou électricité? Des dizaines d'années plus tard, les partisans de l'une ou de l'autre défendront encore leurs idées sur la question. Chaque type d'énergie a ses

La Tribelhorn électrique suisse, produite à partir de 1902, possède une direction à barre.

Les principaux instruments de bord de la Tribelhorn sont un voltmètre et un ampèremètre.

avantages et ses inconvénients. En 1899, le Belge Camille Jenatzy dépasse 105 km/h au volant d'une automobile à propulsion électrique. Cet exploit renforce les convictions des partisans de l'électricité fournie par des batteries embarquées. C'est ainsi qu'en 1902, la société suisse Tribelhorn présente sa première automobile électrique. Ce type de tourisme peut parcourir environ 100 km à une vitesse de 25 km/h. Le volume des batteries laisse peu de place aux passagers, mais l'autonomie reste le problème numéro un. Tribelhorn pense résoudre le problème en installant des stations de recharge le long des principales routes suisses. Si ce système n'est guère pratique pour les touristes en raison de la dispersion des stations, il semble plus adapté aux véhicules des Postes suisses qui suivent toujours les mêmes itinéraires.

Triumph

Le 9 juin 1984, British Leyland ferme les usines Triumph. La firme a jusque-là produit de belles et performantes voitures de sport et de tourisme. En 1883, un Allemand de vingt ans, Siegfried Bettmann, émigre en Grande-Bretagne et installe une usine de cycles à Coventry. Il est aidé dans sa tâche sur le plan technique par son compatriote Schulte. Les capitaux nécessaires sont fournis par la White Sewing Machines Company (machines à coudre). En 1903, Triumph se lance dans la construction de motocyclettes. Jusqu'à l'arrivée massive des motos japonaises dans les années 1960, Triumph bénéficie d'une excellente réputation au plan mondial. Mais après 1918, la demande de petites voitures économiques se fait plus pressante. En 1920, plusieurs dizaines de marques se créent en Grande-Bretagne, dont Triumph qui construit une nouvelle usine en 1923. Les premières voitures du type 10/20 sont équipées d'un moteur à quatre cylindres 1,4 litre à soupapes latérales de

À partir de 1936, la Triumph Gloria peut être livrée avec un six-cylindres de deux litres.

Triumph aborde le marché automobile en 1923 avec la 10/20, une quatre-cylindres de 1 400 cm³ qui se vend bien.

La planche de bord de la Triumph 10/20 Sport est très bien équipée.

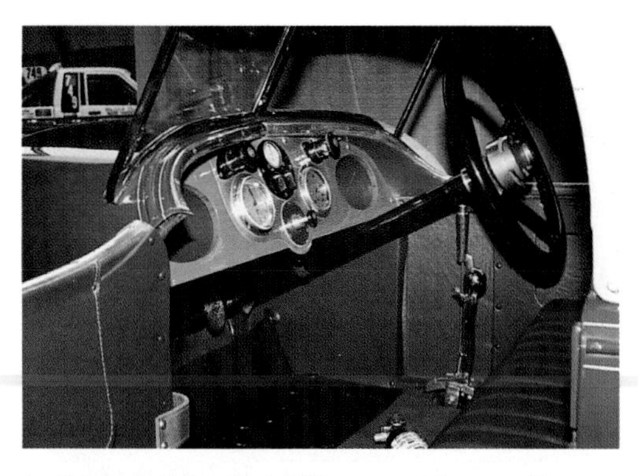

La Triumph Dolomite 1938 reprenait le nom d'un prototype à huit cylindres plus ambitieux.

23 ch. La carrosserie offre deux places plus deux places d'appoint dans le spider. Ses concurrents sont Morris et Austin. En 1925, Triumph lance un modèle à moteur 1,9 litre équipé de freins à commande hydraulique, mais les ventes ne décollent vraiment qu'avec le lancement, en 1927, de la Super Seven, nettement ciblée contre l'Austin Seven. Cette élégante petite voiture peut être habillée de cinq façons différentes et le moteur de 832 cm³ équipé sur demande d'un compresseur. La Scorpion 1,2 litre de 1931 offre un moteur à six cylindres et Triumph adopte un moteur Coventry-Climax semi-culbuté sur la Super Nine de 1932 et sur la Ten. En 1932, avec la crise économique, Triumph accumule les pertes. L'année suivante, Bettmann, âgé de soixante-dix ans, passe la main. Toujours en 1933, Donald Healey est engagé en tant que directeur technique. Nouveaux modèles sport étudiés sous sa direction, la Southern Cross et la Gloria de 1934 sont disponibles en 1 100 ou 1 500 cm³. Les moteurs sont encore des Coventry Climax produits sous licence. En 1933, Healey, qui termine troisième du rallye de Monte Carlo, fait connaître Triumph sur le continent. La Dolomite, une ambitieuse voiture de sport, est une copie de l'Alfa Romeo 8C-2300. Trop coûteuse, elle est abandonnée. En 1936, Triumph cède la branche motos et se réorganise. En 1937, la Gloria 1 500 à moteur maison est présentée. L'appellation Dolomite désigne des quatre et six-cylindres 1,8 et 2 litres à tendance sportive. Les affaires vont mal, la production est arrêtée et Triumph est vendue en 1939. La firme est rachetée par le groupe Thomas Ward qui produit pour l'armée. Finalement, la marque Triumph est rachetée par Standard en 1944 et relancée en 1946.

La première Turicum suisse de 1904 à direction par pédales.

Les premières Turicum sont de petites voitures à deux places et à direction à volant. Elles ont un moteur 7 ch refroidi par air avec ventilateur. Le faux radiateur n'a pas de bouchon.

Turicum

En 1904, le Suisse Martin Fischer construit sa première automobile dans son quartier de Nieder Uster proche de Zurich. Ce prototype, à une seule place, possède une originale commande de direction par deux pédales et une transmission par friction. Le moteur monocylindre donne 7 ch. Mais la même année, la société Turicum (nom latin de Zurich) présente son premier type de production doté d'une direction par volant et d'un moteur à quatre cylindres. En 1908, Turicum, devenu l'un des plus importants constructeurs suisses, a ouvert une succursale à Neuilly près de Paris. Fischer quitte la firme cette année-là et relance une autre affaire qui construit quelques voitures sous son propre nom.
La plupart des Turicum sont propulsées par des quatre-cylindres de 1943 ou 2613 cm³, mais le client peut choisir un deux-cylindres. L'activité est soutenue. En 1913, la firme emploie environ 150 personnes et sort plus de 200 voitures. Pourtant l'usine ferme au début de la Grande Guerre. Un millier de Turicum ont été produites.

En 1908, Turicum produit des quatre-cylindres dont ce type D à moteur deux litres, produite à Zurich. Turicum produit des voitures jusqu'en 1914.

Le style, avant 1914, doit beaucoup aux accessoires: la trompe serpent, les phares à acétylène et la forme du radiateur.

Unic

Georges Richard et l'ingénieur Henri Brasier construisent ensemble des Richard-Brasier de 1901 à 1904. En 1905, Georges Richard quitte la société et fonde une nouvelle entreprise en louant une usine Quai National à Puteaux. La marque Richard ayant été concédée à Brasier, Georges Richard crée Unic dans l'intention de ne produire qu'un seul type de véhicule. La première Unic est une 10 HP à deux cylindres suivie en 1905 d'une quatre-cylindres de 2,6 litres. La 12 HP 1,9 litre portée à 2,1 litres est fabriquée pendant près de vingt ans. Unic en vend une version taxi produite et exportée à de nombreux exemplaires. En 1909, Unic propose une six-cylindres de 4,1 litres au succès médiocre. Les petits modèles se vendent mieux : 690 voitures en 1907 et 1219 en 1911.

Cette Unic de 1937 a été affublée d'une calandre de style très américain, à la mode à l'époque.

Ces chiffres ne sont pas ridicules à l'époque où une douzaine seulement de constructeurs français dépassent les 1000 voitures vendues par an. Le modèle de base est une 10 CV quatre cylindres à soupapes latérales, dont Unic dérive une version à culbuteurs deux litres plus brillante, mais produite à faible cadence, donc peu rentable. Peu à peu Unic se spécialise dans les utilitaires, camionnettes et camions

L'Unic U4 B de 1935 avec un quatre-cylindres 2,2 litres à soupapes latérales jusqu'en 1936.

Cette Unic U4 a une carrosserie d'usine, une boîte de vitesses Cotal et une suspension avant indépendante très originale à bras transversaux croisés.

qui assurent l'essentiel du chiffre d'affaires. En 1929, début de la crise, une huit-cylindres en ligne apparaît au mauvais moment. En 1934, Unic propose une quatre-cylindres U4 deux litres puis une six-cylindres U6 trois litres. L'empattement de la U6 est supérieur de 10 cm à celui de la U4. Ces voitures atteignent respectivement 140 et 120 km/h. Elles sont dotées d'une originale suspension avant indépendante et de freins mécaniques auto-serreurs. Leur production reste très limitée. Unic produit aussi des engins militaires de 1935 à 1940. Après la Seconde Guerre mondiale, la marque ne relancera que les camions.

Dans les années 1920, la robustesse des Unic favorise leur utilisation comme taxis, torpédos commerciales et camionnettes légères. La 10 CV est la plus vendue.

Vale Special

La vente des voitures de sport n'est pas très rentable en période de crise, mais cette situation n'empêche pas trois passionnés de concevoir et de créer une nouvelle voiture en 1932. Elle porte le nom du quartier de Londres où elle est construite, Maida Vale. La Vale Engineering Co. Ltd produit ses voitures avec grand soin et attention. Ces petites biplaces sont extrêmement surbaissées et dotées d'un moteur Triumph à quatre cylindres de 832 cm³ très préparé. La marque ne dispose d'aucun réseau d'agents, ni même d'un service des ventes. On doit venir chercher sa voiture à l'usine de Potsdown Road... Lorsque Triumph cesse la fabrication de ses moteurs, Vale s'adresse aussi à Coventry Climax et monte dans ses modèles des moteurs 1 100 cm³ à soupapes en tête, mais l'acheteur peut aussi opter pour un Meadows de 1 250 cm³. En 1933, la société emploie 17 personnes et son record de production est de 15 voitures en un mois. En 1934, l'usine produit une voiture de course à moteur Coventry Climax 1 500 suralimenté qui obtient quelques succès en compétition.

Les Vale Special sont chères et leur production est limitée. En 1936, les dettes s'accumulent et la production doit être arrêtée après un total de 103 exemplaires fabriqués.

La Vale de 1932 était incroyablement surbaissée.

Vauxhall

En 1857, Alexander Wilson crée une usine de construction de machines à vapeur maritimes et nomme son

En 1933, la Vale coûtait 192 livres quand une Morgan était vendue 110 livres.

En 1 100 ou 1 500 cm³, la Vale surbaissée est rapide et nerveuse.

Une Vauxhall type D 25 HP des années 1920, avant la reprise par General Motors en 1925. Ce type a été produit pendant la Grande Guerre pour l'armée.

entreprise Vauxhall Iron Works, du nom du lieu d'implantation, le quartier du Vauxhall à Londres. En 1892, il quitte l'affaire. Les repreneurs décident quelques temps plus tard d'ajouter aux fabrications traditionnelles, celle des automobiles. En 1903, la première Vauxhall sort d'usine. Il s'agit d'une quatre-places en vis-à-vis, type très commun à l'époque. Le moteur monocylindre horizontal monté sous le siège arrière entraîne les roues arrière par chaînes. La transmission donne deux vitesses avant, mais pas de marche arrière. En 1905,

En 1937, toutes les Vauxhall reçoivent une nouvelle carrosserie. Ici, une Twelve à moteur six cylindres 1,5 litre.

La Vauxhall la plus performante est la 30/98 créée en 1913, mais construite à partir de 1919 et vendue jusqu'en 1927 à 586 exemplaires seulement.

Vauxhall propose des voitures à trois cylindres avec direction par volant. Pour la gamme 1906, le jeune ingénieur Laurence H. Pomeroy conçoit deux nouveaux modèles, la 12/14 HP et la 18 HP. Ces deux types sont dotés d'un moteur à quatre cylindres à soupapes monolatérales. En 1908, Vauxhall construit la 20 HP, une trois litres performante de facture moderne.

À l'époque, la course est un moyen publicitaire incomparable. La voiture remporte une épreuve de régularité sur 3 200 km. Elle est aussi la première voiture britannique à atteindre 160 km/h à Brooklands le 28 octobre 1910. La version compétition 4 litres prend le nom de Prince Henry, nom d'une grande épreuve allemande où elle s'illustre. Cette voiture devient en 1913 la 30/98 avec un moteur porté à 4,5 litres et environ 100 ch. Elle dépasse alors 140 km/h. La 30/98 est produite jusqu'en 1922. En 1923, elle reçoit un moteur à culbuteurs de 4,2 litres et cette série est produite jusqu'en 1927. A cette date, environ 586 Vauxhall 30/98 ont été fabriquées. Toujours en 1923, la marque cesse ses activités en compétition pour se consacrer aux voitures de tourisme. En 1922, elle n'en a vendu que 600 unités, mais 1 400 en 1924. Malgré ces résultats encourageants, la direc-

La Vauxhall 30/98 de 1924 est une voiture rapide (150 km/h) avec un moteur culbuté de 4,5 litres de plus de 100 ch.

tion accepte en 1927 une offre de General Motors qui poursuit brièvement la production de la Hurlingham 20/60, une 30/98 rhabillée, avant de passer à des types franchement américains produits à la chaîne, d'un caractère très différent.
En 1928, la type R est une spacieuse quatre-portes dotée d'un six-cylindres de 2,8 litres à soupapes en tête, coûtant 475 livres. La marque produit aussi des modèles moins chers comme la Cadet de 1931, une deux-litres six cylindres coûtant 280 livres.
En 1935, Vauxhall vend 25 000 voitures et plus de 35 000 en 1938, année où la marque lance la Ten, une petite quatre-cylindres monocoque de 1 200 cm³.

Velie

Comme les frères Studebaker, Willard Velie commence par produire des buggies et des chariots agricoles. En 1908, il présente sa première automobile. Les premières Velie de production de 1910 sont équipées d'un moteur Lycoming. Ces voitures à deux ou cinq places sont nommées

En 1913, la Velie américaine est équipée d'un quatre-cylindres de 32 ou 40 ch.

La Velie torpédo modèle 1913 présente un dessin remarquablement net et moderne, dépourvu de tout souci aérodynamique. Sa vitesse ne dépasse pas 40 km/h.

Velie A et B. En 1911, Velie produit ses propres moteurs. Le pilote Howard Hall termine dix-septième dans la première édition des 500 Miles d'Indianapolis en 1911, avec l'un de ces moteurs. En 1914, Velie propose des six-cylindres de 34 ch.
Pendant la Première Guerre mondiale, Velie profite des contrats de fournitures militaires qui l'enrichissent. En 1919, la Velie Motor Corporation construit son premier moteur six cylindres à soupapes en tête. Le volume de production atteint

9 000 voitures en 1920. Pour suivre la demande, Velie fait appel à des moteurs Continental qui équipent la Velie type 34 de 1920, disponible uniquement sous forme d'une torpédo cinq places.
Velie produit une large gamme de modèles construits avec beaucoup de soin. La gamme 1928 comprend aussi un type à moteur huit cylindres Lycoming. Cette même année, Velie lance les types 66 et 77 à moteurs six cylindres de 50 et 60 ch et le type 88 à moteur huit cylindres en ligne de 90 ch. Au total, la marque commercialise treize types de carrosserie différents. Willard Velie décède le 24 octobre 1928 et son fils Willard Lamb Junior le 20 mars 1929. Privée de ses dirigeants, la firme revient dans le giron du groupe Deere et cesse la production automobile.

Velox

La firme Prager Automobilfabrik Velox GmbH construit de petites automobiles de tourisme de 1906 à 1910. Elles sont toutes du même modèle et la plupart sont exportées en Russie. Elles sont principalement utilisées comme taxis à Prague et à Moscou. Leur moteur est un monocylindre de 1 020 cm^3 installé sous le siège arrière. La boîte offre trois rapports et une marche arrière. Le frein à pied agit sur la boîte de vitesses et le frein à main sur l'une des roues arrière. Selon le constructeur, la vitesse maximale est de 45 km/h. Après 1910, la firme Velox n'a plus qu'une activité de garagiste et d'importateur.

L'austro-hongroise Velox apparue en 1906 possède un moteur de 10 ch sous le siège avant.

Vermorel

La firme Vermorel, de Villefranche-sur-Saône, est très connue à la fin du XIXe siècle comme fabricant de matériels agricoles et viticoles. Au tournant du siècle, elle commence à s'intéresser à l'automobile pour aborder la construction en 1907.

Vermorel confie l'étude des modèles à François Pilain, ingénieur déjà réputé dans la région lyonnaise. Il commence par proposer une quatre-cylindres à moteur 1,8 litre à soupapes latérales et boîte à quatre rapports. Les cylindrées sont portées à 2,2 et 2,3 litres à partir de 1911. En 1912, la marque lance une 10 CV, très diffusée, puis une 12/16 CV remise en production en 1919. À partir de 1922, les voitures peuvent recevoir des freins avant. En 1923, la nouvelle 10 CV Vermorel est accompagnée d'une version sport à soupapes en tête.

La quatre-cylindres 16/60 du Salon 1923 à moteur 2,6 litres à arbre à cames en tête reste à l'état de projet. En 1928, Vermorel propose le type AH, sa première six-cylindres de 1, 9 litre et 45 ch. De nombreuses Vermorel sont vendues carrossées en camionnettes.

Lorsque la demande s'épuise vers 1930, la firme arrête sa production pour se consacrer totalement aux matériels agricoles traditionnels.

La 10 HP Vermorel de 1913 est l'un des chevaux de bataille de la marque de Villefranche-sur-Saône, spécialisée dans le matériel agricole et viticole.

Un runabout Vermorel modèle 1911 à moteur quatre cylindres bi-bloc de 2 074 cm. La marque satisfait une clientèle locale mais exigeante.

Voisin

L'histoire de l'industrie automobile est peuplée de personnages hors du commun et Gabriel Voisin en est une figure majeure. Il commence très jeune par construire des avions pour de riches sportifs. Jusqu'à sa mort en 1973, il affirmera avoir construit le premier véritable avion capable de décoller seul. En tous cas, c'est un Voisin qui accomplit le premier kilomètre en circuit fermé en janvier 1908. Pendant la Première Guerre mondiale, Gabriel Voisin accumule une

La Voisin C1 18/23 HP a failli être produite par Citroën. Son 4-cylindres sans soupapes développe 65 ch à 2400 tr/min.

Gabriel Voisin, qui privilégie la fonction à la forme, a créé des carrosseries à grande visibilité dites Lumineuse comme sur cette C14 six cylindres 14 CV de 1927, très équilibrée sur la route. Les portes minces ont des glaces coulissantes. Les caisses très allégées sont en aluminium. Le toit est en simili-cuir.

énorme fortune en produisant des milliers de bombardiers pour les Alliés. Après 1918, dégoûté de l'aviation, il se lance dans la production d'automobiles en construisant un modèle de luxe, étudié initialement pour Citroën qui préfère un modèle plus populaire. Cette Voisin C1 de quatre litres, à moteur quatre cylindres sans soupapes très silencieux, atteint 120 km/h. Après une production d'environ 70 voitures, Voisin étudie la C2, une très grosse voiture à moteur V12 de 7 litres toujours sans soupapes qui reste à l'état de prototype. Parallèlement à la première 18/23 CV, Voisin s'oriente alors vers de petites quatre-cylindres 8/10 CV de 1 300/1 500 cm³ puis vers des six-cylindres moyennes (2,3 litres) qui rencontrent un grand succès. Dès le début des années 1920, Voisin vend la quatre-litres à des chefs d'État, rois, maharajahs, aristocrates, vedettes du spectacle et grandes fortunes du monde entier. Si les Voisin peuvent être livrées en châssis pour être carrossées au choix du client, Voisin préconise ses propres carrosseries

La C25 Aérodyne de fin 1934 étonne par son style d'avant-garde, pourtant peu surprenant pour un concepteur d'avions.

Le moteur de C25/C27 est un six-cylindres sans soupapes de trois litres développant près de 100 ch à 3500 tr/min.

Le toit arrondi de la C25 coulisse sur des rails, mû par un système à dépression. Les hublots conservent la visibilité arrière.

Le moteur V12 cinq litres sans soupapes Voisin développe 115 ch à 3 500 tr/min. La voiture atteint 130 km/h. Sa production ne dépasse pas trente exemplaires.

remarquables par leurs principes de construction qui recherchent la légèreté et la grande visibilité. Voisin a l'expérience de l'aluminium et des structures minces sur les avions, ainsi que de l'organisation ergonomique des planches de bord. Il construit aussi des voitures de course originales comme la Laboratoire de 1923. Des Voisin préparées par César Marchand battent de nombreux records du monde de vitesse sur longues distances à Montlhéry, dont celui des 24 heures à 182,6 km/h dès 1924 et celui des 50 000 km à 119,8 km/h en 1930, entre autres. Pour 1930, Voisin lance une nouvelle V12 et une excellente six-cylindres trois litres 17 CV qui évolue en 3,3 litres jusqu'en 1935. La crise n'épargne pas Voisin qui doit céder

La planche de bord de la C20 douze cylindres surbaissée est remarquablement organisée au service du conducteur.

Cet unique coach C20 surbaissé à moteur V12 qui date de 1930 est conservé aux États-Unis. Son style enthousiasme autant qu'il peut choquer.

Le prototype de la voiture encore appelée « La force par la joie » a couvert 485 000 km d'essai aux mains du professeur Porsche. Cette voiture est conservée au musée de Wolfsburg.

le contrôle de sa firme en 1935, tout en restant ingénieur en chef des projets, créant notamment les Aérosport et Aérodyne aux carrosseries d'avant-garde. Toutefois, les moteurs sans soupapes doivent être abandonnés en 1938 sur la C30, qui reçoit un moteur Graham. Devenu ingénieur-conseil indépendant, Gabriel Voisin dirige un bureau d'études qui travaille sur de nombreux projets, comme un châssis à roues en losange, des moteurs à injection et à vapeur, des moteurs en étoile pour avions, des avions, etc. Après la Seconde Guerre mondiale, il créera le Biscooter, un véhicule léger décapotable à deux places, à moteur monocylindrique et traction avant, produit en Espagne dans les années 1950.

Volkswagen

Le professeur Ferdinand Porsche (1875-1951) trace déjà les plans d'une petite voiture populaire au début des années 1920, mais personne n'y croit, pas même son employeur, la firme Austro-Daimler. Après avoir travaillé pour Mercedes et Steyr, Porsche crée son bureau d'études en 1929. Le projet d'Hitler, en 1934, de produire une « voiture du peuple » ou Volkswagen incite Porsche à soumettre son projet dans les conditions fixées par le dictateur, à savoir : carrosserie à quatre places, vitesse de 100 km/h sur autoroute et consommation inférieure ou égale à 7 litres aux 100 km, pour un prix de vente de 990 reichsmarks. Ces conditions dissuadent la plupart des constructeurs. Pour que les travailleurs du Reich puissent l'acquérir, un plan d'épargne est institué avec des versements hebdomadaires de 5 marks. En 1931, Porsche avait déjà étudié ce type d'automobile économique. Zündapp avait même

Cette Volkswagen de pré-série date de 1938. Les modèles 1946 sont très semblables.

La planche de bord très austère de la première Volkswagen.

produit trois prototypes et NSU s'y intéresse en 1933 mais Fiat rappelle à la marque allemande que les accords de sa reprise interdisent ce type de production. Porsche a donc le feu vert pour continuer son étude qui est présentée à Hitler en 1934. En octobre 1936, les premiers prototypes commencent leurs essais, mais le programme est retardé par des problèmes. Hitler ordonne la construction d'une usine en 1938 alors que la

Les indicateurs de direction sont à l'époque des flèches basculantes.

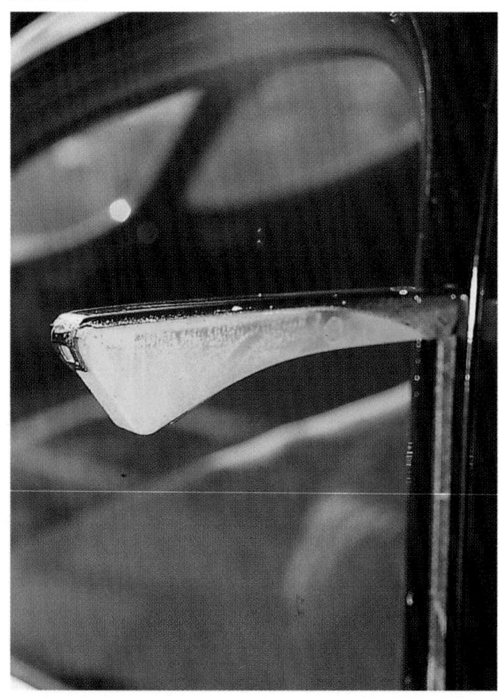

mise au point n'est pas terminée. Malgré ces retards, Hitler refuse que la « voiture du peuple » soit produite par Ford ou Opel, ces deux firmes étant sous contrôle de capitaux américains. L'usine géante prévue doit produire 800 000 voitures par an. Le 26 mai 1938, la première pierre est posée. Les premières voitures sortent d'usine en 1940 à quelques centaines d'exemplaires. En fait, l'usine va produire des versions militaires de la « Kraft durch Freunde wagen » (voiture « La force par la joie »), nom officiel de la voiture connue depuis sous le nom de Volkswagen ou Coccinelle. Les rares versions civiles sont distribuées à des dignitaires du parti et à des fonctionnaires. Aucun épargnant n'en aura jamais.

Volvo

Volvo, actuellement plus grand groupe industriel scandinave, est fondé en 1926 par Assar Gabrielsson et Gustaf Larson, deux ingénieurs de la firme de roulements à billes SKF, qui commencent leur étude d'automobile dès 1924. Les plans définitifs datent de 1925 et les deux ingénieurs achèvent leur prototype en juin 1926. La carrosserie est due à l'artiste suédois Helmer Mas-Olle. Au vu des prototypes, SKF accepte de financer le projet et la société AB Volvo est fondée le 27 octobre 1926. Le premier modèle type OV4, surnommé Jakob, est produit à partir du 14 avril 1927 et jusqu'en 1929. 205 torpédos sont d'abord construites, mais ce type de carrosserie ne convient guère au dur climat suédois et Volvo décide de produire

La Volvo PV4 est présentée en 1927 après deux ans d'essai en version décapotable, l'OV4. Le moteur est un quatre-cylindres d'1,9 litre.

une version fermée, la PV4, dont 791 exemplaires voient le jour. Pour accélérer la cadence, 200 caisses de torpédos sont transformées en conduites intérieures. Ces premières Volvo sont équipées d'un quatre-cylindres, mais dès 1929, une six-cylindres est lancée qui intéresse les chauffeurs de taxis. Cette PV 651-652 motorisée par un trois-litres délivrant 55 ch atteint, avec ses 1 500 kg, 110 km/h. Les 653-654 suivantes, d'une cylindrée de 3,2 litres, ont une puissance de 65 ch. La 658 atteint 3,7 litres et 80 ch, mais son style est radicalement américain.
Lorsque Chrysler lance l'Airflow, Volvo présente une voiture semblable, la PV36 ou Carioca dont 501 exemplaires sont vendus.
La Carioca est la première Volvo à caisse tout acier et roues avant indépendantes. Le type suivant, la PV 51-52 est vendue à 3 005 exemplaires de 1936 à 1938. Présentée en 1938, la PV 801 est une grande voiture à huit places utilisée comme taxi et produite jusqu'en 1947 en nombre limité. Son moteur six cylindres de 3, 7 litres l'emmène à 130 km/h. Le dernier type d'avant guerre à six cylindres est la PV 60 présentée en 1942 et mise en production en 1946 jusqu'en 1950. Cette PV 60, très inspirée par le style américain 1939, est tout à fait démodée en 1950.

La première Volvo OV4 est aussi appelée Jakob.

Wanderer

Wanderer est d'abord réputée pour ses petits modèles. Cette W 4 est produite de 1919 à 1924. Le moteur quatre cylindres a une cylindrée de 1 306 cm^3.

Vers 1880, Johann Winkelhofer et Richard Jaenicke créent un petit atelier de réparations de cycles à Schoenau, près de Chemnitz en Allemagne et commencent à construire des bicyclettes en 1885 avant d'aborder les motocycles et les machines à écrire (sous la marque Continental). En 1905, ils construisent une automobile dont la technique est trop défectueuse. En 1907, un deuxième prototype voit le jour, mais son manque de mise au point retarde le lancement en production jusqu'à la fin de 1911. Les deux constructeurs examinent un projet d'Ettore Bugatti, mais ils estiment que leur étude est meilleure. La petite Wanderer W1 appelée aussi Puppchen (petite poupée) est en effet très réussie. Cette W1 peut transporter deux adultes assis en tandem. La voiture est propulsée par un quatre-cylindres de 1 140 cm^3 et, avec un poids de seulement 500 kg, elle peut atteindre près de 70 km/h. Elle reste en production pendant près de quinze ans. La modification la plus importante concerne la disposition des sièges. À partir de 1913, la place passager est décalée par rapport à celle du conducteur. En 1921, la firme lance un deuxième type, la W 6, dotée d'un moteur à quatre cylindres à soupapes en tête de 1,5 litre. La plupart des constructeurs commencent par produire de petites voitures avant de proposer des modèles de plus en plus importants. Wanderer ne fait pas exception. En 1928, la W 10 est lancée avec un moteur de deux litres et, en 1929, la W 11 propulsée par un six-cylindres de 2,6 litres et 50 ch. Son prix, 8000 marks, est astronomique. Dans le regroupement Auto Union, qui réunit DKW, Horch, Audi et Wanderer, cette dernière est chargée de produire les modèles moyens. La nouvelle direction procède à une modernisation du style des carros-

La Wanderer W 1 conçue comme une vraie voiture en réduction est surnommé Puppchen (petite poupée) par ses utilisateurs.

La Wanderer W 23 est produite de 1937 à 1940 avec un moteur six cylindres à soupapes en tête d'une cylindrée de 2 632 cm³. Ce moteur développe 62 ch.

La Wanderer W 24 est une petite quatre-cylindres à soupapes latérales de 1 767 cm³. Sa vitesse maximale est de 105 km/h.

series. La W 15 (400 ventes en 1932) est rebaptisée W 21 quand elle reçoit un moteur conçu par le Dr Porsche. Son volume de production atteint 5 000 exemplaires en 1933 et 1934. Le Dr Porsche développe un compresseur pour la version sport appelée W 25, mais le moteur est peu fiable et 250 exemplaires seulement sont vendus. En 1937, Wanderer propose la W 23 (six cylindres et 62 ch) et la W 24 (quatre cylindres et 42 ch). Les châssis sont nouveaux avec caissons soudés et roues avant indépendantes par ressorts transversaux. Elles sont robustes, mais lourdes et peu rapides.

La W 25 K, version sport à compresseur de la W 25, est produite à un petit nombre d'exemplaires.

La version à compresseur de la W 25 a été étudiée par le professeur Porsche. La cylindrée est réduite à 1 963 cm³ et la puissance est de 85 ch pour une vitesse maximale de 145 km/h.

La six-cylindres est produite pour les militaires jusqu'en 1941. Après 1945, Wanderer, dont l'usine est située alors en Allemagne de l'Est, ne reprend pas ses fabrications automobiles.

Waverly

La Waverly Electric Company est fondée en 1898 par la fusion de l'American Electric Vehicle Company et de l'Indiana Bicycle Company. La nouvelle firme, spécialisée dans les véhicules électriques, est implantée à Indianapolis.
Les premières automobiles sont pratiquement des voitures à chevaux dotées de moteurs électriques. Elles n'ont pas de volant, mais une barre franche jusqu'en 1911. En 1913, la firme lance un roadster biplace, la Waverly 90, dont très peu d'exemplaires sont vendus. La société cesse ses activités en 1915.

Cette Waverly Electric Brougham model 75 apparaît en 1910. Le moteur électrique est sur l'essieu arrière, à droite sur la photo.

Lancée fin 1926 par Willys-Overland, la Whippet (lévrier) est la plus petite des voitures américaines, avec un quatre-cylindres de 30 ch ou un six-cylindres de 40 ch.

Whippet

La Whippet est une production de Willys-Overland. La voiture est produite entre 1927 et 1931 dans l'usine Overland de Toledo, Ohio.
Les premiers types ont un moteur à quatre cylindres. C'est à l'époque la plus petite des voitures américaines avec un empattement de 254 cm (100 pouces). Par la suite, la Whippet peut recevoir en option un moteur à six cylindres. L'une de ces voitures tourne pendant 24 heures à la moyenne de 90,4 km/h sur la piste d'Indianapolis. La Whippet est aussi petite que bon marché. La version à quatre cylindres est moins chère qu'une Ford Model A équivalente. Elle est même annoncée comme « la six-cylindres la moins chère du monde ». Pour la première année de production, la firme en vend 110000 exemplaires, mais la crise frappe Willys-Overland qui réduit sa gamme. La Whippet est supprimée au début de 1931.

Wikov

Cette marque désigne des voitures de tourisme et de sport construites dans la ville tchèque de Prostejov, près de Brno, entre 1926 et 1937. La marque Wikov vient de la contraction des noms des anciens directeurs-fondateurs Wichterle et Kovarik. La firme est déjà réputée pour ses machines agricoles quand elle

La Wikov 40 est le modèle le plus vendu (330 unités). Cette voiture est produite de 1933 à 1936.

La Wikov 1934 reçoit une carrosserie profilée. Son moteur deux litres est à soupapes en tête. Ces voitures sont produites à très faible cadence jusqu'en 1936.

s'intéresse à l'automobile. Les premiers types sont proches des Ansaldo italiennes. Le moteur est remarquablement semblable. Le type 28 est propulsé par un moteur à quatre cylindres de 1 480 cm³ à bloc-cylindres en aluminium et 1 arbre à cames en tête. Ce groupe délivre 28 ch à 2800 tr/min. En 1931, la cylindrée est portée à 1 740 cm³ et à 1 940 cm³ en 1933 sur les types 35 et 40.

Dès 1930, tous les modèles sont équipés de freins hydrauliques.
Wikov a une équipe de course. En 1929, lors de la première épreuve, les Wikov sont peu brillantes. En 1931, une Wikov finit troisième d'une course en catégorie 1 500. En 1933, une Wikov remporte la course Prague-Pressburg à la moyenne de 92 km/h. En 1931, le célèbre aérodynamicien Paul Jaray dessine une carrosserie de coupé très profilée.

Cette Wikow Sport de 1935 est conservée au Musée des Techniques de Prague. Sa vitesse maximale serait de 145 km/h.

Lorsque la crise atteint l'Europe centrale, Wikov tente de produire des modèles bon marché. La petite Wikov n'a pas le succès qu'elle aurait mérité. Le moteur de cette voiture est monté à l'arrière et les quatre roues sont indépendantes. Le châssis est un tube central du type conçu par Jan Ledwinka. Huit exemplaires seulement sont vendus. En 1933, une grande huit-cylindres en ligne à moteur 3,5 litres est présentée sans être mise en production. En 1937, la firme revient au matériel agricole.

Windsor

La Moon Motor Car Company est fondée à St Louis, Missouri, en 1905. La plupart des Moon sont équipées d'un moteur Continental.
En 1929, la marque dévoile une voiture de luxe appelée Windsor White Prince, également dotée d'un moteur Continental, mais cette fois, d'un huit-cylindres en ligne alors que la Moon est une six-cylindres. Les freins sont hydrauliques. La Windsor est une grande voiture, avec des empattements de 318 ou 358 cm. Six types de carrosserie sont proposés. La plus petite, un roadster à deux places, coûte 1 845 dollars et la plus grande, une limousine sept places, coûte 2 195 dollars. La production est arrêtée en 1930, tandis que Moon tente la traction avant avec la Ruxton, sans succès.

La Windsor est d'abord un modèle Moon à moteur huit cylindres Continental appelé White Prince. Elle n'est produite que pendant deux années, sur un châssis surbaissé avec freins hydrauliques, avant de disparaître en 1930.

Wolseley

Frederick York Wolseley possède à Sydney, en Australie, une florissante affaire de fabrication d'outillages et de tondeuses à moutons. Il crée une filiale à Birmingham, dont il confie la direction à Herbert Austin, puis il s'intéresse à l'automobile en 1896. La première voiture qu'il produit est une étude d'Herbert Austin. Il s'agit à l'évidence d'une copie du tricycle Léon Bollée. L'engin est propulsé par un moteur à deux cylindres à plat opposés monté en long avec une transmission par courroie. Le deuxième type, un monocylindre, ne dépasse pas le stade du prototype. En 1899, la firme dévoile une voiturette à moteur 3,5 HP. Cette fois encore, Austin a monté un monocylindre, mais l'engin a quatre roues au lieu de trois. En 1901, environ 327 voitures sont vendues. Cette production fait de Wolseley l'un des premiers constructeurs britanniques. En 1903, la production atteint le chiffre impressionnant de 800 voitures. La firme gagne assez d'argent pour investir dans la compétition au plus haut niveau. Wolseley présente en 1903 une voiture à moteur quatre cylindres de 11 litres de cylindrée donnant

La Wolseley Hornet Special est commercialisée en 1933 après le succès d'une équipe d'usine de Wolseley Hornet dans une épreuve à Brooklands.

70 ch. En 1905, ce moteur est poussé à 96 ch pour la coupe Gordon-Bennett. Charles Rolls pilote une Wolseley dans la coupe de 1905 courue en France et se classe huitième. Cette année-là, Austin quitte la firme. Il est remplacé par John Davenport Siddeley, futur concepteur des Armstrong-Siddeley. Les voitures produites sont de classiques deux, quatre et six-cylindres à moteurs verticaux de 10 à 50 HP. En 1914, Wolseley est le plus grand constructeur britannique avec un volume de production de 4000 voitures. Si Ford assemble 7000 Model T cette année-là, il s'agit d'une marque américaine. En 1914, toutes les Wolseley sont équipées de l'éclairage électrique et de roues détachables en option. Cette même année, Wolseley présente un nouveau type, la Stellite, à moteur quatre cylindres et boîte à deux rapports. Pendant la Grande Guerre, Wolseley fabrique des moteurs Hispano à arbre à cames en tête. Cette technique apparaît sur la Ten de 1920 dont les mauvais chiffres de vente incitent la direction à changer de politique. Les responsables décident de lancer un type bon marché à moteur à deux cylindres opposés à plat. Au prix de 255 livres, ce modèle ne peut lutter contre l'Austin Seven qui ne coûte que 165 livres. En 1926, la firme lance un modèle plus coûteux équipé d'un moteur six cylindres de deux litres. Mais c'est trop tard, Wolseley est en faillite. La marque est rachetée par son concurrent, William Morris pour 730000 livres. Le nouveau six-cylindres à 1 ACT est développé par Morris. En 1928, Wolseley présente une voiture très luxueuse à moteur huit cylindres de 2,7 litres, mais c'est un échec commercial. La marque ne fait pas parler d'elle avant 1930, quand elle lance la Hornet six cylindres dotée d'un moteur de 1271 cm³ installé dans un châssis de Morris Minor. D'une puissance initiale de 32 ch puis de 35 ch, ce groupe à 1 ACT équipe ensuite des versions sport souvent carrossées par des firmes spécialisées comme Jensen ou Swallow (future Jaguar). En 1934, la Hornet peut recevoir un quatre-cylindres. Un

an après, la Wasp est la dernière Wolseley à arbre à cames en tête. Cette solution se révèle très coûteuse à fabriquer et difficile à entretenir. Wolseley revient aux soupapes en tête. Entre-temps, les Wolseley ressemblent de plus en plus aux Morris et les moteurs deviennent interchangeables. En 1939, la Wasp reçoit un nouveau moteur également monté sur les MG TB de 1939 et TC de 1945.

Zedel

Vers 1914, la firme Zedel (ZL) est une marque de motos et d'automobiles régionales assez connue. La firme a été fondée par le Suisse Ernest Zürcher, associé plus tard à Hermann Lühti. Au départ, la firme est implantée à Saint-Aubin, près de Neuchâtel en Suisse. Elle produit d'abord des moteurs de motos et de tricycles ainsi que des moteurs auxiliaires pour bicyclettes. En 1904, Zedel crée une filiale en France, à Pontarlier. Ce transfert d'activité permet d'éviter les taxes douanières car la plupart des moteurs sont vendus à des firmes françaises. En 1906, la filiale française de Zedel construit sa première automobile, dotée d'un quatre-cylindres de 1 128 cm^3 et 8 ch et boîte à trois rapports. En 1914, la marque produit 400 voitures par an. La première quatre-places apparaît en 1908 et, en 1912, Zedel offre une voiture 15 HP de prix moyen à moteur quatre cylindres de 3 563 cm^3. Après la guerre de 1914-1918, Zedel lance deux nouveaux modèles à moteur quatre cylindres de 2 120 et 3 168 cm^3. En 1924, Zedel est rachetée par le Suisse Jérôme Donnet et les voitures sont vendues sous la marque Donnet-Zedel.

Zedel, marque d'origine suisse installée à Pontarlier en 1905 pour produire des automobiles, propose jusqu'en 1914 des quatre-cylindres de 8, 10 et 15 HP de grande qualité.

Index

Les éditeurs et l'auteur adressent leurs plus vifs remerciements
aux personnes dont les noms suivent
pour leur aide lors de l'élaboration de cet ouvrage,
soit en fournissant des illustrations,
soit en autorisant la photographie de leurs voitures.

Par ordre alphabétique :

Slot Aalholm, Hysted, *Danemark*
Tom Barrett III, *États-Unis*
Blackhawk Collection, *États-Unis*
Fred Brechtbühl, *Suisse*
Ivo Celechovsky, Tatra, *République tchèque*
Frank Gardner, *États-Unis*
Fred Hediger, *Suisse*
Lukas Hüni, *États-Unis*
Rick Lenz, *États-Unis*
Reinhard Lintermann, *Allemagne*
Ton Lohmann, *Pays-Bas*
Musée national d'automobiles, Raamsdonksveer, *Pays-Bas*
Petra Nemeth, BMW, Munich, *Allemagne*
Oldtimer Garage, *Suisse*
Renault, *France*
Ernst Ritzmann, *Suisse*
Reinhard Schmidlin, *Suisse*
Matt Stone, *États-Unis*
Volvo, *Suède*